Eduardo Bueno

CAPITÃES DO BRASIL

OBJETIVA

Coleção Terra Brasilis

VOLUME III

CAPITÃES DO BRASIL

A Saga dos Primeiros Colonizadores

Consultor técnico

Ronaldo Vainfas

Professor titular de História Moderna
na Universidade Federal Fluminense

Direitos em língua portuguesa para o Brasil,
adquiridos por EDITORA OBJETIVA LTDA.,
rua Cosme Velho, 103 - Rio de Janeiro - RJ - CEP: 22241-090
Tel.: (021)556-7824 - Fax: (021) 556-3322
INTERNET: http://www.objetiva.com
© Coleção Terra Brasilis. Uso autorizado por Ediouro S.A.

Projeto Gráfico, Direção de Arte e Capa
Ana Adams
Ilustração da Capa
Benedito Calixto
Editoração Eletrônica e Mapas
Leandro A. Sparrenberger
Gabriel G. Netto
Tratamento de Imagens
Janice Alves
Revisão
Damião Nascimento
Rita Godoy
Ana Lúcia Kronemberger

CIP-BRASIL. CATALOGAÇÃO-NA-FONTE
SINDICATO NACIONAL DOS EDITORES DE LIVROS, RJ.

B941c
    Bueno, Eduardo
      Capitães do Brasil : a saga dos primeiros colonizadores /
    Eduardo Bueno. – Rio de Janeiro : Objetiva, 1999
      288p. - - (Coleção Terra Brasilis ; 3)

      Inclui bibliografia
      ISBN 85-7302-252-3

      1. Brasil – História – Capitanias hereditárias, 1534-1549.
    2. Brasil – História – Período colonial, 1500-1822. I. Título.
    II. Série.

99-1020.
                             CDD 981.03
                             CDU 981

Sumário

Os Novos Donos do Brasil

E ra o prenúncio de tempos sombrios. No dia 15 de junho de 1532, uma frota portuguesa, constituída por dez caravelas e outros navios, partiu de Lisboa com destino a Roma. Sua missão era conduzir o bispo D. Martinho para a Itália, onde ele seria embaixador de Portugal junto à cúria romana. Em sua gestão, D. Martinho iria tratar da instalação da Inquisição em Portugal — um clamor do clero e da nobreza, que pressionava o rei D. João III. Circunstâncias inesperadas fariam com que aquela poderosa armada não só viesse a desempenhar um papel muito diferente daquele ao qual fora destinada como a vinculariam decisivamente aos destinos do Brasil.

Na primeira semana de agosto, em meio à sua jornada para Roma, a frota ancorou em Málaga, porto espanhol no Mediterrâneo. Após se reabastecer, a esquadra se preparava para seguir viagem quando uma nau de bandeira francesa aportou no mesmo ancoradouro. Os portugueses desconfiaram que o navio estivesse chegando do Brasil, onde, há mais de duas décadas, os franceses se dedicavam ao rendoso tráfico de pau-brasil — uma atividade que os lusos consideravam ilegal e que, de fato, constituía um flagrante desrespeito ao Tratado de Tordesilhas.

Em 1494, castelhanos e portugueses tinham dividido o mundo entre si. Alijados daquela partilha, os franceses não aceitavam a validade jurídica dos acordos firmados na pequena cidade de Tordesilhas. O principal alvo de seu assédio ao Novo Mundo era justamente o desguarnecido litoral do Brasil.

Portanto, assim que viram a embarcação ancorar em Málaga, os portugueses armaram um estratagema para capturá-la. A nau se chamava a *Peregrina* e pertencia ao nobre francês Bertrand d'Ornesan, barão de Saint Blanchard — almirante que chefiava a esquadra francesa do Mediterrâneo. O comandante do navio era Jean Duperet, um comerciante de Lyon.

Ao saber que a tripulação da *Peregrina* precisava de víveres, o capitão da frota portuguesa, Antônio Correia (filho do navegador Aires Correia, que fora companheiro de Cabral no descobrimento do Brasil) forneceu-lhes 30 quintais (ou 1.800kg) de biscoitos salgados e se ofereceu para comboiar a nau até Marselha. Os franceses aceitaram ambas as propostas. No dia 15 de agosto, quando os navios estavam em alto-mar, nas alturas da costa de Andaluzia, na Espanha, Correia — sob o pretexto de estudar a melhor rota — chamou a seu navio os pilotos e mestres de todas as embarcações da frota, incluindo o capitão e os oficiais da *Peregrina*. Ao chegarem a bordo da nau-capitânea, os franceses foram imediatamente presos.

Os portugueses, então, espantaram-se com o que viram nos porões da *Peregrina*. O navio estava atulhado com 15 mil toras de pau-brasil, três mil peles de onça, 600 papagaios e 1,8 tonelada de algodão, além de óleos medicinais, pimenta, sementes de algodão e amostras minerais. Mas os lusos ficariam ainda mais perturbados ao descobrir os feitos que a tripulação da *Peregrina* havia realizado durante sua estada de quatro meses no Brasil.

Com 18 canhões e 120 homens a bordo, entre marinheiros e soldados, a *Peregrina* havia partido de Marselha em dezembro de 1531. Em março do ano seguinte, a nau aportara diante de uma feitoria portuguesa instalada em Igaraçu, no litoral de Pernambuco, quase em frente à ilha de Itamaracá. Co-

mo aquele entreposto estava guarnecido por apenas seis soldados, os franceses não tiveram dificuldades para tomá-lo e instalar-se nele.

Após fortificar a antiga feitoria com vários canhões, o
capitão Duperet partiu do Brasil, em junho de 1532, deixando
no forte 70 soldados, sob o comando de um certo senhor de La
Motte. Embora essas notícias ainda não tivessem chegado à Europa, no exato instante em que a *Peregrina* era apreendida no
Mediterrâneo, o capitão português Pero Lopes de Sousa já estava combatendo os franceses em Pernambuco e logo iria retomar
a feitoria de Igaraçu, prender os soldados franceses e enforcar
La Motte.

A espetacular captura da *Peregrina* foi a gota d'água nas
relações entre Portugal e França no que concerne ao Brasil. Ao
serem informados da missão que a *Peregrina* realizara em Pernambuco, o rei D. João III e seus assessores concluíram que todas as ações repressivas e os vários tratados que tinham firmado
com os franceses não haviam sido suficientes para impedir o assédio dos traficantes de pau-brasil ao litoral brasileiro. Como
todos os acordos e ameaças tinham redundado em fracasso, o rei
e seus conselheiros perceberam que só lhes restava uma solução:
colonizar o Brasil.

Iria iniciar-se o período das capitanias hereditárias.

A divisão do Brasil em capitanias hereditárias não seria
apenas a primeira tentativa oficial de colonização portuguesa
na América. Aquela estava destinada a ser também a primeira
vez que os europeus iriam se lançar no ousado projeto de trans-
plantar seu modelo civilizatório para as vastidões continentais
do Novo Mundo.

O Castelo de São Jorge da Mina foi construído por 600 soldados, nos primeiros meses de 1482. Ali, de início, os portugueses trocavam tecidos, conchas e cavalos pelo ouro que vinha de Mali, no interior. Durante décadas, cerca de 400kg de ouro saíam todos os anos direto da fortaleza para Lisboa. Em princípios do século 16, os lusos começaram a obter o ouro em troca de escravos, trazidos de Benin e usados no próprio transporte do metal, do interior da África até o litoral. Logo o tráfico de escravos se mostrou a atividade mais lucrativa dos lusos na costa da Guiné e se estendeu por todo o litoral ocidental da África. Os primeiros escravos negros trazidos para o Brasil vieram do Castelo da Mina. Um dos governadores da fortaleza foi Duarte Pacheco Pereira, que alguns historiadores consideram o verdadeiro descobridor do Brasil.

Um século antes, os próprios portugueses já haviam transformado as ilhas do Atlântico (os Açores e a Madeira) em protótipos de sua experiência colonial. A partir de 1470, o mesmo processo se repetiu nas ilhas de São Tomé, Príncipe e Fernando Pó, localizadas em frente à costa da Guiné, na África equatorial.

Enquanto a experiência nas ilhas florescia, os lusos fundaram o Castelo de São Jorge da Mina, seu primeiro grande estabelecimento colonial no continente africano. A chamada "Casa da Mina", erguida em 1482, em Gana, nas proximidades da atual cidade de Accra, logo se transformou em um poderoso entreposto comercial fortificado. A partir do *Castelo da Mina* e da ilha de São Tomé, os portugueses lançaram as bases de um rendoso tráfico escravagista que iria se prolongar por três séculos. Mas, tanto na Mina quanto em São Tomé, o clima insalubre jamais permitiu que os lusos se estabelecessem plenamente ali — pelo menos não como colonos.

De fato, foi somente com a partilha do Brasil, feita entre março de 1534 e fevereiro de 1536, que a implantação do modelo português de colonização ultramarina se iniciou nos trópicos. Mais de 30 anos já se haviam passado desde que Pedro Álvares Cabral tomara oficialmente posse do Brasil em nome da Coroa lusa. Mas, até então, o vasto território localizado na margem oriental do Atlântico estivera virtualmente abandonado, entregue quase que exclusivamente nas mãos de náufragos e degredados portugueses e espanhóis, e intensamente percorrido por traficantes franceses de pau-brasil.

O modelo de colonização utilizado no Brasil já era bem conhecido pelos portugueses e fora testado anteriormente: não só nas ilhas do Atlântico mas, quase dois séculos antes, no próprio território luso, especificamente no Alentejo e no Algarve, após essas regiões do sul de Portugal terem sido tomadas aos mouros durante a Reconquista cristã.

Como aconteceu nos dois casos anteriores, o Brasil foi dividido em vastas áreas chamadas de "donatarias", ou "capitanias hereditárias". Na América, esses lotes eram enormes: tinham cerca de 350km de largura cada, prolongando-se, em extensão, até a linha estabelecida pelo Tratado de Tordesilhas, em algum lugar no interior ainda desconhecido do continente. As capitanias brasileiras possuíam, dessa forma, dimensões similares às das maiores nações européias.

Ao contrário do que ocorrera no reino e nas ilhas do Atlântico, dessa vez não houve interesse da alta nobreza lusitana em se associar ao projeto. No Brasil, não foram infantes, duques ou condes que receberam as imensas e selvagens extensões que deveriam ser colonizadas com recursos próprios. Os 15 lotes, perfazendo 12 capitanias, acabaram nas mãos de membros da pequena nobreza: militares ligados à conquista da Índia e da África e altos burocratas da corte, até então vinculados à administração dos longínquos territórios do Oriente.

Dos 12 capitães-donatários agraciados com terras no Brasil, sete eram conquistadores que haviam lutado na Índia (e, em alguns casos, na África). Outros quatro, como os chamou o historiador norte-americano Alexander Marchand, eram "criaturas do rei":[1] funcionários graduados — tesoureiros ou fiscais — responsáveis pela administração dos negócios ultramarinos. O caso restante é o de Pero de Góis, que não lutara na Índia nem na África, mas que pode ser enquadrado no grupo dos militares, já que chegou ao Brasil em 1531 como um dos capitães da expedição de Martim Afonso de Sousa.

Dos 12 donatários, somente quatro já haviam estado no Brasil anteriormente e, ao todo, apenas oito iriam tomar contato pessoal com as terras que receberam. Isso significa dizer que quatro capitães-donatários jamais puseram os pés na colônia e sequer conheceram suas imensas propriedades.

De qualquer forma, postos em prática pessoalmente ou a distância, os projetos de colonização resultaram, quase sem exceção, em retumbante fracasso. Os donatários que não pagaram por seus erros com a própria vida perderam (e jamais recuperaram) as fortunas adquiridas no reino ou na Índia.

Do rei, os donatários não recebiam mais do que a própria terra e os poderes para colonizá-la. Embora tais poderes fossem "majestáticos" — como definiu o historiador Francisco Adolfo de Varnhagen —, a tarefa se revelaria demasiadamente pesada. Ninguém resumiria melhor as aflições dos donatários do que o mais bem-sucedido deles: em carta ao rei D. João III, enviada de Pernambuco, em dezembro de 1546, Duarte Coelho escreveu: "Somos obrigados a conquistar por polegadas a terra que Vossa Alteza nos fez mercê por léguas".

Não é de se estranhar, portanto, que apenas duas das 12 capitanias tenham florescido. Foram elas Pernambuco e São Vicente. São Vicente, porém, conseguiu se desenvolver sem a presença ou o estímulo de seu donatário, Martim Afonso de Sousa — mais interessado em fazer carreira na Índia. O crescimento dessa capitania foi fruto quase exclusivo da ação de homens que se viram abandonados no longínquo litoral sul do Brasil. Praticamente todos eles se transformaram em grandes traficantes de escravos indígenas e foi dessa forma que não só obtiveram seu sustento como construíram suas fortunas.

O fracasso do projeto como um todo não impediu que o legado das capitanias hereditárias fosse duradouro. A estrutura fundiária do futuro país, a expansão da grande lavoura canavieira, a estrutura social excludente, o tráfico de escravos em larga escala, o massacre dos indígenas: tudo isso se incorporou à história do Brasil após o desembarque dos donatários.

Alguns dos grandes latifúndios brasileiros de fato tiveram origem nas vastas *sesmarias* concedidas aos colonos de estirpe mais nobre. A monocultura da cana-de-açúcar também se mantém em muitas áreas do Nordeste brasileiro. Quanto ao trabalho escravo, sua influência na formação do país foi tamanha que o Brasil se tornou uma das últimas nações do Ocidente a abolir a escravatura.

As capitanias hereditárias configuraram também uma nova tentativa de Portugal de lançar as bases de um modelo colonial sustentado na lavoura canavieira — repetindo o método que fora empregado nas ilhas do Atlântico. Ainda assim, como se verá, isso só ocorreu depois que o sonho de obter, a partir do sul do Brasil, as mesmas riquezas minerais que os espanhóis tiveram a ventura de encontrar no México e no Peru revelou-se apenas uma vertigem.

Não restam dúvidas de que, desde o momento de seu desembarque, tanto os donatários quanto seus colonos visavam ao lucro imediato. O principal — e quase único — objetivo da maioria era enriquecer o mais rápida e facilmente possível e retornar para Portugal. Nesse sentido, os homens que os donatários trouxeram para ocupar suas terras não eram "colonos" no sentido literal da palavra: eram conquistadores dispostos a saquear as riquezas da terra — especialmente as minerais.

Não foram apenas donatários e colonos que desembarcaram no Brasil a partir de março de 1535. Com eles começaram a vir também, em grande escala, os degredados, condenados a cumprir suas penas na remota colônia sul-ame-

AS SESMARIAS

Chamavam-se sesmarias os lotes de terra virgem distribuídos pelos donatários a seus colonos. A palavra, de origem latina, era usada desde a Idade Média para definir o "sesmo" (ou sexta parte) do "côvado" (antiga medida de comprimento, igual a 66cm). Ao receber as terras, os colonos assumiam, no Brasil, o compromisso — raras vezes cumprido — de as explorarem no prazo máximo de cinco anos.
Referindo-se à doação de sesmarias, o historiador Francisco de Varnhagen escreveu, em 1859: "'É certo que a mania de muita terra acompanhou sempre pelo tempo adiante os sesmeiros, e acompanha ainda hoje os nossos fazendeiros, que se regalam de ter matos e campos em tal extensão que levem dias a percorrer-se, bem que às vezes só décima parte esteja aproveitada; mas que se tivesse havido alguma resistência em dar o mais, não faltaria quem se fosse apresentando a buscar o menos".

ricana. Embora considerados pelo donatário Duarte Coelho como "a peçonha que envenena a terra",[2] foram eles que deram início à ocupação mais intensa do território, se tornaram responsáveis pela miscigenação dos portugueses com nativos e por sua adaptação ao novo meio no qual se viram instalados.

Gerando, com suas concubinas indígenas, mamelucos às centenas, explorando os recursos naturais da terra, adotando os costumes e a alimentação dos nativos — e aprendendo com eles tudo o que podiam sobre a realidade física do Brasil —, os degredados ajudaram a tornar a vida cotidiana dos europeus no trópico mais eficiente e menos árdua. Mas não há dúvidas de que foram também os principais responsáveis pelos distúrbios que levaram várias capitanias à ruína.

Como a aplicação das leis era atribuição exclusiva do donatário, as ordens dadas por eles só valiam dentro de seus próprios lotes. Assim sendo, ao homem que cometesse um crime em uma determinada donataria, restava sempre a opção de refugiar-se noutra, na qual era inocente. Dessa forma, alguns degredados puderam — como protestou, em carta ao rei, o mesmo Duarte Coelho — "envenenar" a terra toda.

Os "saltos" organizados pelos degredados com o objetivo de capturar indígenas foram o estopim que deflagrou conflitos entre os nativos e os brancos. A partir de 1546, esses conflitos tomaram tal dimensão que atingiram e devastaram seis das oito capitanias nas quais os lusos haviam se instalado (os quatro lotes restantes não haviam sido ocupados).

Embora também usassem os indígenas para seu próprio benefício, os degredados capturavam escravos basicamente para vendê-los aos senhores de engenho. De fato, a implantação da lavoura canavieira no Brasil e o início das guerras entre nativos e portugueses se deu de forma tão simultânea que se impõe estabelecer entre ambos uma relação de causa e efeito.

Nas três primeiras décadas da ocupação européia do Brasil, lusos e franceses serviam-se do *escambo* para obter os serviços dos nativos. Em troca de bugigangas (anzóis, espelhos e machados), os indígenas cortavam, desbastavam e transportavam toras de pau-brasil — a primeira e, durante 30 anos, única fonte de renda que os europeus encontraram no Brasil. Quando os portugueses começaram a plantar seus canaviais e instalar seus engenhos, o trabalho organizado e regular nas lavouras tornou-se uma necessidade primordial para eles. Ao recorrer à escravização em massa dos indígenas — que, às vezes, não poupou nem antigos aliados —, colonos e degredados provocaram a insurreição generalizada das tribos Tupi.

Mas a revolta dos indígenas também foi insuflada pelos franceses, rivais dos portugueses na luta pela posse do Brasil. Os acordos diplomáticos firmados entre as duas Coroas, na Europa, nunca foram capazes de impedir o assédio progressivamente audacioso dos traficantes franceses de pau-brasil — o principal motivo que, após a captura da *Peregrina*, levara D. João III a dividir o Brasil em capitanias.

Cerca de dez anos depois de as capitanias terem sido criadas, as desordens internas, as lutas contra os nativos e a ameaçadora presença dos franceses acabaram provocando o colapso do sistema que o rei e seus conselheiros tinham optado por aplicar no Brasil.

Nada pode ser mais revelador do fracasso das capitanias do que as agruras que o destino reservou para os capitães do Brasil. Um deles, Aires da Cunha (do Maranhão), morreu em naufrágio; outro, Francisco Pereira Coutinho (da Bahia), foi morto e devorado pelos Tupinambá. Um terceiro, Pero do Campo Tourinho (de Porto Seguro), acusado de heresia, foi preso por seus próprios colonos e enviado para a Inquisição.

E houve ainda o caso de Vasco Fernandes Coutinho, que — viciado em tabaco e "bebidas espirituosas" [3] — perdeu o controle sobre a capitania do Espírito Santo, onde investira todos os seus bens. Ao morrer, em Portugal, não tinha nem mesmo "uma mortalha que o cobrisse", e sua mulher e filhos acabaram seus dias desamparados, num hospital de caridade.

Eis a história de que vai tratar este livro. E, embora ela seja extraordinariamente rica em peripécias, com certeza também foi trágica.

PARTE I

A Costa do Ouro e da Prata
Em Busca do Rei Branco

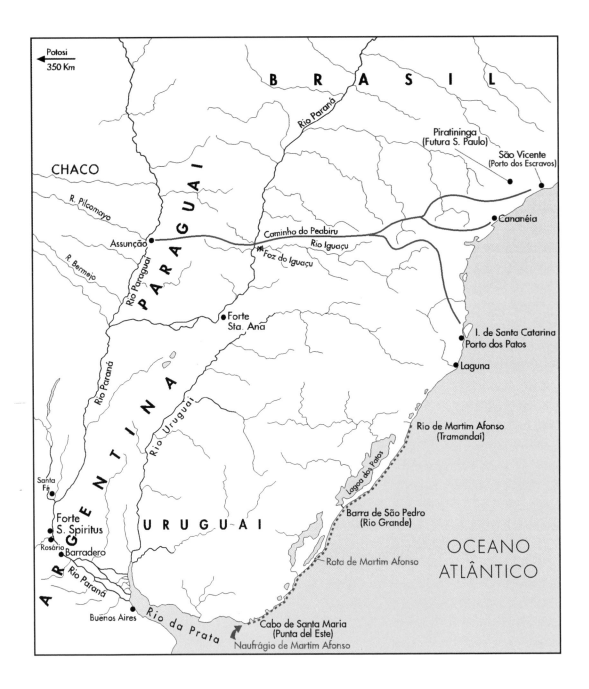

No dia 20 de novembro de 1530, o fidalgo Martim Afonso de Sousa foi chamado ao Paço de Évora para uma reunião com o rei D. João III. Aos 30 anos de idade, Martim Afonso era amigo pessoal e convivia com o monarca desde a infância. Mas, até então, nunca tinha sido incumbido de missão tão importante quanto aquela para a qual seria designado. Disposto a enviar uma grande expedição ao Brasil — a maior desde a descoberta em 1500 e a primeira comandada por um fidalgo — D. João fora aconselhado por seu principal assessor, D. Antônio de Ataíde, a escolher Martim Afonso para chefiar aquela missão.

Ao longo das três décadas que se seguiram à descoberta feita por Pedro Álvares Cabral, os portugueses tinham deixado o Brasil virtualmente abandonado. Estavam mais interessados em conquistar a Índia e em manter em funcionamento as várias feitorias instaladas na costa ocidental da África. Mas, como o assédio dos traficantes franceses de pau-brasil ao desguarnecido litoral do Nordeste do Brasil estava se tornando cada vez mais ostensivo, D. João III e seus conselheiros perceberam que seria preciso enfrentar imediatamente o inimigo.

O principal objetivo da expedição, porém, era muito mais ousado e ambicioso do que a mera expulsão dos franceses. Acontecimentos surpreendentes, ocorridos poucos meses antes, levariam o rei de Portugal a encarregar Martim Afonso de Sousa da missão de descobrir uma misteriosa Serra da Prata e tentar conquistar o território do lendário "Rei Branco".

As notícias sobre um riquíssimo reino indígena, localizado no cume de grandes montanhas nevadas, em algum lugar do oeste da América do Sul, não eram novas. Elas haviam chegado à Europa no verão de 1515, depois que o navegador João de Lisboa descobrira um vasto estuário, localizado nas porções meridionais do continente, a 35° de latitude. Seguindo a trilha de João de Lisboa, o capitão Juan Diaz de Sólis — um português naturalizado castelhano — também navegara pela foz daquele enorme rio, em janeiro de 1516.

Os integrantes de ambas as expedições tinham retornado da América com um relato extraordinário: de acordo com as informações que recolheram dos nativos, aquele rio nascia em uma grande cordilheira, recoberta por neves eternas. No topo destas montanhas, vivia um "povo serrano", que possuía "muitíssimo ouro batido, usado à moda de armadura, na frente e ao peito",[1] além de inúmeros objetos de prata.

Embora João de Lisboa tivesse batizado o estuário com o nome de rio de Santa Maria, ele logo passou a ser chamado de Rio da Prata. Mas o impacto das notícias obtidas por sua expedição foi tal que, a partir de então, os portugueses passaram a chamar as porções meridionais do litoral sul-americano de "Costa do ouro e da prata".

O nome, em si, era bastante elucidativo. Não só porque, nessa mesma época, o Nordeste do Brasil era conhecido como "Costa do (pau) brasil" — denominação que, mais tarde, acabaria batizando todo o futuro país —, mas também porque, com aquela designação, os portugueses estavam repetindo um expediente que já haviam *utilizado na África*.

Se a Costa do Brasil não despertara o interesse dos lusos — pelo menos não até os franceses se instalarem nela —, o inverso ocorreu com a misteriosa Costa do ouro e da prata, cuja conquista se tornou uma obsessão para Portugal e Espanha.

A COSTA DA ÁFRICA

Os territórios descobertos e conquistados pelos lusos na África foram batizados, no século 15, com os nomes das principais mercadorias que podiam ser obtidas neles. Surgiram, desta forma, as designações Costa do Marfim, Costa da Malagueta, Costa dos Escravos e Costa da Mina (onde ficavam as minas de ouro da Guiné e o local no qual foi construída a fortaleza de São Jorge da Mina). Alguns desses nomes se mantêm até hoje.

A SERRA E SEU REI

Potosí significa, em quíchua, "montanha que troveja". Segundo a lenda registrada por Inca Garcilaso de la Vega, o cerro recebera esse nome pois, quando o Inca Huayna Capac mandou explorá-lo, os emissários que lá chegaram ouviram ruídos estrondosos que julgaram ser a "voz" da montanha. Além de aterrador, o som tinha um significado: "Afastem-se daqui", teria dito a voz fantasmagórica. "As riquezas desta montanha não são para vocês. Estão reservadas para homens que virão de além". Fato ou ficção, a verdade é que Potosí acabou sendo descoberta pelos espanhóis em 1545 e os 6.000m³ de prata que seus escravos indígenas extraíram dali revolucionaram a economia européia. Huayna Capac (acima), o "Rei Branco" das lendas nativas, foi um dos maiores imperadores incas de todos os tempos. Morreu em 1525 e seus filhos, Huáscar e Atahualpa travaram uma guerra civil para sucedê-lo. Atahualpa a venceu.

Apesar de o Rio da Prata ter sido descoberto por João de Lisboa, coube a integrantes da expedição de Juan Diaz de Sólis obter a confirmação de que a Serra da Prata e o "Rei Branco" não eram uma lenda, mas uma espantosa realidade.

Sólis fora morto pelos nativos logo após ter chegado ao estuário do Prata. Quando as duas caravelas que ele comandava iniciaram a viagem de volta para a Europa, um dos navios naufragou na ponta sul da ilha de Santa Catarina, no verão de 1516. Os sobreviventes se instalaram em um pequeno vilarejo — que ficaria conhecido como Porto dos Patos — erguido numa enseada, em frente à ilha. Durante mais de uma década, eles viveram ali.[2]

No início de 1524, oito anos depois de ter se estabelecido no Porto dos Patos, um dos náufragos de Sólis — o português Aleixo Garcia — decidiu averiguar a veracidade das lendas relativas ao "Rei Branco", incansavelmente repetidas pelos nativos com os quais ele convivia. Acompanhado por cerca de dois mil indígenas, Garcia partiu de Santa Catarina para realizar uma das mais extraordinárias viagens da história da exploração da América do Sul.

Aleixo Garcia seguiu por uma antiga trilha indígena, chamada Peabiru,[3] que conduzia do sul do Brasil até o altiplano boliviano. Tendo chegado aos arredores da atual cidade de Sucre, ele e seus acompanhantes atacaram e saquearam as cidades fronteiriças do Império Inca, obtendo 40 cestos repletos de objetos de ouro e prata. A expedição comprovou que o "Rei Branco" de fato existia: chamava-se *Huayana Capac* e era o soberano de um riquíssimo e vasto reino indígena, o Império Inca. Sem saber, Aleixo Garcia esteve a menos de 200km da Serra da Prata — que também não era uma lenda, mas um cerro de 600m, quase que inteiramente de prata, conhecido pelos indígenas pelo nome de *Potosí*.

Na viagem de volta a Santa Catarina, Aleixo Garcia foi morto às margens do rio Paraguai, pelos temíveis Payaguá. Alguns sobreviventes de sua tropa conseguiram retornar ao Porto dos Patos. Entre os farrapos que os cobriam, eles trouxeram uns poucos objetos de ouro e prata. O náufrago Henrique Montes — um companheiro de Garcia, que não tomara parte da jornada até a Bolívia — se encarregou de guardar aquelas peças.

Alguns meses mais tarde, em outubro de 1526, o navegador veneziano Sebastião Caboto — viajando sob bandeira castelhana — fez escala na ilha de Santa Catarina. Montes então subiu a bordo do navio de Caboto e, entre risos e prantos que beiravam a histeria, mostrou-lhe os objetos que Aleixo Garcia obtivera na Bolívia, convencendo-o a explorar o rio da Prata e tentar a conquista dos domínios do "Rei Branco".

Ao longo de quase dois anos, guiado por Montes, Caboto percorreu a bacia do Prata e nada encontrou. Então, no dia 7 de maio de 1528, quando navegava pelo rio Paraná, Caboto deparou com outra embarcação de bandeira castelhana subindo o mesmo rio. Esse barco era um *bergantim* e seu capitão se chamava Diego Garcia. Ao contrário de Caboto — que havia partido da Espanha com destino às ilhas Molucas, na Malásia —, Garcia fora encarregado pela Coroa castelhana da missão de explorar o Prata. Depois de muitas discussões e ameaças mútuas, os dois capitães concordaram em unir suas forças e realizar uma expedição conjunta em busca do "Rei Branco" e da Serra da Prata.

Diego Garcia subira o rio Paraná guiado por um português chamado Gonçalo da Costa. Por mais de 20 anos, Gonçalo vivera desterrado em Cananéia, no litoral sul de São Paulo, instalado nos domínios do mais misterioso degredado da história do Brasil — o homem que ficou conhecido como o *Bacharel de Cananéia*. Fora justamente em Cananéia, onde fizera escala em janeiro de 1528, que Garcia havia encontrado Gonçalo da Costa. Além de comprar o bergantim que pertencia a Gonçalo, Diego Garcia o tomou como guia de sua expedição ao Prata.

Durante quase dois anos, Caboto e Garcia — sempre em companhia de Henrique Montes e Gonçalo da Costa — navegaram pelo alto Paraná e por vários de seus afluentes. Atacados pelos nativos, lutando contra as correntes, as febres palustres e a fome, eles passaram cerca de 15 meses percorrendo um emaranhado de rios e ilhas fluviais e não acharam nada de valor.

Em fins de setembro de 1529, Diego Garcia resolveu desistir e iniciou sua jornada de retorno para a Europa. Um mês mais tarde, fatigado e desiludido, Caboto tomou o mesmo rumo. No dia 23 de julho de 1530, após uma escala de vários meses em Cananéia, Garcia aportou em Sevilha. Junto com ele, desembarcou Gonçalo da Costa — que trazia consigo duas de suas esposas nativas, quatro filhos, oito filhas e outros parentes.

As mulheres de Gonçalo eram filhas do Bacharel de Cananéia com algumas de suas companheiras nativas. Por isso, no relato que fez sobre a expedição, sempre que se referiu a Gonçalo da Costa, Diego Garcia o chamou de "genro do Bacharel".

Em 28 de julho — cinco dias após a chegada de Diego Garcia à Espanha — Sebastião Caboto também aportou em Sevilha. Vinha em companhia de Henrique Montes, miseravelmente derrotado e sem um único objeto de ouro ou prata — com exceção das peças obtidas anos antes por Aleixo Garcia, e das quais o próprio Montes se tornara depositário, pois fizera a promessa de colocá-las no altar da Virgem de Guadalupe, a santa de sua devoção.[4]

O Misterioso Bacharel

Não se sabe quem era nem quando chegou ao Brasil o enigmático Bacharel de Cananéia. Seu verdadeiro nome talvez fosse Duarte Peres (ou Pires). O historiador Jaime Cortesão defendeu a ousada tese de que o Bacharel foi deixado no Brasil em janeiro de 1499, por uma expedição secreta chefiada por Bartomoleu Dias. Em dezembro de 1498, Dias (o primeiro navegador europeu a dobrar o Cabo da Boa Esperança) estava na ilha de São Tomé, em Cabo Verde. Documentos provam que, naquela época, ali vivia um degredado chamado de "Bacharel". De acordo com Cortesão, antes de retornar para Lisboa, Dias teria realizado uma viagem exploratória pelo Atlântico, chegando ao litoral sul do Brasil quase dois anos antes de Cabral e deixando o Bacharel degredado na nova terra. A maior parte dos historiadores, no entanto, acredita que o Bacharel foi abandonado em Cananéia em 1501, pela expedição de Américo Vespúcio. Mas em um ponto todos concordaram: o Bacharel de Cananéia foi o primeiro europeu a se estabelecer na América do Sul.

23

A chegada de Caboto à Espanha repercutiu intensamente em Lisboa. Sua evidente derrota foi saudada por um certo Simão Afonso, agente português que se encontrava em Sevilha. No dia 2 de agosto, Afonso escreveu para D. João III, relatando que Caboto havia desembarcado "muito desbaratado e pobre, sem ouro ou prata nem coisa alguma de proveito aos seus armadores, e dos 200 homens que levou não traz mais de vinte, que os demais lá ficaram mortos, uns de trabalhos e fome, outros de guerra, porque os índios os mataram a flechadas e desfizeram uma fortaleza de madeira que lá tinham feito".

Após assegurar que os sobreviventes continuavam acreditando que a região era "muito rica em coisas de prata e ouro", Simão Afonso recomendava que D. João III tratasse de enviar "o mais breve possível" uma expedição para o Prata pois, com toda a certeza, "a terra ficara deserta, a não ser pela gente morta e pelo gasto perdido".[5]

Antes mesmo de receber essa carta, D. João III já havia iniciado os preparativos para o envio de uma grande expedição ao Brasil. O projeto estava em andamento desde fins de 1529. Mas, ao ser informado de que as explorações de Sebastião Caboto e Diego Garcia haviam sido feitas sob a orientação de náufragos e de degredados portugueses, o rei percebeu que a ajuda daqueles homens seria decisiva para o sucesso da missão. Determinou, portanto, que o próprio Simão Afonso atraísse Gonçalo da Costa e Henrique Montes para Lisboa.

Em fins de outubro de 1530, Gonçalo da Costa chegou a Portugal e foi recebido na corte pelo próprio D. João III. Após lhe perguntar "coisas sobre o rio de Sólis, que os portugueses chamam da Prata",[6] o rei lhe ofereceu dinheiro e "mer-

cês" para que guiasse uma expedição à região. Mas acabou não havendo acordo entre o monarca e o degredado: como os assessores de D. João não autorizaram Gonçalo a retornar a Sevilha para pegar suas mulheres e filhos, ele fugiu de Portugal e retornou dissimuladamente para a Espanha.

O rei teve mais sorte com Henrique Montes. Conduzido à corte no início de novembro de 1530, o náufrago, que por 15 anos vivera no Porto dos Patos, aceitou a oferta de D. João III e, no dia 16 daquele mês, foi feito "cavaleiro da Casa Real", com direito a um salário anual de 2.400 *reais*. Ao mesmo tempo, o monarca também o nomeou "provedor da armada de Martim Afonso de Sousa, tanto no mar quanto na terra".

Henrique Montes tornou-se, assim, o principal responsável pela obtenção dos mantimentos da futura expedição. Ele já ocupara esse mesmo cargo na armada de Caboto, e D. João III sabia que, graças a suas relações com os indígenas do Brasil, Montes seria capaz de obter pescado, milho, farinha de mandioca e outros gêneros para alimentar a tropa de 400 homens que integraria a expedição cujo comando o rei iria entregar, dali a alguns dias, ao fidalgo Martim Afonso de Sousa.

OS BASTIDORES DA EXPEDIÇÃO DE MARTIM AFONSO

Companheiro de infância de *D. João III*, Martim Afonso era um jovem de origem nobre que, poucas semanas antes, o rei escolhera para chefiar a primeira grande expedição destinada ao Brasil após três décadas de virtual abandono. Sua nomeação formal para o cargo, porém, só foi assinada em 20 de novembro de 1530 — quatro dias após o náufrago Henrique Montes ter-se tornado cavaleiro da Casa Real.

Além de antigas e estreitas ligações com o rei, Martim Afonso também era primo-irmão de D. Antônio de Ataíde.

D. Antônio de Ataíde era filho de D. Álvaro de Ataíde e de D. Violante de Távora. D. Violante era tida como uma mulher de personalidade forte — característica herdada pelo filho. Ela era irmã de Lopo de Sousa (pai de Martim Afonso) e de João de Sousa (pai de Tomé de Sousa, futuro governador-geral do Brasil). D. Violante, Lopo e João eram filhos de Pedro de Sousa e de D. Maria Pinheiro. A figura-chave da família era justamente a matriarca, D. Maria Pinheiro, avó de D. Antônio de Ataíde e de Martim Afonso. D. Maria fora apelidada de "moura encantada" porque, além de ter "sangue judeu", comentava-se que ela havia "enfeitiçado" D. Álvaro, forçando-o a se casar com ela. Mais tarde teria ficado provado que a "acusação" de que D. Maria era judia convertida fora intriga armada por D. Antônio Carneiro, desafeto do todo-poderoso Antônio de Ataíde (cujo retrato está abaixo).

Conde de Castanheira, membro do Conselho Real e ministro das Finanças, Ataíde era o principal assessor de D. João III. Na verdade, há indícios de que a expedição fora planejada por insistência dele próprio. Embora seu papel tenha sido esquecido pelos historiadores e seu nome raramente seja mencionado nos livros de história do Brasil, *D. Ataíde* começava a se tornar, naquele momento, uma figura-chave para os destinos da colônia. Até a sua morte, em 1563, nada se faria no Brasil sem seu apoio ou consentimento.

Ao longo de todo o segundo semestre de 1530, D. Antônio de Ataíde havia conduzido tensas negociações diplomáticas com representantes do rei da França, Francisco I. O principal tema daquelas discussões fora o assédio dos traficantes franceses ao Brasil. Como Francisco I contestava a validade jurídica do Tratado de Tordesilhas — firmado entre Portugal e Espanha em 1494 —, ele não se opunha ao tráfico de pau-brasil realizado por seus súditos nas desguarnecidas praias do Nordeste brasileiro, onde esses comerciantes contavam com o apoio de várias nações indígenas.

Convencido de que a ação dos contrabandistas não iria cessar apenas em função dos frágeis acordos diplomáticos que fora capaz de obter, Ataíde empenhou-se em convencer D. João III a enviar uma poderosa armada com a missão de vigiar e punir os invasores.

Como Martim Afonso era primo-irmão e passara a infância e a juventude em companhia de Ataíde, vários historiadores asseguram que ele foi escolhido para chefiar a grande expedição ao Brasil devido às articulações feitas por seu primo nos bastidores da corte. De fato, é bastante provável que a escolha tenha se concretizado por influência do conde. Mas o motivo real que levou Ataíde a indicar o nome de Martim

O conflito entre D. Manoel e o príncipe D. João se agravou depois que o rei decidiu casar com D. Leonor, irmã de Carlos I, rei da Espanha e futuro imperador do Sacro Império Romano. D. Leonor já fora prometida ao próprio D. João. Mas, ao ficar viúvo em 1517, D. Manoel tomou a súbita decisão de casar com a infanta que estava destinada a ser esposa de seu filho. O casamento se realizou em novembro de 1518. Julgando-se humilhado pelo pai, D. João se aproximou ainda mais de Antônio de Ataíde e de Martim Afonso. Não foi só o príncipe que ficou indignado com a decisão de D. Manoel: em Portugal, todos "temeram que a rainha moça passasse a dirigir o desorientado espírito do rei". D. Manoel tinha 56 anos e D. Leonor, apenas 17.

Afonso não parece ter sido o de beneficiar seu primo, mas sim, como se verá, afastá-lo do convívio com o rei.

OS TRÊS AMIGOS

Martim Afonso, Antônio de Ataíde e o rei D. João III tinham sido companheiros inseparáveis durante a infância e a juventude. Ataíde e Martim Afonso nasceram em 1500 — ano em que Cabral descobriu oficialmente o Brasil. D. João era dois anos mais moço.

Por volta de 1517, a crescente influência que os dois primos exerciam sobre o futuro monarca começou a preocupar o rei D. Manoel, pai de D. João. "Martim Afonso e D. Antônio de Ataíde eram tão contínuos com o príncipe, e o príncipe com eles, que não podia estar momento sem eles, e estando com eles não falava nem folgava com nenhuma cousa senão com eles, de modo que El Rei (*D. Manoel*) imaginou que podia ser feitiço", chegou a escrever, alguns anos mais tarde, o historiador Gaspar Correia, um dos cronistas oficiais do reino.

Ao perceber que D. João vivia "em constantes murmurações pelo palácio",[7] sempre em companhia de seus dois confidentes, D. Manoel, disposto a abortar uma possível conspiração, resolveu acabar o mais rapidamente possível com o convívio entre os três jovens amigos. No início de 1519, quando um fidalgo português foi morto em uma escaramuça e dois criados de Antônio de Ataíde foram acusados pelo crime, o rei encontrou o pretexto ideal para prendê-lo e afastá-lo da corte. A seguir, enviou um de seus principais assessores, D. Nuno Manuel, com uma mensagem clara para o outro amigo de seu filho,

Martim Afonso: o jovem fidalgo deveria deixar Lisboa e voltar a servir seu antigo senhor, o duque de Bragança, D. Jaime.

De fato, o pai de Martim Afonso, Lopo de Sousa, fora alcaide-mor (ou governador) da província de Bragança e o principal servidor do duque D. Jaime. Após a morte de Lopo de Sousa, ocorrida em 1515, Martim Afonso já deveria tê-lo substituído no cargo. Mas, naquela ocasião, abrindo mão do polpudo salário de 55 mil reais, Martim Afonso preferiu permanecer na corte, junto ao príncipe. A um amigo, justificou a decisão dizendo: "O duque pode fazer-me alcaide-mor, mas o rei pode fazer-me duque".

Nos primeiros meses de 1519, *Martim Afonso* — tido como um jovem impetuoso e de personalidade forte — ousou desafiar os desígnios do rei D. Manoel e simplesmente se recusou a retornar à casa do duque de Bragança. Embora impedido de privar da companhia do príncipe D. João, Martim Afonso permaneceu em Lisboa.

Vitimado em um surto de peste que assolou Portugal, o rei D. Manoel — que o povo chamava de "o Venturoso" — morreu no dia 13 dezembro de 1521, aos 62 anos. D. João III assumiu o trono nas vésperas do Natal. Tinha 19 anos de idade. Já livre da prisão, D. Ataíde voltou ao convívio do monarca e, em março de 1523, D. João III o fez conde de Castanheira. Martim Afonso de Sousa ficou enciumado com o crescente poder e as "mercês" obtidas por seu primo — mesmo porque, ao contrário do que esperava, D. João não o tornou um duque.

Em maio de 1523, D. João decidiu enviar a rainha-viúva D. Leonor de volta para a corte do irmão dela, o já então imperador Carlos V, casando-se em seguida com a outra irmã do imperador, D. Catarina da Áustria. Martim Afonso fez parte do séquito que conduziu D. Leonor de volta a Castela. Durante a viagem, conheceu, em Salamanca, D. Ana Pimentel, filha de um dos homens mais nobres e ricos daquela província e que, até então, fora dama de companhia da futura rainha D. Catarina.

Decidido a ficar em Castela, Martim Afonso se casou com Ana Pimentel em novembro de 1524. Um mês depois, foi convocado por Carlos V para tomar parte na luta contra os franceses: Carlos V e Francisco I estavam em guerra desde 1521. No inverno de 1525, Martim Afonso teve uma participação destacada no cerco e tomada de Fuenterrábia, cidade próxima a Pamplona, na província de Navarra, no noroeste da Espanha. O imperador elogiou-o publicamente e o convidou para permanecer em Castela.

Enquanto Martim Afonso lutava sob a bandeira de Castela, mantendo-se numa espécie de auto-exílio, D. Ataíde ia se tornando um dos principais assessores do rei D. João III. Astucioso, letrado e ambicioso, ele logo sobrepujou os demais conselheiros do rei, virou uma espécie de secretário-geral do Estado e, em 1529, o monarca o fez Vedor da Fazenda (ou ministro das Finanças). Seu caminho rumo ao topo estava pavimentado.

Ao retornar da Espanha, a convite do próprio D. João III, Martim Afonso não foi capaz de reocupar lugar tão próximo ao soberano quanto aquele que desfrutara nos seus verdes anos: "A privança era resfriada", anotou um cronista do reino. Ainda assim, para evitar que os antigos laços entre seu primo e o rei voltassem a se estreitar, D. Ataíde indicou Martim Afonso para chefiar a expedição que ele mesmo convencera D. João a enviar ao Brasil.

Além de ser uma missão perigosa, ela manteria seu potencial rival afastado da corte por pelo menos três anos.

Jean Ango, o visconde de Dieppe, era uma das maiores fortunas da França no século 16 e um dos mais poderosos armadores de sua época. Entre naus, galeões, barcas, caravelas e barcos pesqueiros, sua frota possuía centenas de navios. Sua rede de negócios, sediada em Rouen, se estendia do Oriente Médio aos Países Baixos, passando pelas Ilhas Britânicas e chegando até o Canadá. Sua maior fonte de renda provinha do comércio com a Turquia. Por isso, Ango estampou na bandeira de seus navios a Lua Crescente — símbolo das nações muçulmanas. Ango também foi o principal financiador das viagens dos irmãos Verrazano, das explorações de Jacques Cartier e do tráfico de pau-brasil no Nordeste do Brasil. Ele morreu na miséria, em 1551. Abaixo, um dos navios de Ango com a bandeira da Lua Crescente.

De início, o principal motivo que levara Ataíde a concluir que o envio de uma armada para o Brasil não poderia mais ser adiado fora, de fato, o permanente assédio dos franceses ao território colonial que Portugal até então desprezara.

Francisco I estava de tal forma disposto a ignorar as estipulações do Tratado de Tordesilhas que, em duro e irônico diálogo com certo diplomata espanhol, chegou a dizer que "gostaria de ver a cláusula do testamento de Adão" que o afastara "da partilha do mundo". Assim sendo, ele nunca se preocupou em reprimir o tráfico de pau-brasil — uma atividade considerada ilegal pelos portugueses e que os marinheiros da Normandia haviam transformado em um vultoso negócio.

O principal financiador das viagens feitas pelos contrabandistas normandos ao Brasil era o mercador Jean Ango (pronuncia-se Angô), o poderoso visconde de Dieppe. O choque entre os interesses de Portugal e França precipitara-se em fins de 1529, quando uma barca e um galeão de Jean Ango foram capturados pela frota de patrulhamento que os portugueses mantinham nos Açores. Dono de uma ampla rede de comércio internacional e com uma esquadra de *centenas de navios*, o visconde de Dieppe ameaçou declarar pessoalmente guerra a Portugal e bloquear o porto de Lisboa.

No dia 27 de junho de 1530, pressionado por Ango, Francisco I concedeu-lhe uma "carta de marca": era uma autorização oficial para o exercício da atividade corsária, mediante a qual o visconde de

Dieppe poderia atacar embarcações lusas até se ressarcir do prejuízo de 200 mil cruzados, valor suposto dos navios que lhe haviam sido apreendidos.

A atitude de Francisco I deixou D. João III indignado e, em julho de 1530, ele escreveu para o rei da França dizendo que considerava a concessão da carta "guerra manifesta", comparando o episódio "aos pequenos princípios de onde se acendem os grandes fogos". Logo após redigir um protesto formal, D. João tratou de enviar D. Ataíde para a França. Supostamente, a missão de seu principal assessor seria a de representá-lo no casamento de D. Leonor — a viúva de D. Manoel e irmã de Carlos V —, que agora iria se unir ao rei Francisco I. O casamento — que se realizou no dia 21 de julho — fora ajustado entre o soberano da França e o imperador de Castela como forma de dar um fim ao conflito que travavam havia quase uma década.

Após as *núpcias reais*, Ataíde permaneceu em Paris. Nesse período, em companhia de D. Diogo de Gouveia — que era o principal representante diplomático de D. João III na França e que, em breve, também iria desempenhar um papel decisivo no destino do Brasil —, o conde manteve inúmeras reuniões com os representantes do rei Francisco I.

Conduzidas por Ataíde, as negociações entre Portugal e França se prolongaram por cerca de um ano. Então, em 15 de julho de 1531, após várias idas e vindas a Lisboa, Ataíde contornou o litígio com Jean Ango: por 100 mil cruzados, comprou-lhe a carta de corso. Na mesma ocasião, subornou o almirante Phillipe Chabot, comandante da frota francesa do Atlântico: em troca de 10 mil cruzados, obteve dele a promessa de que os traficantes de pau-brasil não mais iriam empreender viagens ao Brasil (veja nota lateral na página seguinte). Mas, como o próprio D. Ataíde suspeitava, os problemas com os franceses estavam longe de terminar.

Enquanto Ataíde negociava arduamente com os franceses, chegaram a Lisboa os primeiros indícios concretos sobre a existência do "Rei Branco" e a Serra da Prata. Por conta deles, a expedição que, de início, o conde queria enviar basicamente para dar combate aos franceses, adquiriu importância ainda maior. A descoberta das riquezas do Prata tornou-se seu objetivo primordial.

Nesse contexto, a escolha de Martim Afonso não pode ser reduzida a uma mera manobra diversionista do poderoso Ataíde. A indicação revela também a importância que o próprio D. João III conferia ao empreendimento. Afinal, o monarca se dispusera a investir muito dinheiro no projeto. E, além de cara, a expedição precisava ser chefiada por alguém de confiança, já que poderia resultar em conflitos diplomáticos com Castela — em cujas possessões ficava o Rio da Prata.

Com duas naus, duas caravelas e um galeão, tripulados por 400 homens, a armada de Martim Afonso de Sousa se constituía na maior e a mais cara expedição que Portugal iria enviar para o Brasil desde o descobrimento. A viagem iria custar ao Tesouro real cerca de 300 mil cruzados — cerca de um terço das despesas anuais da Coroa.

No dia 20 de novembro de 1530, Martim Afonso dirigiu-se ao Paço de Évora para receber das mãos de D. João III a carta que lhe concedia amplos poderes para a realização de sua missão. De fato, o comandante-mor da armada estava autorizado a doar terras em sesmarias para os fidalgos que o acompanhavam; fora encarregado de nomear tabeliães e oficiais de justiça, lavrar autos e tomar posse de todo o território

brasileiro situado dentro da linha demarcatória de Tordesilhas. Também tinha poder de vida ou morte sobre os homens que o acompanhavam — com exceção dos fidalgos, que deveriam ser julgados na corte.

Os poderes concentrados nas mãos de Martim Afonso têm levado vários historiadores a afirmar que sua expedição foi enviada com a missão de dar início à efetiva colonização do Brasil. Mas todos os atos que o comandante executou ao longo dos três anos em que permaneceu na América do Sul demonstram que seu projeto primordial era tentar a conquista da Serra da Prata e do território do "Rei Branco".

Os rumores de que uma expedição com tais dimensões estava sendo preparada em Lisboa evidentemente não tardaram a chegar à Espanha. O primeiro a revelar em que ponto se encontravam os preparativos fora o próprio Gonçalo da Costa — o "genro do Bacharel" que fugira de Lisboa após recusar o convite de tomar parte naquela missão. Durante sua entrevista secreta com D. João, em outubro de 1530, Gonçalo não só tomara conhecimento do envio iminente da frota como soubera quais eram seus objetivos. Ao retornar à Espanha para reencontrar a família, ele contou o que sabia para a imperatriz D. Isabel.

Filha do rei D. Manoel e, portanto, irmã de D. João III, *D. Isabel* estava casada com o imperador Carlos V desde 1526. Por dever de lealdade à nova Coroa e ao próprio marido (que, como de hábito, se encontrava ausente de Castela), D. Isabel enviou protestos formais ao seu irmão D. João, uma vez que não restavam dúvidas de que a região do Rio da Prata estava dentro da zona espanhola da demarcação estabelecida em Tordesilhas.

A tensa situação que se criou entre as duas Coroas ficou registrada numa série de despachos diplomáticos. No dia 17 de fevereiro de 1531, a imperatriz escreveu para Lope Hurtado de Mendoza determinando que seu embaixador em Lisboa obtivesse confirmação sobre os supostos propósitos da expedição. Conforme relatava na carta, ela fora informada por Gonçalo da Costa que a armada se destinava a "expulsar os franceses da costa do Brasil, fazer fortalezas em alguns portos e entrar por terra em direção ao rio da Prata, a partir do porto de São Vicente, que fica na demarcação do rei de Portugal".[8]

No dia 19 de abril, Hurtado de Mendoza respondia a D. Isabel dizendo que, após muitas dificuldades, fora capaz de obter uma audiência com D. João III, durante a qual, não sem alguma desfaçatez, o monarca lhe dissera que "não se recordava bem das ordens que dera a Martim Afonso, que mandaria verificar as instruções que lhe transmitira" e só depois enviaria um comunicado à imperatriz sua irmã.

Tal resposta causou furor em Sevilha. Por isso, em 27 de maio de 1531, por ordem expressa de D. Isabel, o próprio Lope Hurtado entregou a D. João uma intimação oficial. Lavrado em cartório, diante de várias testemunhas, o documento afirmava que, além de ficar dentro das possessões castelhanas, o rio da Prata tinha sido descoberto por Juan Diaz de Sólis em 1515 e que sua bacia, formada pelos rios Paraguai e Paraná, fora explorada nos dois anos anteriores por Sebastião Caboto e Diego Garcia. D. João, portanto, era intimado a "não enviar armada nenhuma aos ditos rios". Do contrário, Castela reagiria dentro dos rigores da lei.

No instante em que as duas Coroas travaram essa guerra verbal — que se prolongaria pelo menos até dezembro de 1531 —, Martim Afonso de Sousa não só já havia partido para o Brasil como estava prestes a explorar o rio da Prata.

A expedição zarpara de Lisboa num sábado, dia 3 de dezembro de 1530 — quase três meses antes, portanto, de D. Isabel enviar sua primeira reclamatória. E os objetivos da frota não se restringiam a combater os franceses, fundar fortalezas e explorar o rio da Prata. Havia um quarto propósito — que, caso fosse então conhecido, teria deixado a Coroa de Castela ainda mais alarmada.

Com efeito, o regimento dado a Martim Afonso estipulava que ele deveria enviar também uma missão de reconhecimento ao imenso e misterioso rio que os espanhóis haviam descoberto em 1500, no norte do Brasil. Vicente Yañez Pinzón, que fora o primeiro a percorrer aquele extraordinário curso d'água, o havia chamado de Maranón. Quase meio século mais tarde, quando outro navegador espanhol, Francisco de Orellana, foi capaz de navegá-lo da nascente à foz, decidiu rebatizar a monumental estrada líquida que serpenteava por mais de 6.000km, desde os Andes até o oceano Atlântico, em meio à maior floresta que os europeus jamais haviam visto. Orellana deu-lhe o nome que ele ainda mantém: rio das Amazonas (leia sobre a viagem de Orellana e a origem do nome "Amazonas" a partir da p. 182).

O plano de explorar — e, se possível, tomar posse de — aquele que, séculos mais tarde, seria reconhecido como o maior rio do planeta, obedecia a um ousado projeto geopolítico lusitano. De acordo com essa doutrina, os limites naturais do território português na América do Sul deveriam ser estabelecidos não pelo Tratado de Tordesilhas, mas pela foz do Maranón, ao norte, e pelo estuário do Prata, ao sul. Nos recônditos da corte, a tese era chamada de "Magnus Brasil".

O conceito da "ilha Brasil" — já divulgado por mapas portugueses — surgiu por escrito pela primeira vez nos livros do misterioso piloto Jean Alfonse: Voyages Aventureux *e* Cosmographie, *lançados em 1544 e 1559, mas escritos entre 1528-32. Investigações minuciosas provaram que Jean Alfonse era português e se chamava João Afonso. Em* Voyages Aventureux *ele disse que o Amazonas e o Prata nasciam em um lago interior, fazendo do Brasil uma "ilha" que, segundo ele, fora circunavegada por um navio espanhol e outro luso, partindo um do Maranhão e o outro do Prata. Se ocorreram, tais viagens continuam sendo desconhecidas.*

ILHA BRASIL SEGUNDO O CONCEITO DE **JOÃO AFONSO** c. 1528

Um dos principais pesquisadores do tema, o historiador luso Jaime Cortesão, rebatizou esse conceito expansionista dando-lhe, por volta de 1950, o nome de "Ilha Brasil". A denominação faz sentido, pois, em função dessa teoria geopolítica, os portugueses passaram a acreditar (ou decidiram fingir que acreditavam) que o Brasil era uma espécie de *território insular*, situado dentro dos amplos braços do Amazonas e do Prata. Julgava-se então que ambos os rios brotavam de uma mesma nascente: uma imensa lagoa, localizada em algum lugar no interior inexplorado do continente. Surgia, assim, o mito da Lagoa Dourada — em busca da qual dezenas de expedições partiriam ao longo dos dois séculos seguintes.

O COMBATE AOS FRANCESES

Embora vários integrantes da armada de Martim Afonso de fato acreditassem na existência da fabulosa Lagoa Dourada, nada despertava mais a cobiça dos expedicionários do que a busca pelo Rei Branco e a Serra da Prata — sobre os quais existiam indícios concretos. Há registros de que, nas semanas que antecederam o embarque, a excitação e o alvoroço tomavam conta do porto de Lisboa. "Vão para o Rio da Prata!" — relembraria, anos mais tarde, o historiador frei Vicente do Salvador. "E bastava escutar essa voz para não faltar quem quisesse alistar-se". Entre os 400 homens que se fizeram ao mar, 32 eram fidalgos (veja nota lateral na página seguinte). Da tripulação tomaram parte também mercenários e aventureiros alemães, franceses e italianos. De acordo com Gonçalo da Costa, muitos embarcaram "por conta própria, sem receber soldo".[9]

A frota comandada por Martim Afonso era composta por um galeão, duas naus e duas caravelas. Não se sabe o nome da nau-capitânea, onde viajaram Martim Afonso e seu irmão Pero Lopes. A outra nau, São Tomé, *era capitaneada por João de Sousa, parente de Martim Afonso. O galeão* São Vicente (abaixo) *era comandado por Pero Lobo, e as caravelas* Rosa *e* Princesa *foram chefiadas por Diogo Leite (veterano das expedições de Cristóvão Jaques ao Brasil) e Baltazar Gonçalves (que já chefiara frota guarda-costas que os portugueses mantinham fundeada nos Açores). O piloto-mor da expedição era Vicente Lourenço. Todos eram homens calejados e com larga experiência no mar.*

Entre os 400 expedicionários estava o capitão Pero Lopes de Sousa, irmão mais moço de Martim Afonso e autor do diário no qual se baseiam quase todas as informações citadas a seguir.

Não houve incidentes durante a travessia do Atlântico. A expedição fez as escalas habituais nas Canárias e na ilha do Sal, onde aportou no dia de Natal de 1530. Neste porto do arquipélago de Cabo Verde, Martim Afonso deparou com duas embarcações espanholas. Quando soube que elas se dirigiam ao rio Maranón, o comandante exortou os tripulantes a desistirem da missão, afirmando que aquele rio ficava "dentro da demarcação do rei de Portugal". Os espanhóis, aparentemente intimidados, retornaram à Europa.

A 31 de janeiro de 1531, tendo cruzado o oceano, Martim Afonso e seus homens puderam vislumbrar os verdejantes contornos do litoral do Brasil. Naquele dia, não viram apenas o atual pontal da Boa Vista, 30km ao norte do cabo de Santo Agostinho, em Pernambuco, e onde, quatro anos mais tarde, o donatário Duarte Coelho fundaria a vila de Olinda. A expedição avistou também um navio francês e, logo em seguida, um outro — sinal de que os acordos que D. Ataíde estava negociando na França vigoravam apenas no papel.

Martim Afonso tratou de dar combate aos intrusos. Temendo as duras represálias dos portugueses, os tripulantes do primeiro navio fugiram para terra num escaler, refugiando-se entre os nativos, que lhes deram abrigo. Enquanto Martim Afonso apresava a nau que os contrabandistas tinham abandonado, seu irmão, Pero Lopes, seguia para o norte em perseguição ao outro navio. Ao amanhecer de 2 de fevereiro, após violento combate noturno que avariou seriamente seu navio, Pero Lopes pôde

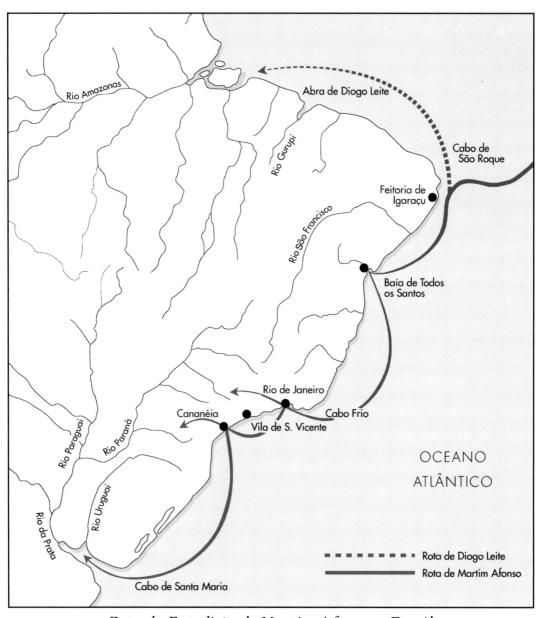

Rota da Expedição de Martim Afonso ao Brasil

capturar os franceses — que se renderam após terem ficado sem munição. Forçado a abandonar o próprio navio, Pero Lopes o substituiu pelo que tomou ao inimigo.

Depois da refrega, quando o irmão de Martim Afonso quis desembarcar para reabastecer-se de água, os índios *Potiguar* — aliados dos franceses — o impediram de pisar em terra. Esses episódios se deram na atual Baía da Traição, 50km ao norte de João Pessoa, na Paraíba.

Após a vitória, Pero Lopes retornou para o sul e encontrou-se com Martim Afonso, que estava ancorado na feitoria de Igaraçu, localizada na margem sul do braço de mar que separa a ilha de Itamaracá do continente, em Pernambuco. Essa feitoria fora fundada em 1516 pelo guarda-costas Cristóvão Jaques, em substituição a um entreposto similar existente no Rio de Janeiro e que o próprio Jaques havia desativado.

Martim Afonso e Pero Lopes souberam então que a feitoria fora saqueada pelos franceses dois meses antes e que Diogo Dias, o feitor responsável pelo estabelecimento, fugira para África a bordo de uma caravela portuguesa. Os irmãos Sousa decidiram reerguer o entreposto e deixaram, restabelecendo-se ali, os homens que tinham sido feridos durante a captura das naus francesas. Junto com os feridos, ficaram alguns nativos *Tabajara* — aliados dos lusos. Poucos meses depois, a feitoria de Igaraçu seria tomada pela nau *Peregrina* (como já foi narrado na Introdução e será explicado com detalhes na p. 69).

Em 24 de fevereiro, após o reerguimento da feitoria, um dos capitães da frota, João de Sousa (parente de Martim Afonso), foi enviado de volta para Portugal, a bordo de uma das naus tomadas aos franceses. Nos porões, além dos cerca de 30 contrabandistas aprisionados, o navio levava também as 2.768 toras de pau-brasil que eles haviam recolhido no Brasil. O pi-

No dia 13 de fevereiro de 1543, o rei da França, Francisco I, concedeu ao visconde de Dieppe, Jean Ango, uma segunda "carta de marca" mediante a qual o autorizava a atacar navios lusos para se ressarcir de prejuízos sofridos com a captura de suas naus. Convém lembrar que uma primeira carta já lhe fora concedida em julho de 1529 — mas os portugueses a compraram, contornando o litígio. No alvará que justificava a concessão da segunda carta de corso, Francisco I e Jean Ango se referiram à captura de duas naus francesas no Nordeste do Brasil. Estudando detidamente a questão, o historiador Jordão de Freitas concluiu, em 1924, que as duas naus citadas no documento assinado pelo rei eram os dois navios que Martim Afonso e Pero Lopes capturaram em Pernambuco em fevereiro de 1531.

loto da nau capturada ao inimigo era português e se chamava Pero Serpa. Mas esse homem jamais retornaria à Europa: condenando-o por traição, Martim Afonso mandou enforcá-lo imediatamente, em Igaraçu.

João de Sousa desembarcou em Portugal no início de junho de 1531. As 70 toneladas de pau-brasil que ele trazia foram a leilão, enquanto os traficantes franceses eram encarcerados na temível prisão do Limoeiro, em Lisboa. Ainda estavam lá em fevereiro de 1532, quando D. Diogo de Gouveia — o principal representante diplomático de Portugal na França — enviou uma carta para o rei D. João III intercedendo pela libertação daqueles homens, de modo a facilitar suas negociações com Francisco I.

Na mesma carta, Gouveia lastimava também o enforcamento de Pero Serpa, que fizera retroceder o andamento dos acordos. Há indícios de que aquelas duas naus capturadas por Pero Lopes e Martim Afonso pertencessem a *Jean Ango*, o poderoso visconde de Dieppe — o que certamente era um agravante para os propósitos conciliadores de Diogo de Gouveia.

A Missão de Diogo Leite

No mesmo dia em que João de Sousa partira para o reino levando os prisioneiros, Martim Afonso determinou que o capitão Diogo Leite — veterano de duas expedições anteriores ao Brasil — zarpasse para o norte com a missão de explorar o Maranón. Conduzindo as caravelas *Rosa* e *Princesa*, Leite teve de enfrentar então as fortes correntes e os perigosos baixios da chamada costa Leste-Oeste, assim denominada em função do único rumo no qual era possível percorrê-la nos tempos da navegação à vela.

Esse longo e recortado trecho do litoral brasileiro se estende desde o cabo São Roque, no Rio Grande do Norte, até a ilha de Marajó, no Pará. A navegação por ali era tão complexa e exigente que esse território só seria colonizado pelos portugueses — e a muito custo — um século mais tarde, a partir de 1604 (veja mapa abaixo).

Embora existam pouquíssimas notícias sobre os resultados obtidos pela expedição, os navios de Diogo Leite certamente chegaram até a barra do rio Gurupi, atual fronteira entre os estados do Maranhão e Pará. A maior evidência desse feito é fornecida pelo mapa que o astrônomo Gaspar de Viegas fez em 1534 e no qual as reentrâncias do litoral maranhense aparecem sob a denominação de "Abra de Diogo Leite". Viegas fora um dos principais articuladores da doutrina do "Magnus Brasil" e alguns historiadores acreditam que ele fazia parte da expedição de Martim Afonso.[10]

Um documento descoberto em 1950 por Jaime Cortesão comprova que Diogo Leite não só chegou à foz do Gurupi como penetrou com suas caravelas no rio Amazonas. Trata-se

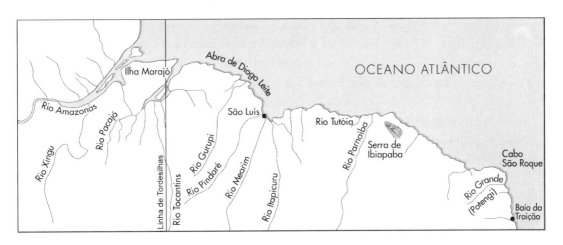

da carta que o embaixador castelhano Lope Hurtado de Mendoza enviou no dia 10 de setembro de 1531 à imperatriz D. Isabel, na qual relatava uma audiência que recentemente mantivera com D. João III. De acordo com o embaixador, o rei lhe disse então que "duas caravelas, que tinham partido desse reino em companhia de Martim Afonso", haviam retornado a Portugal depois de "descobrir um rio muito grande, que corre entre enormes planícies recobertas de florestas, nas quais vive grande variedade de aves e animais". Tal descoberta, evidentemente, dera "muito contentamento"[11] a D. João.

Que Diogo Leite de fato explorou o Amazonas é algo que ficaria claro quatro anos mais tarde, quando os portugueses decidiram enviar — como se verá — uma frota imponente com o objetivo de estabelecer uma povoação na foz do imenso rio e, dali, tentar a conquista do Peru.[12]

O Encontro com o Caramuru

Em 1º de março de 1531, uma semana depois de ter enviado Diogo Leite em direção ao Amazonas e João de Sousa de volta para Portugal, Martim Afonso deu prosseguimento a sua missão. Ele já havia lutado contra os franceses na "Costa do pau-brasil" e iniciado a exploração da "Costa Leste-Oeste". Faltava-lhe apenas percorrer a "Costa do ouro e da prata". Dessa forma, Martim Afonso iria visitar — com objetivos específicos — os três principais trechos em que se dividia o litoral brasileiro nas primeiras décadas do século 16.

Após enfrentar temporais e correntes contrárias, a frota de Martim Afonso — agora reduzida à nau-capitânea, ao galeão *São Vicente* e à nau tomada aos franceses — entrou na baía de Todos os Santos, na manhã do dia 13 de março de 1531.

Os Tupinambá

Os Tupinambá (Tubüb-Abá, ou "Descendentes dos primeiros pais", em tupi) formavam o grupo Tupi por excelência. As demais nações Tupi do litoral eram, de certa forma, suas descendentes. O território tribal dos Tupinambá se estendia da margem direita do rio São Francisco ao Recôncavo Baiano. Eram cerca de 100 mil e se tornaram a nação indígena mais conhecida da costa.

Aquele extraordinário ancoradouro natural — "largo o suficiente para abrigar todas as frotas da Europa"[13] — já era conhecido desde 1502, quando a ele haviam chegado os navegadores Gonçalo Coelho e Américo Vespúcio, que o batizaram com o nome que ainda se mantém. Durante alguns anos, os portugueses também haviam mantido ali um entreposto para recolhimento de pau-brasil. Mas esta feitoria fora desativada por volta de 1525 e, desde então, a baía de Todos os Santos era freqüentada principalmente por franceses e espanhóis.

Tão logo puseram os pés em terra, Martim Afonso e seus soldados encontraram, estrategicamente instalado nas proximidades do atual Farol da Barra (hoje um dos pontos centrais e mais conhecidos da cidade de Salvador), o misterioso homem branco a quem os nativos chamavam de Caramuru. Era um náufrago português que há mais de 20 anos vivia entre os Tupinambá. Uma reputação misteriosa o envolvia então — e o passar do tempo apenas se encarregaria de adensá-la.

Caramuru era Diogo Álvares. Natural de Viana, no norte de Portugal, ele fora o único sobrevivente do naufrágio que, por volta de 1509, engolira seu navio nos traiçoeiros baixios do rio Vermelho, que fica a poucos quilômetros ao norte da ponta do Padrão (atual Farol da Barra). Os *Tupinambá* o encontraram entre as rochas costeiras — circunstância que acabou lhe dando o apelido indígena: em tupi, "caramuru" designa uma espécie de moréia, ou enguia, que vive entre as pedras.

Acolhido pela tribo, Álvares, então com 17 anos, se uniu com Paraguaçu, filha de Itaparica, o líder dos Tupinambá e senhor da ilha que mantém o seu nome. Instalado na Ponta do Padrão, e já chamado pelos nativos de Caramuru, ele passou a fornecer víveres e auxílio a traficantes franceses e exploradores espanhóis, em troca de anzóis, machados e até mesmo de vinho.

Os fatos históricos que cercam a figura de Caramuru foram envoltos em lenda pelo jesuíta Simão de Vasconcelos, em 1680. Um século depois, frei Santa Rita Durão escreveu o poema Caramuru, *baseado em* Os Lusíadas, *com dez cantos e oitava rima. Lançado em 1781, o poema mitificou ainda mais a figura do náufrago. Vasconcelos e Durão diziam que Caramuru significava "homem do trovão", pelo fato de ele ter disparado seu mosquete ao ser encontrado na praia pelos nativos A imagem abaixo foi feita pelo pintor Ernesto Schefell a partir dos episódios narrados por Vasconcelos e Durão. Mas a realidade deve ter sido muito diferente do mito.*

Sua presença na Bahia já tinha sido registrada por D. Rodrigo de Acuña, um capitão castelhano que tentara cruzar o estreito de Magalhães em 1526 e cujo navio, varrido pelos ventos e com o leme partido, fora empurrado até Laguna (SC), de onde iniciou uma atribulada peregrinação pela costa brasileira.

O historiador Pedro Calmon acredita que Caramuru já havia sido visto pelo guarda-costas Cristóvão Jaques por volta de 1516.[14] Independentemente de ter sido encontrado primeiro por um português ou por um espanhol, o certo é que, ao longo dos anos, Caramuru iria estreitar laços de amizade com os freqüentadores mais assíduos das paragens onde se estabelecera: os contrabandistas franceses de pau-brasil.

Essa ligação se tornou tão explícita que, no segundo semestre de 1528, Caramuru interrompeu seu exílio tropical para visitar a França. Quem o conduziu até lá provavelmente foi o capitão italiano Girolamo Verrazano, comandante de um dos

inúmeros navios que constituíam a frota particular de Jean Ango, o visconde de Dieppe. Existem indícios de que o piloto do navio com o qual *Verrazano* chegou à Bahia em maio de 1528 era Jacques Cartier — um dos principais navegadores a serviço de Jean Ango.

Uma vez na França, Diogo Álvares *se casou* com Paraguaçu, logo após ela ser batizada com o nome de Catarina. Embora certos historiadores afirmem que o nome cristão de Paraguaçu lhe foi dado em homenagem à rainha Catarina da Áustria, mulher de D. João III, documentos comprovam que sua madrinha foi Catarina des Granhes, esposa de Cartier. Que outro motivo poderia explicar a ligação entre a refinada senhora des Granhes e Paraguaçu, se não o fato de ter sido seu próprio marido quem levara a exótica "princesa" indígena para a França?

Numa cerimônia realizada pelo vigário Lancet Ruffier, e presenciada por Catarina des Granhes, por Jacques Cartier e por vários representantes da elite local, Diogo "Caramuru" Álvares e Catarina Paraguaçu se casaram em Saint Malô no dia 30 de julho de 1528.

No início do ano seguinte, D. Diogo de Gouveia e D. Antônio de Ataíde chegaram a Rouen — que fica a menos de 150km de Saint Malô. Envolvidos nas melindrosas negociações com Jean Ango e com os assessores do rei Francisco I, os dois diplomatas lusos permaneceram vários meses na França. Em cartas trocadas ao longo do demorado processo, estes dois ilustres fidalgos se referiram várias vezes a um informante que tinham em Rouen: um espião que os mantinha a par das inúmeras expedições que Jean Ango insistia em continuar enviando ao Brasil, apesar das assinaturas dos acordos diplomáticos. O historiador Pedro Calmon supõe que esse espião fosse Caramuru.

A Rua Nova (del Rei) — assim chamada desde 1466 — era, de acordo com Afrânio Peixoto: "a principal, a aristocrática, a internacional, a rica, a mundana da Lisboa manuelina. Aí estavam os mais belos edifícios e lojas, o comércio do mundo — dos vários mundos — tráfico de sedas, cetins, porcelanas, especiarias, perfumes, tafularias (...) era a rua transitada pelos mais nobres e ricos, estrangeiros e naturais, donas e donzelas, toda a gente que compra e dá ocasião de ser vista e encontrada". Segundo Afrânio Peixoto, "as mulheres, secretas em outras partes, só nas igrejas e nos bazares se mostravam".

De todo o modo, em março de 1531, lá estava Caramuru outra vez no Brasil, de volta à aldeia que o acolhera. Embora sua presença ali fosse um fato de considerável significado estratégico, Martim Afonso e seu irmão Pero Lopes parecem ter se impressionado menos com isso do que com as muitas "mulheres alvas" que viram na Bahia. No diário que manteve ao longo da expedição, Pero Lopes anotou que essas nativas eram "mui formosas que não hão nenhuma inveja às da *Rua Nova* de Lisboa".[15] Tais beldades indígenas, capazes de arrancar arroubos de um narrador sóbrio como Pero Lopes, provavelmente eram as filhas que o próprio Caramuru tivera com suas várias mulheres ao longo de mais de 20 anos de convívio.

Por quase um mês, Martim Afonso permaneceu na Bahia, onde os indígenas o receberam "com grandes festas e bailes". Se seu objetivo fosse dar início à colonização do Brasil, o comandante não deixaria de perceber que tinha acabado de desembarcar no local ideal. Afinal, além da localização estratégica e dos "bons ares" da Bahia, as circunstâncias favoráveis ditadas pela sólida aliança entre Caramuru e os Tupinambá devem ter ficado evidentes para Martim Afonso. Ainda assim, o capitão-mor limitou-se a deixar dois homens ali — com a missão "de fazer experimentos com sementes e averiguar o que daria a terra"[16] — e, no dia 27 de março, partiu da Bahia, prosseguindo sua jornada rumo à Costa do ouro e da prata.

O ENCONTRO COM TIBIRIÇÁ

Após um mês e três dias de luta permanente contra o mau tempo e as correntes contrárias, a frota de Martim Afonso entrou na baía de Guanabara na manhã de 30 de abril de 1531. Como na Bahia, os portugueses também haviam mantido ali, anos antes, um entreposto para o recolhimento de pau-brasil.

Um dos homens que agora fazia parte da expedição de Martim Afonso — o marinheiro Pedro Annes — chegara mesmo a viver nesse estabelecimento. Acusado pelo roubo de algumas ferramentas de metal do navio no qual viajava, Annes fora forçado a permanecer no Rio, em 1511. Uma expedição espanhola o levara de volta para a Europa em 1516 — apenas algumas semanas antes de o guarda-costas Cristóvão Jaques desativar a feitoria (que os nativos chamavam de Carioca — ou "Casa de Branco") e transferi-la para Igaraçu, em Pernambuco (onde Martim Afonso e Pero Lopes tinham, meses antes, deixado seus feridos).

Embora soubesse que o Rio de Janeiro se localizava ao norte da região que deveria explorar, Martim Afonso decidiu estabelecer ali sua primeira base no Brasil. Já no dia seguinte ao desembarque, seus homens deram início à construção de uma sólida paliçada de toras pontiagudas. Dentro dela, ao longo das semanas seguintes, ergueram uma casa-forte, um estaleiro rudimentar e uma ferraria. A construção teria sido instalada na atual praia do Flamengo — o mesmo local onde, antes, funcionara a feitoria da "Carioca" (fundada por Gonçalo Coelho em 1504 e desativada por Cristóvão Jaques em 1516).

Enquanto o novo forte era construído — e os marinheiros fabricavam um bergantim —, Henrique Montes, o provedor da armada, foi encarregado de obter mantimentos suficientes para uma viagem prevista para durar pelo menos dois anos. Ao mesmo tempo em que Montes convencia os nativos a fornecer grandes quantidades de peixe seco, farinha de mandioca, frutas e milho — em troca de anzóis, facões e machados —, Martim Afonso decidiu enviar um pequeno destacamento, constituído por quatro de seus homens, com a missão de explorar o interior da região.

De que forma Martim Afonso de Sousa e o chefe indígena que o visitou no Rio puderam conversar? Através de intérpretes. Naquele inverno de 1531, os lusos conheciam o Brasil há três décadas. Já sabiam, portanto, que os nativos do litoral eram, quase todos, da nação Tupi — e que falavam o mesmo idioma, chamado pelos portugueses de "língua geral". Como muitos dos integrantes da expedição de Martim Afonso eram veteranos de missões anteriores — comandadas por Cristóvão Jaques —, alguns deles com certeza entendiam ou mesmo falavam tupi. Esses homens eram chamados de "línguas da terra". O marinheiro Pedro Annes — que vivera por cinco anos no Rio — certamente era um deles. Por fim, se o indígena que Martim Afonso encontrou de fato era Tibiriçá, é provável que esse chefe tivesse noções da língua portuguesa, pois convivia com náufragos e degredados lusos há mais de 20 anos.

Aquela seria apenas a segunda vez, em mais de 30 anos, que os portugueses iriam penetrar nos desconhecidos sertões do Brasil, arriscando-se para além dos estreitos limites do litoral. A primeira incursão fora comandada pelo florentino Américo Vespúcio quase três décadas antes — e tinha partido de uma região bastante próxima ao Rio. Mas, naquela ocasião, no outono de 1504, menos de um mês após sair de Cabo Frio, a tropa de Vespúcio esbarrou na Serra dos Órgãos, e a expedição foi suspensa sem ter obtido qualquer resultado.

Embora também tenham deparado com grandes montanhas, os quatro emissários de Martim Afonso foram mais eficientes que seus antecessores. Após uma árdua jornada de 65 léguas (ou cerca de 400km) pelas escarpas de uma "grande serra", os expedicionários atingiram um vasto planalto. Marchando por outras 50 léguas (aproximadamente 300km), chegaram então à aldeia de "um grande rei, senhor daqueles campos".[17] Esse chefe nativo não apenas recebeu os estrangeiros com "grandes honras" como concordou em acompanhá-los na jornada de volta até o Rio.

Nos primeiros dias de julho de 1531, ao ser apresentado com todas as formalidades a Martim Afonso, o chefe indígena ofereceu-lhe "muito cristal e deu novas que no rio de Paraguai havia muito ouro e prata". Após escutar atentamente o que "o maior senhor daqueles campos" *tinha a dizer*, Martim Afonso "lhe fez muita honra e lhe deu muitas dádivas e o mandou tornar para suas terras".

Apesar de o diário de Pero Lopes não fornecer indicações precisas do itinerário seguido pelos expedicionários, o historiador Jaime Cortesão concluiu, baseado numa série de evidências, que, após terem cruzado a Serra do Mar e a Serra da Mantiqueira, os homens de Martim Afonso seguiram pelo vale do rio Paraíba até desembocar nos campos de Piratininga. Dessa forma, teriam chegado até o local onde, dois anos mais tarde, o próprio Martim Afonso fundou o vilarejo que daria origem à cidade de São Paulo (veja mapa na p. 64). O "grande senhor" que lhe deu as alvissareiras notícias sobre a abundância de "ouro e prata no rio Paraguai" seria, portanto, Tibiriçá, líder de um grupo Tupiniquim e homem que, nos 20 anos seguintes, iria desempenhar um papel-chave na história do Brasil.

Dois são os indícios que levaram Cortesão à sua engenhosa conclusão: o primeiro é que, embora tenham percorrido mais de mil quilômetros, os homens de Martim Afonso gastaram apenas dois meses na viagem de ida e volta — indicativo que "faz supor uma rota conhecida, guia indígena e um alvo preconcebido".[18] Segundo, o fato de aquele chefe ter concordado em acompanhar os forasteiros sugere que ele estava "habituado ao trato com alguns portugueses" e não desconhecia o valor dos "presentes do adventício, cuja excelência já a prática o ensinara". Além de ser o único chefe nativo a merecer a designação de "grande senhor daqueles campos",[19] Tibiriçá também era o que mais comercializava com portugueses e espanhóis no sul do Brasil.

Encontro em Cananéia

Após três meses de permanência no Rio, Martim Afonso zarpou para o sul, ao raiar de 1º de agosto de 1531. Doze dias mais tarde, por sugestão de Henrique Montes, seus navios fundearam em frente às florestas que recobriam a ilha de Cananéia, no litoral sul de São Paulo, quase na fronteira com o Paraná. O marujo Pedro Annes — tido como "grande língua da terra", graças aos conhecimentos que adquirira ao longo de seu desterro no Rio — foi enviado em um bote para vistoriar a região.

Cinco dias depois, a 17 de agosto, ele retornou trazendo para bordo da nau-capitânea o misterioso Bacharel de Cananéia. Junto com os dois, vieram também "cinco ou seis castelhanos" e outro dos "genros" do Bacharel: um marinheiro espanhol chamado Francisco de Chaves. Chaves e seus "cinco ou seis" acompanhantes faziam parte de um grupo de 32 homens que, após ouvirem, no litoral de Santa Catarina, os boatos sobre o "Rei Branco" e a Serra da Prata, haviam desertado da expedição comandada por D. Rodrigo de Acuña e, de acordo com o indignado relato feito pelo próprio Acuña, "abandonado a nau para se tornarem selvagens".[20]

Aquela deserção se dera no inverno de 1526. No ano seguinte, Chaves e seu pequeno bando mudaram-se do Porto dos Patos (localizado, como já foi dito, em frente à ilha de Santa Catarina) para Cananéia, uns 300km mais ao norte. A mudança fora motivada pelo fato de Cananéia ser um porto mais freqüentado por navegadores europeus.

Bem acolhido nos domínios do Bacharel, Chaves se casara com uma das muitas filhas indígenas do degredado e, enquanto traficava escravos nativos e ajudava a abastecer os navios que por ali cruzavam, ficou aguardando a melhor oportunidade para averiguar a veracidade das lendas que o tinham levado a desertar da expedição de D. Rodrigo.

Ao encontrar-se com Martim Afonso, Chaves logo percebeu que estava diante de sua melhor chance. Por isso, tratou de assegurar ao comandante que, caso lhe fossem fornecidos homens suficientes, ele voltaria "para aquele porto, no espaço de dez meses, com 400 escravos carregados de prata e ouro".[21] A proposta soou tentadora demais para ser recusada.

Assim sendo, duas semanas mais tarde, no dia 1º de setembro de 1531, Francisco de Chaves partiu de Cananéia, pela trilha do Peabiru, em busca das riquezas do Império Inca. Che-

O grupo armado que Martim Afonso enviou em direção ao Paraguai foi o precursor do movimento que, um século mais tarde, transformaria os bandeirantes paulistas nos maiores caçadores de escravos de seu tempo e os levaria a destruir os Trinta Povos Guaranis (como eram então chamadas as "missões" que os jesuítas espanhóis haviam fundado nos atuais territórios do Paraguai, do Paraná, do Rio Grande do Sul e do Mato Grosso).

A principal diferença entre essa expedição e as duas anteriores realizadas pelos portugueses no Brasil (a de Vespúcio em 1504 e a dos emissários que o próprio Martim Afonso enviara do Rio para São Paulo, meses antes) reside no fato de que a tropa de Pero Lobo fora incumbida de uma missão escravista e com o objetivo explícito de conquistar um território indígena. Era, portanto, uma "bandeira", ao passo que as duas primeiras incursões eram meras "entradas" exploratórias.

Besteiros eram soldados armados de bestas: arma medieval, tipo de espingarda com arco e flecha (imagem abaixo).

fiada pelo capitão Pero Lobo e composta por 40 *besteiros* e 40 espingardeiros, a tropa que Chaves iria guiar pelo sertão tem sido considerada a primeira *bandeira* organizada pelos portugueses no Brasil. O fato de Martim Afonso ter cedido 80 homens — ou 20% do total de seu contingente — é indicativo claro das esperanças que ele depositava na aventura proposta por Francisco de Chaves.

Quase um mês depois de a tropa guiada por Chaves e comandada por Pero Lobo ter-se embrenhado na mata — ao encontro de um destino trágico —, o restante da frota de Martim Afonso partiu de Cananéia em direção ao Rio da Prata. Antes de zarpar, na manhã de 26 de setembro, o comandante mandou colocar um "padrão" na atual ilha do Cardoso. "Padrões" eram as colunas de pedra, com inscrições em português e latim, usadas pelos lusos para sinalizar a posse de territórios conquistados em além-mar.[22]

A ilha do Cardoso fica a cerca de cinco quilômetros ao sul de Cananéia (veja mapa na p. 87) e o fato de um "padrão" ter sido plantado ali parece indicar que Martim Afonso estava consciente de que o meridiano de Tordesilhas passava naquele local, estabelecendo o limite sul das possessões portuguesas no Brasil — o que correspondia à realidade jurídica do tratado.

CEMITÉRIO DE NAVIOS

No dia 29 de setembro, seguindo viagem rumo ao Prata, os navios de Martim Afonso cruzaram ao largo do Porto dos Patos, onde Henrique Montes vivera por mais de dez anos. Ventos impiedosos soprando de nordeste impediram a frota de fazer escala no lugarejo a partir do qual se espalhara a lenda do "Rei Branco" e da Serra da Prata.

Naquele dia, o mau tempo também fez com que o bergantim (que fora construído no estaleiro do Rio de Janeiro) se desgarrasse da expedição e sumisse de vista. Cinco meses se passariam antes que Martim Afonso pudesse obter informações sobre o destino daquela embarcação.

Em 1º de outubro de 1531, a armada cruzou por Laguna (SC), então chamada de Porto de D. Rodrigo — já que havia sido ali que D. Rodrigo de Acuña aportara, "muito desbaratado", após sua fracassada tentativa de cruzar o estreito de Magalhães, no inverno de 1526.

Laguna é uma espécie de esquina do Atlântico sul: a partir daquele ponto para o sul se inicia a maior costa retilínea do planeta. Trata-se de uma extensão de 600km formada por uma única praia, sem enseadas ou portos naturais, batida por águas turvas e geladas: um autêntico cemitério de navios que iria retardar a colonização das porções meridionais do Brasil em quase dois séculos (veja mapa na p. 18).

A expedição de Martim Afonso levou 15 dias para suplantar as correntes traiçoeiras desse trecho agreste do litoral. Somente em 16 de outubro a frota ancorou no cabo de Santa Maria — o acidente geográfico que estabelece o início do estuário do Prata, próximo de onde hoje se localiza ó balneário uruguaio de Punta del Leste. Ali, a armada permaneceu ancorada durante oito dias, esperando pelo reaparecimento do bergantim que sumira em frente ao Porto dos Patos.

Como esse pequeno navio não foi avistado, a expedição seguiu adiante e entrou nas águas fluviais do estuário. Antes de partir, porém, Martim Afonso mandou erguer uma grande cruz na praia, aos pés da qual depositou uma carta, envolta em cera, deixando instruções precisas para os tripulantes do bergantim, caso eles chegassem até lá.

A navegação à vela pelo rio da Prata impôs inúmeras dificuldades aos exploradores. Terríveis tormentas meridionais se abateram sobre os navios e, nos últimos dias de outubro de 1531, uma delas fez naufragar a nau-capitânea, na qual viajava o próprio Martim Afonso. Bom nadador, o comandante conseguiu se salvar, "agarrado a uma tábua".[23] Mas sete marinheiros morreram e os mantimentos que Henrique Montes obtivera entre os nativos do Rio de Janeiro perderam-se todos.

O naufrágio de Martim Afonso é um dos tantos acasos que mudam o rumo da História. Afinal, antes do acidente, o comandante dispunha de homens, armas e mantimentos suficientes para explorar a bacia do Prata durante dois anos. É provável que, ao longo desse período, fosse capaz de subir o rio Paraná, entrar pelo rio Pilcomayo e alcançar a região de Charcas, nos contrafortes dos Andes (local que estabelecia os limites do Império Inca e onde Aleixo Garcia estivera sete anos antes).

Martim Afonso poderia, daquela forma, ter dado início à conquista da mitológica região que procurava alcançar. Mas o infortúnio o forçou a modificar os planos: sem mantimentos, ele percebeu que não poderia atingir, por via fluvial, o fabuloso território do "Rei Branco". Só lhe restava, como se verá, a opção de chegar até lá por terra, a partir do litoral sul de São Paulo.

O desastre se deu nas proximidades da atual Punta del Este. Ao chegarem à praia, mais mortos do que vivos, os homens de Martim Afonso depararam com "um bergantim de cedro, muito bem construído",[24] encalhado na areia. Era um dos barcos que fizera parte da expedição de Sebastião Caboto e que fora abandonado ali, cerca de dois anos antes, depois que o capitão veneziano desistira de continuar explorando o Prata.

No dia 5 de novembro — após ter recebido auxílio e alimento dos nativos Charrua —, Martim Afonso reuniu seus principais pilotos e assessores e decidiu que apenas um pequeno grupo subiria o Prata, a bordo do bergantim abandonado por Caboto. Sob o comando de Pero Lopes, 30 homens foram incumbidos, então, da missão de seguir até o delta do rio Paraná e ali fincar dois "padrões".

Seria uma tentativa de não apenas assinalar a passagem dos portugueses pela região como servir-se da presença daquelas colunas de pedra para, no futuro, requerer a soberania lusa sobre o Prata. Pero Lopes recebeu 20 dias para a realização da missão: passado este período, ele deveria retornar ao acampamento-base, erguido nos arredores de Punta del Leste.

Ao longo das três semanas em que Pero Lopes explorou o Prata, Martim Afonso não ficou ocioso. Durante este período, o comandante percorreu a vasta extensão de praias baixas e arenosas que se estende desde os arredores de Montevidéu até o atual rio Tramandaí, no Rio Grande do Sul. Ao longo da jornada, de cerca de 500km, Martim Afonso passou pela barra do Rio Grande (através da qual a Lagoa dos Patos deságua no Atlântico). Ele batizou o Tramandaí de rio de Martim Afonso e a Lagoa dos Patos foi chamada de rio de São Pedro (nome que, mais tarde, iria batizar a província mais meridional do Brasil: Rio Grande de São Pedro, designação depois modificada para Rio Grande do Sul — veja mapa na p. 18).

Durante essa expedição, Martim Afonso realizou uma série de medições astronômicas. Elas lhe deram a plena convicção de que — conforme as estipulações de Tordesilhas — todo aquele território pertencia a Castela. O que era uma suspeita teórica tornou-se uma certeza na prática. Embora o astrônomo Gaspar Viegas talvez fizesse parte da expedição — já que incluiu os nomes "rio de Martim Afonso" e "rio de São Pedro" no mapa que fez em 1534 —, o próprio Martim Afonso estava habilitado a coordenar os estudos cosmográficos: durante sua juventude, na corte, o comandante fora um aplicado aluno do grande astrônomo Pedro Nunes.

PERO LOPES NO DELTA DO PARANÁ

Enquanto Martim Afonso explorava a inóspita costa do Uruguai e do Rio Grande do Sul, Pero Lopes subia o Prata, com seus 30 homens remando contra a corrente. O grupo deve ter sido guiado por Henrique Montes, que, quatro anos antes, já estivera lá em companhia de Sebastião Caboto. É impossível saber com certeza até onde a expedição avançou, mas é provável que tenha ultrapassado o emaranhado de ilhas que constitui o delta através do qual o Paraná desemboca no Prata, chegando até as proximidades da atual cidade de Barradero, cerca de 100km ao sudeste da atual Rosário, na Argentina (veja p. 18).

Foi ali que, antes de iniciar sua viagem de volta, Pero Lopes fincou dois padrões de pedra com os brasões de Portugal, tomando posse da terra em nome de seu rei. Não se tratava apenas de uma manobra para ludibriar as estipulações do Tratado de Tordesilhas. Os lusos achavam que as nascentes do rio Paraná — principal formador do Prata — pudessem estar (como de fato estavam) dentro de sua zona de demarcação.

Mesmo a favor da corrente, a jornada de retorno foi atribulada: as cheias de verão tinham deixado o rio caudaloso e com muitos redemoinhos. Ainda assim, quando já estava próximo do local onde deveria se reencontrar com Martim Afonso, Pero Lopes pôde desfrutar de um momento de muita satisfação.

Foi no dia 23 de dezembro, quando, ao escalar o atual cerro de Montevidéu, ele deparou com uma vista extraordinária: "Vimos campos a estender d'olhos", anotou em seu diário, "tão chãos (*planos*) como a palma; e muitos rios; e ao longo deles, muito arvoredo. Não se pode descrever a formosura dessa terra: os veados e gazelas são tantos, e as emas, e outras alimárias, tamanhas, como potros novos e do parecer deles, que é o campo todo coberto desta caça — que nunca vi em Portugal tantas ovelhas, nem cabras, como há nesta terra veados".

O fascínio da região não contagiou apenas o ríspido capitão. Em seu depoimento, Pero Lopes assegura que trazia consigo "alemães e italianos, e homens que foram à Índia e franceses" e que todos ficaram "tão espantados com a formosura da terra, tão pasmados, que não nos lembrávamos de retornar".

Mas a noite seguinte — véspera do Natal de 1531 — reservava péssima surpresa para os viajantes: o bergantim no qual viajavam chocou-se contra rochedos tão pontiagudos que os lusos os batizaram de "Pedras de Afiar". O relato de Pero Lopes é dramático: "A uma hora da noite, me deu uma trovoada que vinha por cima da terra com tanto vento quanto eu nunca tinha visto, que não havia homem que falasse, nem que pudesse abrir a boca. Em um momento nos lançou sobre a ilha das Pedras de Afiar; e logo se foi o bergantim ao fundo entre duas pedras. Saímos todos em riba das pedras, tão agudas que os pés eram todos cheios de cutiladas. Ajuntamo-nos em uma pedra, porque o vento saltou ao mar; e crescia muita água, que cobria quase toda a ilha, com exceção de um penedo no qual nos ajuntamos, confessando-nos uns aos outros, por nos parecer que era este o derradeiro trabalho. Assim passamos toda a noite, em que todos se encomendaram a Deus. Era tamanho o frio que os mais dos homens estavam todos intangidos e meio mortos".[25]

Depois de resgatarem o barco com muita dificuldade, *Pero Lopes e seus homens* chegaram à margem esquerda do Prata. Lá, tiveram que arrancar as estacas de madeira que sinalizavam as sepulturas de um cemitério indígena e, enquanto as queimavam para se esquentar sob uma chuva torrencial, comeram apenas ervas cozidas.

Em 25 de dezembro, eles prosseguiram viagem. Com um mês e uma semana de atraso com relação ao prazo combinado, Lopes reencontrou Martim Afonso e o restante da expedição no dia 27 de dezembro, no local preestabelecido: a ilha das Palmas (hoje Gorriti), na foz do estuário, nas cercanias de Punta del Leste. Então, no dia 1º de janeiro de 1532, após um breve descanso, o grupo partiu de volta para o litoral do Brasil.

Depois de cruzar ao largo de Imbituba, no sul de Santa Catarina, em 4 de janeiro, Martim Afonso enviou um navio em busca do bergantim que se perdera na viagem de ida, perto do Porto dos Patos. O restante da frota seguiu adiante e aportou em Cananéia, no dia 8. Após duas semanas ancorado ali, para consertar seus navios e deliberar com o Bacharel, Martim Afonso zarpou para o norte. Estava pronto para concretizar aquela que iria se tornar a principal realização de sua expedição.

A Chegada em São Vicente

Quatro dias após deixar Cananéia, a expedição penetrou em um vasto lagamar, em meio ao qual havia diversas ilhas e onde desaguavam vários rios. Ali ficava o Porto dos Escravos — um ponto estratégico da costa brasileira já há muito conhecido por exploradores portugueses e espanhóis.

Por coincidência, Martim Afonso desembarcou naquela baía do litoral de São Paulo em 22 de janeiro de 1532 — o

mesmo dia no qual, exatos 30 anos antes, ali haviam chegado Américo Vespúcio e Gonçalo Coelho. Como 22 de janeiro é dia de São Vicente — padroeiro de Portugal —, fora com o nome desse santo que Coelho e Vespúcio tinham batizado o local. Martim Afonso manteve a denominação, mas durante vários anos os portugueses continuaram se referindo ao vilarejo como Porto dos Escravos.

São Vicente fica a cerca de 300km ao norte de Cananéia e ali — como no reduto dominado pelo Bacharel — viviam, havia muitos anos, alguns náufragos e degredados portugueses. Seu principal meio de subsistência era o mesmo ao qual se dedicavam os aventureiros e desterrados instalados no Porto dos Patos e em Cananéia: o tráfico de escravos. Ao contrário do que acontecia nos domínios do Bacharel, a maioria dos cativos de São Vicente era da nação *Carijó* — prisioneiros de guerra dos Tupiniquim, aliados dos portugueses.

Ao cruzar pela região em 1530, o cosmógrafo Alonso de Santa Cruz — cujo livro *Islario General de las Islas del Mundo* se tornou o principal relato da expedição de Caboto, da qual ele fazia parte — anotara em seu diário: "Dentro do porto de São Vicente, existem duas grandes ilhas (*as atuais São Vicente e Santo Amaro, que os nativos chamavam de Ingaguaçu e Guaimbé*). Na mais oriental delas (*Santo Amaro*) estivemos ancorados mais de um mês. Na mais ocidental, têm os portugueses um povoado chamado São Vicente, com dez ou doze casas, uma delas feita de pedra, coberta de telhas, e com uma torre para defesa contra os índios em tempo de necessidade. Estão providos de coisas da terra, de galinhas e porcos da Espanha e muita abundância de hortaliças (...) Estas ilhas, os portugueses crêem ficar no continente que lhes pertence, dentro de sua linha de partilha".

Os Carijó

Os Carijó (Karai-Yo, ou "descendentes dos anciões", em tupi) ocupavam o litoral brasileiro de Cananéia até a atual Lagoa dos Patos, no Rio Grande do Sul Foram chamados de "índios Patos" pelos europeus, em função do grande número de aves que mantinham em suas aldeias. Os Carijó — que os jesuítas, mais tarde, iriam definir como "o melhor gentio da costa" — eram cerca de 100 mil indivíduos. Foram as primeiras e principais vítimas do tráfico de escravos organizado pelos colonos de São Vicente. Por volta de meados do século 18, o grupo já estava virtualmente extinto, dizimado pelo trabalho forçado nos canaviais da Baixada Santista. Abaixo, imagem dos Carijó feita no século 16.

A presença de europeus era tão antiga em São Vicente que o cronista espanhol Gonzalo Fernandes de Oviedo (1478-1557) afirmou, em 1535, que alguns deles viviam ali desde 1503: seriam sobreviventes de um naufrágio ocorrido na Ilha dos Porcos (hoje ilha Anchieta), que fica em frente a Ubatuba, uns 120km ao norte de São Vicente. Depois de alguns meses na ilha dos Porcos, esses homens, de acordo com Oviedo, se transferiram para São Vicente. Ali, fundaram o vilarejo e deram início ao tráfico de escravos nativos em larga escala.

Os nativos chamavam São Vicente de Tumiaru — ou "lugar dos mantimentos", em tupi. Era uma referência explícita à grande quantidade de mariscos que eles obtinham ali — e cujas cascas formavam os enormes montículos denominados de sambaquis: um testemunho da fertilidade da baía e de sua milenar ocupação pelos indígenas. No século 16, porém, não havia nenhuma tribo instalada em Tumiaru: os nativos que habitavam a região tinham se transferido para o topo da serra que se ergue logo atrás do lagamar.

O Encontro com João Ramalho

Assim que desembarcou na ilha de São Vicente, Martim Afonso de Sousa foi recebido por dois homens brancos. Sua história pessoal era tão misteriosa quanto a do Bacharel de Cananéia e eles estavam tão adaptados aos rigores da vida selvagem quanto Caramuru. Um desses homens se chamava João Ramalho; o outro, Antônio Rodrigues. Ramalho estava casado com Bartira ("Flor de Árvore", em tupi), filha de Tibiriçá, líder local dos Tupiniquim. Rodrigues vivia com a filha de Piquerobi, que era irmão de Tibiriçá.

De acordo com o diário de Pero Lopes, no momento em que os portugueses puseram os pés na praia, João Ramalho e Antônio Rodrigues já os aguardavam lá. Junto a eles, e acompanhados por duas centenas de guerreiros bem armados, estavam também Piquerobi, Tibiriçá e o terceiro irmão de ambos, o também "cacique" Caiubi. Convém lembrar que Tibiriçá e Martim Afonso de Sousa provavelmente já haviam se encontrado cerca de um ano antes, em abril de 1531, no Rio de Janeiro.

O quadro abaixo, pintado por Benedito Calixto em 1921, reproduz o encontro de Martim Afonso com João Ramalho e com os irmãos Tibiriçá, Caiubi e Piquerobi. Piquerobi e seu filho Jaguaranho estão em primeiro plano, afastados do encontro, que se dá ao fundo. Ambos jamais se aliaram aos portugueses. Tanto é que, 30 anos mais tarde, lideraram violento ataque aos colonos escravagistas de São Paulo de Piratininga. Esse assalto se deu em 9 de julho de 1562 e quase provocou a destruição da primeira (e, até então, única) vila fundada pelos lusos longe do litoral. Naquela ocasião, São Paulo só pôde ser salva pela intervenção de Tibiriçá que, já batizado com o nome de Martim Afonso Tibiriçá, lutou com uma espada pintada com as cores de Portugal e matou o irmão Piquerobi e o sobrinho Jaguaranho.

Tibiriçá ("Vigilante da Terra") e seu irmão Caiubi ("Mato Verde") de imediato firmaram uma aliança com Martim Afonso. Piquerobi, o mais moço dos três, se manteve arredio e desconfiado com os estrangeiros. De fato, tanto ele quanto seu filho *Jaguaranho* ("Onça Pequena") nunca se aliaram aos lusos.

Os três irmãos indígenas que se encontraram com Martim Afonso de Sousa em São Vicente, na manhã de 22 de janeiro de 1532, eram os líderes de cerca de 25 mil Tupiniquim (Tupin-Iki, ou "parentes dos tupi"). Eles faziam parte da mesma nação indígena encontrada por Pedro Álvares Cabral em Porto Seguro, três décadas antes. No sul do Brasil, seu território tribal se estendia desde os arredores de Cananéia, no sul, até Bertioga, cerca de 30km ao norte, abarcando também — e principalmente — toda a zona de campos no topo da serra.

Tibiriçá, o líder da tribo, vivia na aldeia de Piratininga. Essa aldeia ficava no exato centro urbano da atual cidade de São Paulo: no topo da colina localizada na confluência do córrego Anhangabaú com o riacho Tamanduateí. Caiubi liderava a aldeia de Jerubatuba, a 12km ao sul de Piratininga, onde hoje fica o bairro paulistano de Santo Amaro. Seis quilômetros a leste de Piratininga ficava Ururaí, a aldeia comandada por Piquerobi e por seu filho Jaguaranho — sobre a qual atualmente se ergue a localidade de São Miguel Paulista (veja mapa na p. 64).

TRÊS DESTINOS

Caiubi, Piquerobi e Tibiriçá (acima), os três líderes Tupiniquim, viveram destinos bem diferentes. Tibiriçá se manteve a vida toda fiel aos lusos, lutou por eles e foi batizado pelos jesuítas em 1554. Caiubi, batizado com o nome de João (homenagem a D. João III), se tornou um pacifista, substituindo o arco e a flecha por uma cruz e um cajado, com os quais andava "pregando pelo sertão". Tibiriçá perdeu sua última batalha no dia de Natal de 1562: mas não morreu vitimado por flechas, e sim por uma das várias epidemias que grassavam nos aldeamentos fundados pelos jesuítas. Caiubi morreu um ano antes, provavelmente pelo mesmo motivo. Segundo o padre José de Anchieta, tinha "mais de 100 anos de idade". Piquerobi e Jaguaranho foram mortos por Tibiriçá, num combate travado em Piratininga.

Embora sua estreita ligação com João Ramalho tenha influenciado na aliança que Tibiriçá decidiu estabelecer com os recém-chegados, não há dúvidas de que ele resolveu firmar o acordo tendo em vista as vantagens estratégicas que ele lhe proporcionaria sobre seus inimigos tradicionais: os Carijó, ao sul, e os Tamoio e Tupinambá, ao norte.

Mas o tiro de Tibiriçá saiu pela culatra: aquilo que, de início, "parecia uma aliança inofensiva e até salutar logo mostrou-se muito nocivo para os índios", escreveu, em 1994, o historiador americano John Monteiro. "As mudanças nos padrões de guerra e as graves crises de autoridade, pontuadas pelos surtos de contágio, conspiraram para debilitar, desorganizar e, finalmente, destruir os Tupiniquim".[26]

Mas, na verdade, mais do que com Tibiriçá e Caiubi, foi com João Ramalho e Antônio Rodrigues que Martim Afonso tratou de se aliar assim que desembarcou no Porto dos Escravos. O comandante supôs, com razão, que a ligação entre portugueses e nativos poderia ser intermediada com mais sucesso e eficiência por aqueles dois enigmáticos homens brancos.

Não se sabe com certeza quem era João Ramalho, nem como ele fora parar em São Paulo. Provavelmente era um degredado que havia sido "lançado" em São Vicente por volta de 1508. O que se pode afirmar com certeza é que raros portugueses se adaptaram tão bem ao estilo de vida indígena quanto Ramalho. Depoimentos de vários de seus contemporâneos afirmam que ele havia literalmente se "barbarizado".

João Ramalho, de fato, tinha "muitas mulheres e ele e seus filhos andam com as irmãs (*de suas esposas*) e têm filhos delas. Vão à guerra com os índios e suas festas são de índios, e assim vivem, andando nus como os mesmos índios", conforme escreveu, em agosto de 1553, o jesuíta Manoel da Nóbrega, para quem a mera presença daquele homem no Brasil era "uma *petra scandali* para os portugueses".

Líder de um vasto exército particular, destemido e desafiador, *João Ramalho* seria, por vários anos, o verdadeiro senhor da região de São Vicente e Piratininga. Não apenas Martim Afonso, como também seus sucessores não tomavam uma só decisão relativa àquele território sem antes consultá-lo. Nem mesmo os muitos conflitos que o patriarca dos mamelucos teria com os jesuítas — por causa de sua escandalosa poligamia e em função do lucrativo tráfico de escravos que ele dirigia — seriam capazes de arrefecer seu poder.

Pouco se sabe sobre Antônio Rodrigues, que provavelmente também estava no Brasil pelo menos desde 1508 — possível vítima de um naufrágio. Como Ramalho, ele adotara os costumes indígenas, tinha muitos filhos e "genros" e participava das festas e guerras dos nativos. Sua principal esposa — filha de Piquerobi e irmã de Jaguaranho — foi batizada pelos jesuítas em 1554 com o nome de Antônia.

Embora Rodrigues mantivesse um entreposto para venda de escravos no lugar conhecido como Porto das Naus, poucos quilômetros a nordeste de São Vicente (veja mapa na p. 64), tanto ele quanto João Ramalho não viviam ali, mas no topo da grande serra que se ergue logo atrás do lagamar: João Ramalho morava nas proximidades de Piratininga (hoje São Paulo); Rodrigues, na aldeia de Ururaí.

Como viviam no Brasil havia mais de 20 anos, João Ramalho e Antônio Rodrigues certamente conheciam as inúmeras trilhas indígenas que partiam de São Vicente e de Cananéia. Não deviam desconhecer também a lenda do "Rei Branco" e da Serra da Prata. Disposto a conquistar aquela região, Martim Afonso deve ter inquirido os dois homens sobre o assunto.

O PAI DOS MAMELUCOS

Além do depoimento do padre Nóbrega, o primeiro governador-geral do Brasil, Tomé de Sousa, também escreveria ao rei D. João referindo-se a João Ramalho. "Ele tem tantos filhos, netos e bisnetos que não ouso dizer a Vossa Alteza", informou Tomé de Sousa. "É homem de mais de 70 anos, mas caminha nove léguas (cerca de 50km) antes de jantar e não tem um só fio branco na cabeça nem no rosto".

Ao cruzar por Piratininga em 1553 — vindo do Paraguai para o Brasil pela via do Peabiru — o mercenário alemão Ulrich Schmidel afirmou que Ramalho era "capaz de arregimentar cinco mil índios em um só dia, enquanto o rei de Portugal só ajuntaria dois mil". João Ramalho morreu em 1580, com quase 100 anos.

Deve ter sido por isso que, poucos dias após o desembarque em São Vicente, Martim Afonso, Pero Lopes e alguns de seus homens foram conduzidos serra acima por Ramalho, Rodrigues e seus índios, em uma jornada árdua. Primeiro, a bordo de um bergantim e de vários batéis (escaleres), o grupo partiu de Tumiaru, ingressando no vasto lagamar de águas salobras que os nativos chamavam de Morpion. Então, singrando por um emaranhado de rios e mangues, os expedicionários aportaram ao ancoradouro de Piaçaguera de Baixo. De lá, por terra, marcharam pela área alagadiça hoje ocupada pela cidade de Cubatão, chegando a Piaçaguera de Cima, na raiz da serra de Paranapiacaba ("Lugar de onde se vê o mar", em tupi).

Então, deram início à subida da serra, pelo caminho mais tarde conhecido como Trilha dos Tupiniquim — que segue o percurso da atual estrada de ferro Santos–Jundiaí, ao longo do vale do rio Quilombo. Após um dia de marcha, chegaram às nascentes do Tamanduateí. Sempre guiados por Ramalho e por seus batedores indígenas, acompanharam o curso do rio, enveredando para sudoeste (veja mapa na p. 64).

No dia seguinte, atingiram a zona de campos onde a barreira verdejante da mata atlântica se abre em vastas planícies recobertas de gramíneas e chegaram à colina no topo da qual se erguia Piratininga, a aldeia de Tibiriçá. Ao pé daquele morro, o encontro do Tamanduateí com o córrego do Anhangabaú tornava o local quase inexpugnável. Engrossado pelas águas do Anhangabaú ("Rio do Demônio"), o Tamanduateí ("Rio dos Tamanduás") cruzava pelo sopé de Piratininga ("Aldeia do Peixe Seco") e seguia cinco quilômetros até desaguar no rio Tietê.

Dali, a comunicação por terra com o Paraguai (e, mais adiante, com o Peru) não apenas era possível como relativa-

63

mente fácil: eram apenas dois meses de marcha pelos campos do planalto. Que os nativos sabiam disso é algo evidente pelo simples fato de o próprio Tibiriçá (ou algum outro chefe nativo) ter dado a Martim Afonso, um ano antes, no Rio, "novas que no rio de Paraguai havia muito ouro e prata". Além disso, se João Ramalho vivia na região há 20 anos e caminhava cerca de 50km por dia (como afirmou o governador Tomé de Sousa), também não devia desconhecer a existência da vasta trilha do Peabiru, que passava muito próximo de Piratininga.

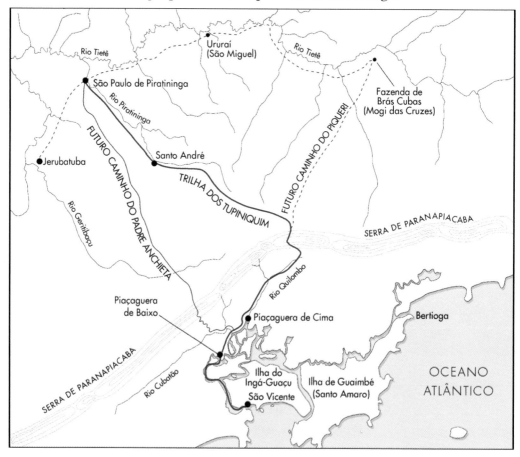

Assim sendo, ao descer a serra de volta para São Vicente, Martim Afonso já estava determinado não só a fundar uma vila à beira-mar como a estabelecer também um posto avançado no topo do planalto — e justamente em Piratininga, na aldeia de seu aliado Tibiriçá, quase às margens do Tietê. A partir dali, ele pretendia atingir o território do "Rei Branco".

Se o comandante ainda tinha alguma dúvida, ela acabou na manhã do dia 5 de fevereiro, quando aportou em Tuamiru a caravela que, um mês antes, ele próprio havia enviado em busca do bergantim que perdera de vista nas proximidades do Porto dos Patos, em Santa Catarina. A bordo desse navio não vinham apenas os tripulantes do bergantim extraviado: estavam também "quinze castelhanos, que no dito porto havia muitos tempos que estavam perdidos. E estes homens deram novas ao capitão de muito ouro e prata que dentro do sertão havia; e traziam mostras do que diziam".[27]

A maioria dos 15 castelhanos mencionados pelo diário de Pero Lopes deviam ser desertores da expedição de D. Rodrigo de Acuña, embora alguns talvez fossem remanescentes do naufrágio de Juan Dias de Sólis e, portanto, velhos companheiros de Henrique Montes e do finado pioneiro Aleixo Garcia. As peças de ouro e prata que eles mostraram a Martim Afonso eram mais uma prova irrefutável da existência do "Rei Branco" e da Serra da Prata: outro indício palpável daquelas riquezas.

E então, como numa seqüência lógica, o diário de Pero Lopes acrescenta no parágrafo seguinte: "A todos nos pareceu tão bem esta terra que o capitão-irmão determinou de a povoar e deu a todos os homens terras para fazerem fazendas. E fez uma vila na ilha de São Vicente e outra nove léguas dentro pelo ser-

65

tão, a bordo de um rio que se chama Piratininga (*como os nativos também se referiam ao Tamanduateí*), e repartiu a gente nestas duas vilas e fez nelas oficiais e pôs tudo em boa obra de justiça de que a gente toda tomou muita consolação com ver povoar vilas e ter leis e sacrifícios e celebrar matrimônios e viverem em comunicação das artes e ser cada um senhor de si e suplantar as injúrias particulares e terem todos os outros bens de vida segura e conversável".

Era a primeira tentativa de implantar a lei e a ordem lusitanas no território até então entregue em mãos de náufragos e degredados. De fato, Martim Afonso não estabeleceu apenas a Câmara dos Vereadores, uma igreja, um pelourinho e uma cadeia: iniciou também a distribuição de amplas sesmarias, tanto no litoral como no sertão. Essas vastas extensões de terra — de dimensões similares ao atual perímetro urbano de São Paulo — eram delimitadas por morros e rios que os nativos haviam batizado com nomes incompreensíveis para os brancos, embora repletos de significado para eles próprios.

As cerimônias de doação foram feitas com toda a formalidade, na presença de um escrivão, um tabelião e duas ou três testemunhas. Uma vez lavrados, os documentos ficaram repletos de topônimos indígenas.

Apesar de, naquele instante, estarem sendo destituídos de largas porções de seu primitivo território tribal — num processo de posse individual da terra de todo inconcebível para eles — os Tupiniquim obtiveram pelo menos uma vantagem estratégica: por sugestão deles, Martim Afonso mandou erguer uma fortaleza na barra de Bertioga (corruptela de "Biriquioca", ou "Recanto dos Macacos"), localizada uns 30km a nordeste de São Vicente. Exatamente ali, os domínios dos Tupiniquim se confrontavam com o território dos *Tamoio*, seus inimigos tradicionais, aliados dos franceses.

A maior prova do quão estratégica eram as localizações de São Vicente e Piratininga seria dada cerca de 30 anos mais tarde, quando, após o trágico desmantelamento das vilas originais, os portugueses voltaram a fundar ambas as cidades quase que exatamente sobre seus escombros — e, portanto, nos mesmos locais escolhidos por Martim Afonso no verão de 1532.

Não foi por acaso que São Vicente se tornou o primeiro estabelecimento fixo dos portugueses no Brasil, e nem é uma casualidade o fato de São Paulo ter-se tornado o local a partir do qual os bandeirantes deram início à expansão territorial que os levaria a romper a barreira de Tordesilhas e a incorporar vastas porções de terra que, por direito, pertenciam à Castela.

Numa demonstração evidente de que não pretendia agradar apenas aos nativos, mas obter também o apoio de náufragos e degredados — inserindo-os naquele novo contexto histórico —, Martim Afonso incluiu João Ramalho, Antônio Rodrigues e até mesmo o Bacharel de Cananéia na lista dos "homens de bem" beneficiados com a doação das sesmarias. Os três primeiros moradores da região tornaram-se, assim, proprietários de "fazendas" com escrituras registradas em cartório. As terras nas quais, durante anos, eles tinham vivido como índios passaram a lhes pertencer legalmente. Henrique Montes também recebeu uma sesmaria, estabelecendo-se na ilha Pequena (hoje Barnabé), dentro do lagamar de São Vicente.

São Vicente e Piratininga não foram apenas as primeiras vilas fundadas pelos portugueses no Brasil: foram também os dois primeiros estabelecimentos construídos pelos europeus na América ao sul do Equador. Sua *localização* era estrategicamente perfeita: São Vicente, facilmente guarnecível, era um excelente porto marítimo-fluvial que permitia rápido acesso ao interior do continente. Piratininga, protegida pela barreira da Serra do Mar, ficava na "borda do campo" e nas proximidades do Tietê, um dos principais formadores da bacia do Prata.

Além de serem "a porta de entrada para o sertão", as vilas ficavam na demarcação de Portugal, quase no limite com a zona que pertencia a Castela, e nas cercanias de rios que eram afluentes do Paraná, um dos formadores do Prata. Ao fundá-las, Martim Afonso estava lançando a base a partir da qual os portugueses poderiam tentar a conquista da "Costa do ouro e da prata". Mas quis o destino que, por motivos alheios à vontade ou às decisões de Martim Afonso, tudo saísse errado: Piratininga e São Vicente estavam fadadas a curta e atribulada existência — pelo menos após aquela primeira fundação.

Os problemas se iniciaram a partir do dia 22 de maio de 1532, quando — após quatro meses ajudando Martim Afonso a se estabelecer em São Vicente e fundar Piratininga —, Pero Lopes foi autorizado pelo irmão a iniciar viagem de volta para Portugal. Dois foram os motivos que levaram o comandante a tomar essa decisão: primeiro, os pilotos haviam concluído que, após um ano e meio de viagem, os navios estavam desgastados demais para continuar expostos às inclemências da natureza tropical. "Se estiverem mais dois meses dentro do porto, não poderão ir a Portugal", anotou Pero Lopes.

Além disso, Martim Afonso estava preocupado com o fato de os marinheiros permanecerem tanto tempo no Brasil — "recebendo soldo e rancho" — sem "prestar serviços ao rei". De acordo com uma antiga tradição, a "gente do mar" trabalhava apenas nos navios, não sendo obrigada a realizar nenhuma tarefa em terra. Assim sendo, com um galeão, uma nau e 56 homens a bordo, Pero Lopes partiu de São Vicente, deixando a outra nau e um bergantim para Martim Afonso.

No dia 24 de maio, a pequena frota de Pero Lopes chegou ao Rio de Janeiro e, a 2 de julho, depois de se abastecer com víveres suficientes para três meses de viagem no entreposto fundado ali no ano anterior, a expedição seguiu para o norte. Vinte e cinco dias mais tarde, os navios ancoravam na baía de Todos os Santos. Lá, três marinheiros desertaram. Durante oito dias, Pero Lopes tentou recapturá-los, mas os Tupinambá os acolheram e ocultaram. Alguns historiadores acreditam que o principal estímulo para a deserção desses marujos foram os encantos que as "belas mulheres alvas, tão bonitas quanto as da Rua Nova de Lisboa" despertaram neles.

Em 30 de julho de 1532, com três tripulantes a menos, a frota partiu da Bahia. Então, no dia 4 de agosto, Pero Lopes encerrou abruptamente as anotações que, há um ano e meio, vinha fazendo metodicamente em seu *diário* (que, ainda hoje, continua sendo a principal e quase única fonte para o estudo da expedição). Somente em 4 de novembro o irmão de Martim Afonso iria reiniciar seu relato.

Outras fontes e outros manuscritos auxiliaram os historiadores a reconstituir os acontecimentos que se desenrolaram ao longo destes três meses de intrigante silêncio. Tais investigações acabariam revelando um episódio definitivo para os rumos futuros da história do Brasil.

OS INCIDENTES COM A NAU PEREGRINA

No dia em que suspendeu a redação do diário, Pero Lopes havia chegado à ilha de Santo Aleixo, no litoral de Pernambuco, uns 70km ao sul de Recife, em frente à foz do rio Sirinhaém. Ao subir na gávea (o posto de observação localizado no topo do mastro principal), ele avistou uma grande embarcação fundeada entre aquela ilha e o continente.

Ao perceber que se tratava de um navio francês, Lopes tratou de combatê-lo imediatamente, embora estivesse com a tripulação reduzida e mal armada. Após cinco horas de intensos combates, ele venceu o inimigo. Mas o mais grave estava por vir: ao serem capturados, aqueles traficantes de pau-brasil acabaram revelando que um outro grupo de franceses havia tomado e se instalara na feitoria de Igaraçu, mais ao norte, também no litoral de Pernambuco. Pero Lopes tremeu: Igaraçu era o local onde ele havia deixado seus feridos, um ano e meio antes, em fevereiro de 1531.

O Diário de Bordo

Ao longo de quase toda a expedição de Martim Afonso de Sousa, seu irmão, Pero Lopes, manteve um diário minucioso sobre os episódios que marcaram a missão. Com o título de Diário da Navegação de Pero Lopes de Sousa, o documento foi entregue ao rei D. João III. O original se perdeu, mas uma cópia foi encontrada em 1839 pelo historiador Francisco Adolfo de Varnhagen, no Palácio Real da Ajuda, em Lisboa. Varnhagen publicou o diário de Pero Lopes em 1841. Acima, fac-símile da página de rosto.

A feitoria caíra nas mãos dos franceses em março de 1532, cinco meses antes da chegada de Pero Lopes à ilha de Santo Aleixo. A ação fora chefiada pelo comandante Jean Duperet, comerciante de Lyon e capitão da nau *Peregrina*. A *Peregrina* (como já foi dito na Introdução) pertencia ao nobre francês Bertrand d'Ornesan, barão de Saint Blanchard — almirante que chefiava a esquadra francesa do Mediterrâneo.

Convém recordar que, em julho de 1531, D. Antônio de Ataíde havia subornado o almirante Phillipe Chabot — comandante da esquadra francesa do Atlântico. Indignado por ter sido deixado de fora das propinas, o barão de Saint Blanchard obtivera do rei Francisco I a permissão para armar e enviar uma nau ao Brasil. Embora batizada de *A Peregrina*, essa nau na verdade chamava-se *São Tomé* e tinha sido roubada pelos franceses de um armador português, André Afonso, natural da cidade do Porto. O roubo se dera em fins de 1530, na costa da Guiné.

Então, por volta de 11 de agosto — uma semana após vencer e destruir o navio que avistara na ilha de Santo Aleixo — Pero Lopes chegou à feitoria ocupada pelos franceses, que ficava uns 50km ao norte de Santo Aleixo. Por três semanas, Lopes combateu fragorosamente o inimigo. Só após ficarem sem munição foi que os franceses se renderam, e Lopes pôde tomar o forte que eles haviam construído. Então, mandou enforcar o capitão francês, o senhor de la Motte e 20 de seus oficiais — embora, de acordo com o depoimento dos sobreviventes, tivesse prometido poupar-lhes a vida em troca da rendição, "jurando solenemente sobre a hóstia consagrada".[28]

Através do processo que o barão de Saint Blanchard moveu, anos mais tarde, contra Pero Lopes e o rei de Portugal, muitos detalhes do episódio ficaram conhecidos — embora as versões de acusados e acusadores sejam virtualmente opostas.

Foi graças ao processo judicial que o barão de Saint Blanchard moveu contra Pero Lopes, o bispo D. Martinho, o capitão Antônio Correia e o rei D. João III que os episódios relativos à captura da nau Peregrina *e à retomada da feitoria de Igaraçu puderam ficar conhecidos. Em sua petição, o barão apresentou, com riqueza de detalhes, sua versão de ambos os fatos. Pero Lopes não compareceu à corte, mas enviou um depoimento juramentado e fez a defesa intransigente de suas ações.*

Em 10 de outubro de 1537, uma corte bilateral reuniu-se em Baiona, na Espanha, para decidir a questão. Dela tomaram parte dois juízes franceses e dois portugueses. Em caso de empate, um quinto juiz — espanhol — seria convocado. Um dos juízes enviados pelo rei D. João III foi o desembargador Mem de Sá, futuro governador-geral do Brasil, e o terceiro a ocupar esse cargo.

A pendenga judicial se arrastou por quase um ano. No dia 16 de junho de 1538, os portugueses foram absolvidos das penas e do pagamento das multas exigidas pelo proprietário da Peregrina.

Segundo o depoimento juramentado de Pero Lopes, ele tratou bem os franceses depois que esses depuseram as armas. Certa noite, porém, quando se encontrava dentro da feitoria, redigindo um relatório para o rei, "à luz de candeia e com a janela aberta, lhe atiraram de fora com duas flechas, uma das quais lhe foi roçando com as penas pelo roupão, e ambas se foram pregar na parede ao lado".[29]

Com a certeza de que o atentado fora obra dos franceses, Pero Lopes determinou, na manhã seguinte, que todos fossem enforcados. Quando o capitão de la Motte e 20 outros homens já tinham sido executados, dois bombardeiros franceses assumiram a culpa pelo atentado. Após o enforcamento desses dois homens, Pero Lopes mandou suspender as execuções.

Mas, conforme o protesto judicial de Saint Blanchard, Lopes simplesmente rompera seu "juramento solene, de acordo com o qual prometera preservar a vida e os bens dos franceses capturados", decidindo enforcar 21 homens, além de "entregar dois deles vivos para que os índios os comessem". Ainda de acordo com o barão, os 47 sobreviventes foram levados a ferros para Portugal e jogados na prisão do Limoeiro, "onde passaram 24 meses, sendo afinal soltos os que restavam, exceto onze que foram enforcados e quatro que morreram de maus-tratos".[30]

O barão de Saint Blanchard exigia uma indenização de 62.300 cruzados pela carga apreendida nos porões da *Peregrina*, em Málaga: 15 mil toras de pau-brasil, 3 mil peles de onça, 600 papagaios e 1,8 tonelada de algodão, além de óleos medicinais, pimenta e amostras minerais. Segundo os argumentos do almirante, aqueles produtos haviam sido adquiridos em trocas "justas" com os nativos e, por isso, não poderiam ser confiscados pelos lusos. Em fins de 1537, uma *corte binacional*, reunida em Baiona, na Espanha, para julgar o caso, deu ganho de causa aos portugueses.

Enquanto Pero Lopes e os franceses combatiam ferozmente em Pernambuco, a *Peregrina* estava sendo capturada no Mediterrâneo pela frota do capitão Antônio Correia (episódio narrado com detalhes na Introdução). A apreensão da *Peregrina* levou Portugal a suspender as negociações diplomáticas que mantinha com a França referentes ao Brasil.

No dia 19 de agosto de 1532, já a bordo do navio tomado ao inimigo, o bispo D. Martinho — que era o principal passageiro da frota que capturara a *Peregrina* — escreveu para D. Antônio de Ataíde relatando-lhe todo o caso. Não esqueceu de reservar para si um papel-chave na trama, "pois", disse ele, "sabe Deus os modos com que os desimulei (*aos franceses*) e o quanto se fiaram em meu rosto".[31]

Uma semana mais tarde, o bispo redigiu também uma carta para o rei D. João III, repetindo o que contara a Ataíde. O fato de ele ter escrito primeiro para o conde e só depois para o monarca é um indício do poder de que desfrutava Ataíde. Enviadas por terra, desde Málaga, as notícias dadas pelo bispo e por outros oficiais da armada chegaram à corte nos primeiros dias de setembro. Elas deixaram os dois principais mandatários de Portugal indignados.

Naquele instante, D. João e D. Ataíde concluíram que nem subornos e ameaças, nem a compra das cartas de corso eram artifícios fortes o bastante para impedir o assédio dos franceses ao litoral brasileiro. Como todas aquelas iniciativas tinham redundado em fracasso, parecia restar uma única solução: colonizar o Brasil.

PARTE II

A PARTILHA DO BRASIL
São Vicente e as Capitanias de Baixo

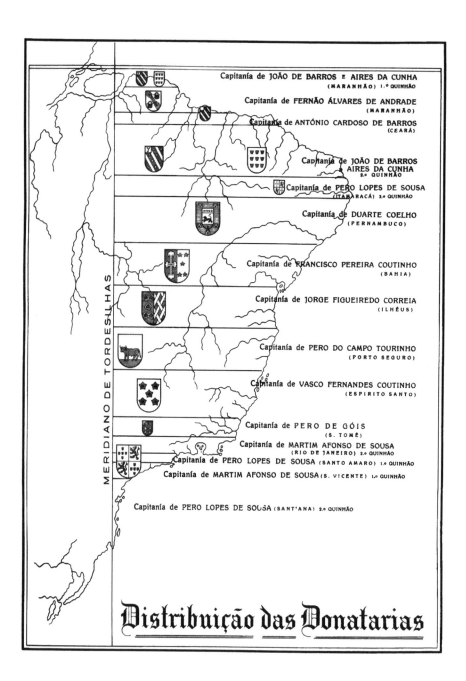

Capitanía de JOÃO DE BARROS E AIRES DA CUNHA
(MARANHÃO) 1.º QUINHÃO

Capitanía de FERNÃO ÁLVARES DE ANDRADE
(MARANHÃO)

Capitanía de ANTÓNIO CARDOSO DE BARROS
(CEARÁ)

Capitanía de JOÃO DE BARROS E AIRES DA CUNHA
2.º QUINHÃO

Capitanía de PERO LOPES DE SOUSA
(ITAMARACÁ) 3.º QUINHÃO

Capitanía de DUARTE COELHO
(PERNAMBUCO)

Capitanía de FRANCISCO PEREIRA COUTINHO
(BAHIA)

Capitanía de JORGE FIGUEIREDO CORREIA
(ILHÉUS)

Capitanía de PERO DO CAMPO TOURINHO
(PORTO SEGURO)

Capitanía de VASCO FERNANDES COUTINHO
(ESPIRITO SANTO)

Capitanía de PERO DE GÓIS
(S. TOMÉ)

Capitanía de MARTIM AFONSO DE SOUSA
(RIO DE JANEIRO) 2.º QUINHÃO

Capitanía de PERO LOPES DE SOUSA (SANTO AMARO) 1.º QUINHÃO

Capitanía de MARTIM AFONSO DE SOUSA (S. VICENTE) 1.º QUINHÃO

Capitanía de PERO LOPES DE SOUSA (SANT'ANA) 2.º QUINHÃO

MERIDIANO DE TORDESILHAS

Distribuição das Donatarias

Informados da captura da *Peregrina*, o rei D. João e seu principal conselheiro, D. Ataíde, reuniram-se em Évora, convocando também o tesoureiro-mor Fernão Álvares de Andrade; o feitor da Casa da Índia, João de Barros, e até o secretário-geral do reino, D. Antônio Carneiro, desafeto de Ataíde. Antes de tomarem uma decisão formal, porém, os principais membros do Conselho Real decidiram consultar D. Diogo de Gouveia, que vivia há 20 anos em Paris e estava bem inteirado dos planos da França com relação ao Brasil.

Diplomata e doutor em Teologia, formado pela Sorbonne, Diogo de Gouveia era proprietário do famoso Colégio de Santa Bárbara de Paris, no qual, sob sua orientação, estudaram Inácio de Loyola (que sairia dali para fundar a Companhia de Jesus), o filósofo Miguel de Montaigne, o escritor Rabelais e o futuro bispo do Brasil, Pero Fernandes Sardinha. Gouveia fora também reitor da Universidade de Paris, cargo que ocupara durante sete anos. Já tendo servido aos reis D. João II e D. Manoel, suas opiniões eram muito respeitadas em Portugal.

Não se conhece a resposta dada por Diogo Gouveia naquela ocasião, mas não é difícil supor qual tenha sido. Afinal, seis meses antes, em fevereiro de 1532, este ilustre humanista havia escrito para o rei e — ao lamentar o fato de D. João III ter recusado duas ofertas particulares para colonizar o Brasil, ambas feitas em 1529 — chegara mesmo a criticá-lo veladamente.

De fato, em fins de 1529, o então guarda-costas e "capitão do mar" Cristóvão Jaques se oferecera para enviar, às próprias custas, mil colonos para o Brasil. Rival de Jaques, o fidalgo João de Melo da Câmara fizera, logo a seguir, uma proposta ainda mais tentadora.

Irmão do donatário da ilha de São Miguel (nos Açores), João de Melo prontificara-se a recrutar, também por conta própria, "dois mil homens de muita sustância que podem levar consigo cavalos e gados e todas as coisas necessárias para o frutificamento da terra".[1] Mas, como pouco depois daquelas ofertas tinham chegado a Portugal as notícias relativas ao "Rei Branco" e à Serra da Prata, o rei decidira investir o próprio dinheiro na conquista do Brasil, reservando a exploração da colônia exclusivamente para a Coroa. Ao enviar a expedição de Martim Afonso, D. João definitivamente abriu mão dos projetos de colonização feitos pela iniciativa privada.

Para D. Diogo de Gouveia, fora uma decisão equivocada: "A verdade era dar, Senhor, as terras a vossos vassalos, que se há três anos Vossa Alteza dera aos dois que lhe falei (*Jaques e Melo*), já agora houvera quatro ou cinco mil crianças nascidas e outros moradores da terra casados com os nossos, e é certo que após esses, haveriam de ir outros", argumentou ele para o rei. "E se a vós, Senhor, estorvaram por dizerem que enriqueceriam muito, ouso dizer que quando vossos vassalos forem ricos, os reinos não se perdem por isso, mas se ganham (...) porque quando lá houver sete ou oito povoações, esses serão bastantes para impedirem os da terra de venderem o (*pau*) brasil a ninguém e não o vendendo, as naus (*dos franceses*) não hão de querer lá ir para virem vazias".[2]

O plano era bastante razoável. Tanto é que acabou sendo posto em prática — embora com quatro anos de atraso.

Em 1840, o historiador Francisco de Varnhagen encontrou um relatório, assinado por D. Ataíde, no qual o conde se desculpa com o rei pelo fato de o projeto da partilha do Brasil "não ter dado tantos resultados como se esperava" por serem "poucos os que sobre isso (o recebimento das capitanias) competiam". A desculpa em tom pessoal é indício claro de que a idéia de dividir o Brasil em capitanias fora de Ataíde. Embora tenha feito a promessa de "dar à luz oportunamente o relatório" Varnhagen jamais publicou o documento — que não foi encontrado por outros historiadores. Mas a existência da carta (da qual Varnhagen citou outros trechos) nunca foi contestada. Ao comentá-la, o próprio Varnhagen afirma que, a partir dela, fica implícito que "alguns dos agraciados sequer sabiam que coisa eram as tais capitanias". Abaixo, o Paço de Évora, onde foi tomada a decisão de se colonizar o Brasil.

Foi no final do verão de 1532 que o Conselho Real, ainda reunido no *Paço de Évora*, decidiu aplicar no Brasil o método que alguns historiadores chamam de "a solução tradicional": numa repetição do que já havia sido feito nas ilhas do Atlântico e na costa da África, a colônia sul-americana seria repartida em capitanias hereditárias. Embora a opinião de Diogo de Gouveia tenha pesado na decisão do rei, há sinais claros de que o articulador do projeto tenha sido D. Antônio de Ataíde.

De fato, como os futuros donatários eram, todos eles, amigos ou subalternos de Ataíde, praticamente não restam dúvidas de que foi o conde quem *dirigiu o processo* de partilha do Brasil. Além disso, o fato de ele ser o vedor da Fazenda (ou ministro das Finanças) — cargo que o tornava o principal responsável pela gestão do Tesouro real — é um indicativo de que, naquele momento, ninguém estava mais interessado do que ele em economizar o dinheiro do rei. Dinheiro, aliás, que andava cada vez mais escasso.

CRISE FINANCEIRA EM PORTUGAL

Com efeito, naquele final do verão de 1532, Portugal passava por uma grave crise econômica. Na verdade, ao assumir o trono — 11 anos antes, no Natal de 1521 — D. João III herdara do pai, o rei D. Manoel, "um erário vazio e a fazenda real bastante arruinada, o que o levaria a viver sempre em aflições de dinheiro",[3] conforme o historiador Alexandre Herculano. Para piorar a situa-

ção, quando D. João foi coroado, "a terra portuguesa estava esturricada por uma tremenda seca, que fizera mirrar as colheitas e trouxera a miséria e a peste".[4]

Uma das primeiras decisões de D. João foi um pedido de empréstimo, feito aos banqueiros de Flandres, nos Países Baixos. Como os juros do empréstimo chegavam a 15% ao ano (e subiriam para 25% em 1537), o serviço da dívida atingia 120 mil cruzados por ano. Ainda conforme Herculano, em 1532, a dívida pública do reino era de dois milhões de cruzados, "soma avultadíssima numa época em que o orçamento ordinário da receita e despesa não chegava anualmente a um milhão".

Além disso, em fins de 1531 um terremoto atingira Lisboa. Não havia, portanto, recursos disponíveis para colonizar o Brasil às custas do Tesouro Real. E ninguém sabia disso melhor do que D. Antônio de Ataíde. Partiria dele, portanto, a decisão de entregar para a iniciativa privada a obrigação de ocupar a colônia — sob pena de perdê-la para os franceses.

O teor das resoluções tomadas, em Évora, pelo rei e pelo conde, pode ser conhecido através da carta que D. João III escreveu para Martim Afonso de Sousa, disposto a informar-lhe o mais rapidamente possível sobre o novo destino reservado ao Brasil. Eis os principais trechos do comunicado, redigido em Évora, a 28 de setembro de 1532: "Martim Afonso, amigo: Eu El-Rei vos envio muito a saudar. Vi as cartas que me escrevestes por João de Sousa; e por ele soube da vossa chegada a essa terra do Brasil, e como íeis correndo a costa, caminho do Rio da Prata; e assim do que passastes com as naus francesas, dos corsários que tomastes, e tudo o que nisso fizestes vos agradeço muito; e foi tão bem feito como se de vós esperava; e sou certo qual a vontade que tendes para me servir. (...)"

"Depois de vossa partida se praticou se seria meu serviço povoar-se toda essa costa do Brasil, e algumas pessoas me requeriam capitanias em terra dela. Eu quisera, antes de nisso fazer cousa alguma, esperar por vossa vinda, para com vossa informação fazer o que me parecer, e que na repartição que disso se houver de fazer, escolhais a melhor parte. E porém porque depois fui informado que de algumas partes faziam fundamento de povoar a terra do dito Brasil (como já em Pernambuco começava a se fazer, segundo o Conde da Castanheira vos escreverá), determinei de mandar demarcar de Pernambuco até o Rio da Prata cinquenta léguas de costa a cada capitania, e antes de se dar a nenhuma pessoa, mandei apartar para vós cem léguas, e para Pero Lopes, vosso irmão, cinquenta, nos melhores limites dessa costa, por parecer de pilotos e de outras pessoas de quem o Conde se informou por meu mandado; e depois de escolhidas estas cento e cinquenta léguas de costa para vós e vosso irmão, mandei dar a algumas pessoas que requeriam capitanias de cinquenta léguas cada um; e segundo se requerem, parece que se dará a maior parte da costa; e todos fazem obrigações de levarem gente e navios à sua custa, em tempo certo, como vos o Conde mais largamente escreverá; porque ele tem cuidado de me requerer vossas cousas, e eu lhe mandei que vos escrevesse (...)".[5]

Na primeira quinzena de outubro de 1532, o capitão João de Sousa (que o próprio Martim Afonso tinha enviado de volta a Portugal em fevereiro de 1531) zarpava outra vez para o Brasil com a missão de entregar-lhe a carta do rei. Ao contrário do que a missiva real dava a entender, até aquele momento nenhuma capitania fora doada formalmente: apenas haviam sido assinados os chamados "alvarás de lembrança", listando os candidatos a futuros donatários.

Além de enviar João de Sousa para o Brasil, o rei determinou também que a esquadra guarda-costas — estacionada na Costa da Malagueta, na África —, fosse enviada para Pernambuco, sob o comando do fidalgo Duarte Coelho, com a missão de retomar Igaraçu e desalojar os franceses lá instalados.

Tendo partido de Lisboa por volta de 15 de outubro, João de Sousa com certeza cruzou com a frota de Pero Lopes — que, após reconstruir a feitoria de Igaraçu, tinha zarpado do Brasil de volta para o reino em 4 de novembro de 1532.

Pero Lopes chegou ao porto de Faro, no Algarve, na segunda semana de janeiro de 1533. Como D. João ainda se encontrava em Évora, o irmão de Martim Afonso se dirigiu para lá, reunindo-se com o monarca no dia 20 daquele mês. A principal conseqüência deste encontro foi a suspensão da missão para a qual fora designado Duarte Coelho: como a feitoria de Igaraçu já havia sido reconquistada, não havia sentido em enviar uma nova esquadra com o mesmo objetivo.

Assim sendo, já no dia 21, D. João mandou que o tesoureiro Fernão Álvares escrevesse para Ataíde, que já se encontrava em Lisboa, ordenando que a esquadra guarda-costas de Coelho se dirigisse para os Açores, onde deveria ficar aguardando a passagem da armada de Antônio de Saldanha, que retornava da Índia com as naus repletas de pimenta e cravo.

Nessa mesma carta, o rei determinava também que "quatro reis da terra do Brasil" — que Pero Lopes trouxera consigo — fossem "bem agasalhados e vestidos de seda, por ser cousa que tanto compre a meu serviço".[6] Não se sabe quem eram esses chefes nativos, nem onde Lopes os recolhera ou o destino que tiveram. Provavelmente eram da nação Tabajara, que ocupava as cercanias da ilha de Itamaracá, localizada quase em frente à feitoria de Igaraçu, e devem ter ajudado Lopes na luta contra os franceses.

Martim Afonso, enquanto isso, permanecia em São Vicente. Ele aguardava ansiosamente pelo retorno da expedição que, em setembro de 1531, partira de Cananéia em direção ao território do "Rei Branco". Convém lembrar que, guiada pelo espanhol Francisco de Chaves e comandada pelo capitão Pero Lobo, a tropa se comprometera a retornar do sertão dentro de dez meses — "com 400 escravos carregados de prata e ouro".

O prazo se esgotara em julho de 1532. Em setembro, um ano já se havia passado e ainda não havia notícia alguma da expedição. Desconfiado de que a missão tivesse fracassado, Martim Afonso começou a tomar algumas atitudes. Em 10 de outubro, ele subiu a serra até Piratininga e doou duas novas sesmarias em pleno planalto, concedendo-as aos homens nos quais depositava maior confiança: seu lugar-tenente Pero de Góis e o fidalgo Rui Pinto, membro da Ordem de Cristo.

A decisão tinha um sentido prático: poucas semanas antes, Martim Afonso havia proibido seus comandados de se aventurarem pelas trilhas do sertão. Ele temia que, movidos pela vertigem da Serra da Prata, se embrenhassem todos mata adentro, deixando São Vicente e Piratininga perigosamente desguarnecidas. Por conta disso, já havia nomeado João Ramalho "guarda-mor da borda do campo", e o autorizara a barrar a passagem de qualquer português por ali — exceto aqueles que estivessem em companhia de Pero de Góis e de Rui Pinto, os homens que, já então, Martim Afonso planejava enviar para oeste em busca de notícias sobre a tropa de Pero Lobo.

Mas em janeiro de 1533, antes que Martim Afonso ordenasse a partida desse grupo de resgate, João de Sousa aportou em São Vicente, trazendo a carta de D. João III. Para Martim

Entre os homens deixados por Martim Afonso em São Vicente estavam os irmãos Adorno (José, Antônio, Rafael, Paulo e Francisco). Eram fidalgos genoveses, membros do Partido Gibelino, contrário aos papas. Vários membros da família foram doges (ou governadores) de Gênova. Em 1528, afastados do poder e expulsos de Gênova, os Adorno se refugiaram em Portugal e dedicaram-se à indústria do açúcar na ilha da Madeira. Vieram para o Brasil com Martim Afonso com esse objetivo. José Adorno, "homem violento e de costumes dissolutos", foi um dos primeiros senhores de engenho de São Vicente. Antônio tornou-se chefe da fortaleza de Bertioga e Paulo, acusado de matar um homem, fugiu para a Bahia e casou-se com uma das filhas de Caramuru. Outros homens que ficaram em São Vicente foram: Brás Cubas, criado de Martim Afonso e futuro capitão-mor de São Vicente; fundou a cidade de Santos em 1543 e foi o maior latifundiário da capitania. Pero Correia se tornou um dos grandes senhores de escravos de São Vicente, mas em 1554 virou jesuíta e doou tudo para a Cia. de Jesus. João Pires, o "Gago", foi o primeiro juiz de São Vicente. Acusado de matar um índio a chicotadas, se ofereceu para refazer, às próprias custas e em troca de perdão, o caminho que unia São Vicente a Piratininga.

Afonso, a mensagem do rei tinha um significado muito claro: na prática, ela o destituía do cargo de "governador das partes do Brasil". Embora o documento — repleto de elogios e demonstrações de apreço e confiança — assegurasse que o rei estava decidido a reservar-lhe "a melhor parte do Brasil", a verdade é que, até então, Martim Afonso era o virtual comandante de todo aquele vasto território.

A carta também fazia tantas referências ao conde de Castanheira que Martim Afonso não deve ter deixado de perceber o dedo de seu primo por trás da manobra. De todo o modo, se, naquele momento, Martim Afonso não chegou a essa conclusão, em breve tal fato ficaria evidente para ele.

Em fins de maio de 1533, Martim Afonso decidiu partir do Brasil. Mas muitos de seus comandados resolveram permanecer na colônia por conta própria: o sonho do enriquecimento fácil ainda os movia e vários deles estavam convencidos de que as lendas sobre o "Rei Branco" e a Serra da Prata não só eram verdadeiras como acreditavam que aquele misterioso território seria descoberto a qualquer momento.

Os homens que se deixaram ficar no sul do Brasil constituem *um elenco* de gente arrojada e intrépida. A partir daquele momento, as trajetórias individuais de vários deles iriam se misturar com os rumos do Brasil — especialmente com a história de São Vicente e com a da futura cidade de São Paulo.

Ao todo, Martim Afonso autorizou a permanência no Brasil de 150 homens: 100 deles instalados à beira-mar, em São Vicente; outros 50 em Piratininga, na serra — todos sob as ordens de Pero de Góis. Antes de partir, Martim Afonso assinou um alvará mediante o qual Góis ficou autorizado a enviar 17 escravos por ano para Portugal, "livres dos impostos que costumam pagar". Aquela seria sua fonte de renda, já que o comandante não dispunha de verba para lhe pagar um salário.

Por razões estratégicas, o mapa de Viegas — cujo original se encontra na Biblioteca de Paris — superdimensionava a bacia do rio Paraná e estendia os domínios portugueses no Brasil até o rio da Prata. Por outro lado, ignorava deliberadamente a existência do rio Amazonas (então chamado Maranón). Não se tratou de erro ou desconhecimento, mas de sigilo geopolítico: aos portugueses não interessava revelar aos espanhóis que o imenso rio era conhecido e já fora explorado por eles.

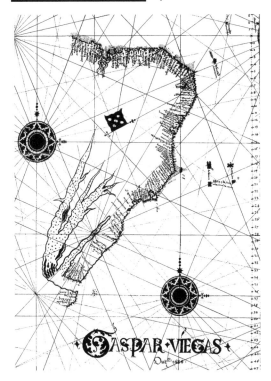

A jornada de Martim Afonso até a Europa transcorreu sem incidentes. Em fins de julho, ele cruzou pelos Açores e lá encontrou-se com Duarte Coelho, cuja frota guarda-costas — constituída de sete embarcações — acabara de capturar um galeão francês que retornava da Bahia com os porões abarrotados de pau-brasil. Enquanto Martim Afonso permanecia nos Açores, chegava ao arquipélago, vinda da Índia, a esquadra de Antônio de Saldanha — que Duarte Coelho fora encarregado de proteger. Todos os navios seguiram em comboio para o reino, onde aportaram na primeira quinzena de agosto de 1533.

A PARTILHA OFICIAL DO BRASIL

Nenhum documento registra o reencontro entre Martim Afonso e o rei com o qual ele convivera desde a infância. Mas é certo que foi só depois de seu retorno que o Brasil começou a ser repartido em 15 imensos lotes — com cerca de 300km de largura cada um. A partilha foi feita tendo por base o mapa de Gaspar Viegas — que já estava pronto em outubro daquele ano, num indício de que, se esse astrônomo de fato tomou parte na expedição, então havia retornado para Portugal em companhia de Pero Lopes, já que obra cartográfica tão meticulosa não poderia ser concluída em apenas dois meses.

Embora *o mapa de Viegas* estendesse os domínios lusitanos na América do Sul até a foz do rio da Prata, uma importante alteração foi feita no projeto original da partilha, conforme inicialmente planejado por D.

Na carta que enviou para Martim Afonso em setembro de 1532 (citada na p. 78), o rei D. João afirmou que pretendia "mandar demarcar de Pernambuco ao Rio da Prata 50 léguas de costa para cada capitania". Quando a demarcação foi posta em prática, o território a ser colonizado passou a ser a área que ia do Maranhão a Laguna, em Santa Catarina, deixando de fora a região do rio da Prata — que, de fato, pertencia à Espanha e não a Portugal.

João (e revelado *na carta* que ele enviara para Martim Afonso): quando a distribuição das capitanias se iniciou de fato, o rei e seus assessores decidiram "empurrar" quase mil quilômetros mais para o norte o território que seria entregue aos donatários, deixando a região do Prata fora da área que seria loteada e ocupada por Portugal.

O objetivo dessa decisão era evitar a eclosão de um novo foco internacional de conflito — e, ainda por cima, contra Carlos V, primo-irmão, duplamente cunhado e, naquele momento, o principal aliado estrangeiro de D. João III. Foi uma medida sensata, especialmente porque tomada numa época em que Portugal se encontrava envolvido em confrontos territoriais em regiões tão distantes entre si quanto o Marrocos, o Mar Vermelho e a Índia, e enfrentando adversários tão diferenciados e aguerridos como berberes, turcos otomanos e franceses.

Ainda assim, a desistência eventual de desafiar a soberania castelhana sobre o Prata não deve ser entendida como a renúncia definitiva daquele território por parte dos portugueses. Pelo contrário: baseado nos informes de Martim Afonso, D. João III continuava alimentando a esperança de conquistar os domínios do "Rei Branco" — apenas estava convicto de que seria mais fácil, e menos polêmico, fazê-lo por terra, a partir de São Vicente e de Piratininga, as duas "cabeças de ponte" que o próprio Martim Afonso fundara na "Costa do ouro e da prata". Em muito breve, porém, também esse sonho se desmantelaria.

Embora tenham se mostrado previdentes em evitar um conflito de todo indesejável com Castela, os homens responsáveis pela partilha do Brasil ignoraram soberbamente a divisão territorial do litoral brasileiro feita pela tribo Tupi ao longo de quase dez séculos de lutas sangrentas. Para os futuros donatários, tal descuido custaria caro — quando não a própria vida.

A primeira doação de uma capitania no Brasil só foi assinada no dia 10 de março de 1534 — em benefício do fidalgo Duarte Coelho. É provável, portanto, que o processo oficial de partilha da colônia tenha se iniciado somente no inverno europeu de 1533-34. E há indícios das circunstâncias que o teriam precipitado: em fins de 1533, a Coroa tomara conhecimento de que tanto a França quanto a Espanha ultimavam os preparativos para enviar expedições colonizadoras para a América.

De fato, naquele momento, no porto de Saint-Malô, na Bretanha, dois navios comandados por *Jacques Cartier* estavam prontos para partir em direção ao Canadá. Embora se dirigissem a um território que pertencia a Castela, o projeto era preocupante para Portugal porque revelava que a França continuava disposta a obter seu quinhão no Novo Mundo. Muito mais alarmantes, porém, eram as notícias relativas ao aparelhamento da grande esquadra que Carlos V enfim autorizara armar — e cuja missão era dar início à ocupação do Prata (leia p. 87).

OS LOTES DA FAMÍLIA SOUSA

Quando a partilha do Brasil se iniciou, provavelmente em dezembro de 1533, Martim Afonso escolheu para si os lotes que ficavam em São Vicente e no Rio de Janeiro. Dessa forma, pôde se assenhorear de todo o aparato que ele próprio havia instalado em São Vicente e em Piratininga, apoderando-se também do entreposto da "Carioca", erguido na baía de Guanabara. Tudo aquilo, convém lembrar, fora construído às custas da Coroa — e, a partir de então, passou a lhe pertencer.

O lote de São Vicente se estendia por 45 léguas (ou cerca de 270km) de costa: começava na barra de Bertioga e se prolongava até a ilha do Mel, na baía de Paranaguá, no atual estado do Paraná. A capitania do Rio de Janeiro, com 55 léguas (ou 330km) de largura, se iniciava na foz do rio Macaé (a uns 120 quilômetros ao norte da Guanabara), chegando até a foz do rio Juqueriquerê, que nasce na serra do mesmo nome e deságua na baía de Caraguatatuba (SP). (Veja mapa na página ao lado)

Pero Lopes foi beneficiado com a doação de três lotes. O primeiro deles, a capitania de Santo Amaro, ficava exatamente entre as duas possessões de seu irmão Martim Afonso: tinha 55 léguas de largura e se estendia desde a foz do Juqueriquerê até a barra de Bertioga. O segundo — batizado de capitania de Santana — localizava-se imediatamente ao sul de São Vicente: suas 40 léguas começavam na ilha do Mel (PR) e iam até Laguna (SC).

Tal escolha implicava não apenas uma invasão das possessões castelhanas (já que a linha de Tordesilhas passava em Cananéia) mas revelava também uma astuciosa estratégia de risco calculado. Embora tivessem desistido de desafiar a soberania espanhola sobre o estuário do Prata, os portugueses pretendiam desalojar os desertores castelhanos instalados entre Cananéia e Laguna. Abrir mão da terrível costa desprovida de portos naturais que se iniciava ao sul de Laguna não é algo que deva ter-lhes parecido muito custoso: aquele era um litoral tão inóspito que permaneceria inabitado pelos europeus até as primeiras décadas do século 18.

Por fim, o terceiro lote de Pero Lopes, e o último que ele recebeu, localizava-se bem mais ao norte: em Itamaracá, no litoral de Pernambuco. Essa capitania, com largura de 30 léguas (ou 180km), começava na baía da Traição, na Paraíba, e terminava na foz do rio Igaraçu, quase em frente à ponta sul da ilha de Itamaracá. Os próprios limites da donataria — ambos palco de árduos combates travados por Pero Lopes contra os franceses — são indício claro de que ele os recebeu como prêmio por sua luta contra os traficantes de pau-brasil.

Embora Martim Afonso e Pero Lopes tivessem o privilégio de escolher seus lotes antes dos demais donatários, não foram eles os primeiros a obter a carta oficial de doação nem os forais de suas capitanias. A carta de doação era o documento no qual se estabeleciam os limites geográficos da mercê real. O foral relacionava os direitos e os deveres do donatário. Só depois da assinatura de ambos é que a capitania passava a pertencer legalmente ao donatário. Por motivos que serão explicados mais adiante, a primazia coube ao navegador e militar Duarte Coelho, que foi feito donatário de Pernambuco no dia 10 de março de 1534 (leia p. 195).

As doações se prolongaram por dois anos, encerrando-se em fevereiro de 1536. Entre os principais beneficiários estavam os mais graduados funcionários da Fazenda Real: o tesou-

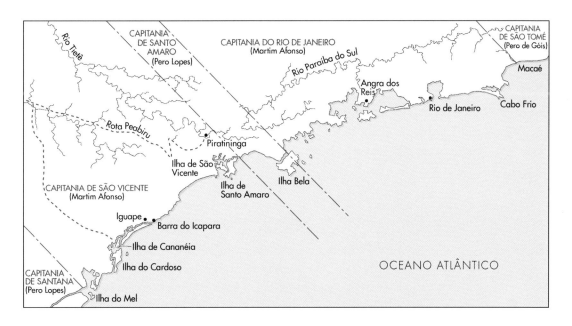

reiro-geral do reino, Fernão Álvares de Andrade; o secretário do Tesouro Real, Jorge de Figueiredo Correia; o provedor-geral da Fazenda, Antônio Cardoso de Barros e o feitor da Casa da Índia, João de Barros. O historiador americano Alexander Marchand chamou-os, em 1938, de "criaturas do rei".[7] Teria se aproximado ainda mais da realidade se os tivesse denominado "criaturas de D. Ataíde". Afinal, Antônio de Ataíde, vedor da Fazenda (ou ministro das Finanças), era o superior hierárquico direto daqueles homens.

As capitanias restantes foram concedidas a militares que haviam tomado parte na conquista da Índia e demais possessões portuguesas no Oriente. Embora tais doações possam ser entendidas como uma espécie de prêmio por bravura em combate, não é coincidência o fato de que todos os conquistadores agraciados com terras no Brasil mantivessem boas relações com o conde de Castanheira, D. Ataíde.

Um deles, Vasco Fernandes Coutinho, futuro donatário do Espírito Santo, era mesmo vizinho de Ataíde, já que possuía uma quinta em Alenquer (vila localizada nos arredores de Lisboa, às margens do rio Tejo), ao lado da suntuosa casa de campo do conde. O fato de o secretário-geral do reino, D. Antônio Carneiro, não ter recebido lote algum é mais um indício da influência de Ataíde na partilha do Brasil: Carneiro e Ataíde não se davam bem.

DIREITOS E DEVERES DOS DONATÁRIOS

De toda forma, ganhar uma capitania no Brasil foi algo que — mais do que uma benesse — acabaria se revelando um mau negócio para quase todos os donatários. A principal condição para receber um lote consistia em possuir recursos financeiros suficientes para colonizá-lo às próprias custas. E se, a princípio, o fato de a maioria das capitanias possuir dimensões superiores à extensão territorial de Portugal pode ter soado como um estímulo para os donatários, a própria imensidão dos lotes seria uma das principais causas para o fracasso de seus projetos colonizadores.

Outro grave empecilho residia no fato de que os donatários eram os únicos responsáveis pela compra e armação dos navios nos quais deveriam viajar para o Brasil, junto com os colonos que conseguissem arregimentar. Por volta de 1534, uma única nau custava cerca de 25 mil cruzados. Para equipá-la e armá-la, eram necessários outros 50 mil cruzados. Assim sendo, a mera ida para o Brasil — após a qual ainda era preciso erguer uma vila, também com recursos próprios — acabava por consumir boa parte dos bens dos donatários. A posterior defesa da terra contra os ataques dos indígenas e dos corsários franceses acabaria — como se verá — levando a maioria dos donos das capitanias à bancarrota.

Ainda assim, ao receberem seus forais, muitos donatários devem ter achado que estavam fazendo um excelente negócio, já que, por meio desse documento, o rei lhes concedia "poderes majestáticos". As capitanias — doadas "para todo o sempre" — eram hereditárias, indivisíveis e inalienáveis. Os donatários possuíam jurisdição civil e criminal sobre índios, escravos, peões e colonos. Estavam autorizados a fundar vilas e doar sesmarias aos colonos — podendo ainda cobrar impostos e dízimas sobre o que eles produzissem. Embora pudessem escolher e nomear seus próprios tabeliães, escrivães, ouvidores e juízes, os donatários deveriam prestar contas aos feitores e almoxarifes enviados pelo rei para arrecadar as rendas reservadas à Coroa. Entre vários outros direitos, os donatários poderiam também:

- Escravizar nativos para seu serviço e de seus navios.
- Enviar para Portugal até 39 escravos indígenas por ano, livres dos impostos cobrados na alfândega real.
- Cobrar direitos sobre as passagens dos rios.
- Ter o monopólio das salinas e moendas de água.
- Exigir serviços militares dos colonos quando preciso.
- Reservar para uso próprio dez léguas de terra.
- Cobrar pensão de 500 cruzados por ano dos tabeliães públicos e judiciais que eles próprios deveriam nomear.
- Exportar para o reino, sem impostos, qualquer produto da terra, pagando apenas a taxa normal após a sua venda.

A Coroa reservava para si o monopólio do pau-brasil, de cuja exploração o donatário receberia apenas a redízima (ou 1/20). O ouro, a prata, as pedrarias, as pérolas, o chumbo e o estanho porventura encontrados na capitania também pertenceriam à Coroa, mas o donatário receberia um vigésimo do "quinto" (a quinta parte do total), diretamente destinado ao rei. Por fim, a Coroa reservava à Ordem de Cristo (poderosa organização militar-religiosa, sediada em Portugal) o dízimo sobre todo o pescado obtido na capitania: ou seja, de cada dez peixes, o valor de um deles deveria ser enviado para o reino.

Através do foral, o soberano assegurava também que seus corregedores e juízes jamais entrariam nas capitanias e que o donatário nunca seria suspenso de seus direitos nem sentenciado sem ter sido antes ouvido pelo próprio rei — a não ser em caso de comprovada traição à Coroa ou de heresia.

O Alvará dos Degredados

Apesar de todas essas vantagens aparentes, os donatários logo foram informados de uma nova decisão da Coroa — e que cedo se revelou de todo prejudicial para eles. No dia 31 de

As leis vigentes em Portugal durante o século 16 eram fruto do código visigótico e dos conceitos jurídicos justinianos. Reunidas em cinco livros, eram chamadas de Ordenações Manuelinas, pois foram compiladas e reformuladas durante o reinado de D. Manoel. Publicadas em 1521, as Ordenações Manuelinas ficaram conhecidas por seu rigor e pela lúgubre expressão "morra por ello", que indicava os inúmeros crimes passíveis de pena de morte. O código penal estava compilado no Livro Quinto das Ordenações (abaixo). A pena de morte muitas vezes era comutada em degredo. E o degredo não era "eterno". O alvará dizia que "após 4 anos de residência no Brasil, os degredados poderão vir ao reino a tratar de seus negócios, contando que tragam guia do donatário, e sob condição de não irem à corte nem ao lugar onde tiverem cometido seu malefício, e nem se demorem no reino mais do que 6 meses há cada 4 anos".

maio de 1535 (cerca de um ano após a assinatura da primeira carta de doação), o rei D. João III declarou as capitanias do Brasil território "de couto e homizio": ou seja, uma região na qual crimes cometidos anteriormente em outros lugares ficavam instantaneamente prescritos e perdoados. O Brasil transformou-se, assim, numa das colônias para a qual os condenados de Portugal eram enviados para cumprir degredo. No dia 5 de outubro de 1535, o rei determinou que os degredados que antes eram mandados para as ilhas de São Tomé e Príncipe, na costa ocidental da África, passassem a vir para o Brasil.

Eis o texto do *alvará* que mudou os rumos do Brasil: "Atendendo El-Rei a que muitos vassalos, por delitos que cometem, andam foragidos e se ausentam para reinos estrangeiros, sendo, aliás, de grande conveniência que fiquem antes no reino ou em suas colônias, e sobretudo que passem para as capitanias do Brasil que se vão povoar, há por bem declará-las couto e homizio para todos os condenados que nelas quiserem ir morar, ainda que já condenados por sentença até em pena de morte, excetuados somente os culpados por crimes de heresia, traição, sodomia e moeda falsa. Por outros quaisquer crimes, não serão os degredados para o Brasil de modo algum inquietados ou interpelados".[8]

Não é difícil supor as conseqüências desse decreto: após sua assinatura, Portugal "saneou suas enxovias",[9] na expressão de um contemporâneo — sendo "enxovia" o termo então usado para "cárcere subterrâneo". Vários donatários foram forçados a trazer consigo centenas de degredados. Embora muitos dos condenados fossem "indivíduos de baixa esfera e de costumes pervertidos, que traziam no próprio corpo o estigma de sua infâmia"[10] — tendo sido marcados com ferro em brasa ou, mais freqüentemente, "desorelhados" — alguns haviam sido punidos por questões fiscais, relacionadas com o não-pagamento de impostos. Ao contrário dos criminosos comuns, muitos deles se dedicaram a atividades produtivas no Brasil. Os demais apelaram para a pirataria e o tráfico de escravos indígenas. Ao todo, cerca de 500 degredados devem ter sido trazidos para o Brasil entre 1535 e 1549.

O SEGUNDO EXÍLIO DE MARTIM AFONSO

Um dos poucos donatários a não ser prejudicado pela assinatura do alvará dos degredados foi Martim Afonso de Sousa. Isso simplesmente porque ele jamais retornou ao Brasil, tendo passado o resto de sua vida na Índia ou em Portugal. De início, porém, Martim Afonso não se afastou do Brasil apenas por vontade própria: uma vez mais ele se viu envolvido em uma manobra articulada por seu primo D. Antônio de Ataíde — e novamente com o objetivo de mantê-lo afastado do convívio com o rei D. João.

De fato, no dia 19 de dezembro de 1533 — passados apenas quatro meses desde seu retorno do Brasil, "mal refeito ainda das canseiras da expedição e dos incômodos da viagem", e antes mesmo de haver recebido seus lotes na colônia — Martim Afonso foi feito "capitão-mor do mar da Índia" e nomeado comandante de uma armada que deveria partir imediatamente para o Oriente. Sua missão era tomar as cidades de Diu e Damão, portos estratégicos no norte da Índia.

Muito mais do que a incumbência de explorar o litoral brasileiro, aquela era uma missão de alto risco. A prova de que foi Ataíde quem escolheu Martim Afonso para chefiar tal esquadra ficou evidenciada em um comentário feito pelo cronista real Gaspar Correia em seu livro *Lendas da Índia.* Segundo Correia, "Martim Afonso muito se enojou da decisão, porque sentiu que isso vinha por D. Antônio".[11]

De todo o modo, menos de um mês depois de ter sido escalado para a nova missão em além-mar, Martim Afonso recebeu uma notícia muito pior — e não apenas para si, mas para todo o projeto lusitano de conquista e ocupação da "Costa do ouro e da prata", onde se localizavam suas duas capitanias.

O PERU CONQUISTADO

No dia 14 de janeiro de 1534, desembarcava no porto de Sevilha o explorador Fernando Pizarro. Era portador da extraordinária notícia de que um reino riquíssimo, localizado no topo de montanhas nevadas, na costa oeste da América do Sul, fora conquistado por um bando de aventureiros liderados por seu irmão, Francisco Pizarro.

Horas após o desembarque, o jovem Pizarro dirigiu-se para a Catalunha, onde o imperador Carlos V estava reunido com a corte de Aragão. Foi imediatamente recebido pelo monarca e entregou-lhe centenas de objetos de arte, entre os quais "vasos dos mais variados formatos, e miniaturas de animais, flores e fontes, esculpidos e entalhados com admirável habilidade, todos de puro ouro".[12] Em carta que enviara a Carlos V, o próprio Francisco Pizarro afirmava que se tratava de "coisas até então nunca vistas nas Índias, e não creio que haja nada parecido em poder de nenhum príncipe".[13]

O pintor italiano Tiziano (1488-1576) — que, naqueles dias, se encontrava em Aragão pintando um retrato do imperador — pôde apreciar essas peças e as considerou "as maiores obras de arte que *jamais havia visto*". Ainda assim, em meio a dificuldades financeiras e movido mais pelo senso prático do que pelo amor à arte, Carlos V mandou fundir e transformar em moeda aqueles tesouros. O butim lhe rendeu, em valores da época, 150 mil pesos de ouro e 5.048 marcos de prata.[14]

Além daqueles artefatos, a alfândega de Sevilha estava abarrotada com 6.000 quilos de ouro e 11,7 mil quilos de prata, cujo valor excedia a espantosa quantia de meio milhão de pesos. Constituíam o "quinto real" que, por direito, pertencia à Coroa. Esse tesouro, e vários dos objetos artesanais que Fernando Pizarro não levara para Aragão, atraíram à Sevilha "milhares de espectadores que, vindos do interior, formaram filas em frente aos depósitos alfandegários para admirar aquelas maravilhosas peças de arte indígena".[15] Mais tarde, também elas seriam transformadas em lingotes para a glória de Castela.

Essa enorme quantidade de metais preciosos fora obtida como resgate pela vida do Inca Atahualpa: em troca da liberdade do imperador, os incas tinham enchido de ouro o aposento no qual Atahualpa fora preso por Pizarro. Essa peça tinha 7 metros de comprimento por 5 de largura e de 2 altura. Quando a sala ficou repleta, Pizarro exigiu que outro aposento, com o dobro das dimensões, fosse enchido de prata. Ainda assim, não hesitou em mandar executar Atahualpa.

A repercussão da *conquista do Peru* — considerada por alguns historiadores como "a mais extraordinária façanha da história do Novo Mundo"[16] — foi tal que a notícia não deve ter demorado nem duas semanas para chegar a Lisboa. Além de uma vasta e eficiente rede de espionagem mútua, as duas nações estavam unidas por correio — inaugurado um ano antes.

Muitos portugueses devem ter percebido, então, que o reino que Pizarro conquistara só poderia ser (como realmente era) o lendário território do "Rei Branco". O fato de aquela conquista ter-se concretizado em novembro de 1532, obra de apenas 153 homens com 27 cavalos, deve ter soado especialmente amargo para Martim Afonso: a força expedicionária que ele comandara no Brasil era quase três vezes superior. Além

Pizarro já estivera no Peru em 1524 e em 1526. Em janeiro de 1531, partiu pela terceira vez do Panamá e desembarcou em Tumbes, na costa do Peru. Dali, marchou por terra até Cajamarca, onde chegou em novembro de 1532. Por meio de ardis, destruiu o exército inca e prendeu Atahualpa. O "Rei Branco" das lendas indígenas foi morto no garrote em agosto de 1533, embora tivesse pago um fabuloso resgate em troca de sua vida. Em novembro de 1533, Pizarro tomou a capital inca, Cuzco.

disso, Martim Afonso tinha naufragado no Prata quase um ano antes de Pizarro desembarcar em Tumbes, na costa oeste do Peru, e iniciado dali sua marcha em direção a Cuzco, a capital imperial dos Incas.

Daquele momento em diante, não só Martim Afonso mas a própria Coroa iria se desinteressar pela "Costa do ouro e da prata", deixando-a, outra vez, nas mãos de traficantes de escravos, náufragos "barbarizados" e aventureiros temerários. Todo o dinheiro gasto e as vidas perdidas desde 1514 na exploração daquela região tinham sido em vão: o território do "Rei Branco" estava em mãos dos rivais castelhanos.

A GUERRA DE IGUAPE

Ainda assim, o destino inglório de São Vicente e de Piratininga não foi traçado apenas nos bastidores da corte — nem tão pouco provocado só pelos acontecimentos desenrolados no Peru. Também naquelas paragens remotas do sul tudo começara a dar errado.

Pouco antes de partir de São Vicente, em maio de 1533, Martim Afonso havia sido informado — provavelmente pelos próprios Tupiniquim — do trágico destino que se abatera sobre a tropa de Pero Lobo. Aquele capitão e todos os seus 80 expedicionários tinham sido mortos pelos Carijó, nas margens do rio Iguaçu, pouco após partirem de Cananéia. A notícia se espalhara de aldeia em aldeia e, no outono de 1533, deve ter chegado aos ouvidos de Tibiriçá, aliado de Martim Afonso.

O historiador argentino Ruy Diaz de Guzman apresentou outra versão da história de Ruy Garcia Moschera. Segundo Guzman — autor do livro clássico La Argentina, *publicado em 1612 —, Moschera fora um dos homens deixados por Caboto no fortim de Santa Ana, posto avançado que o próprio Caboto fundara no Alto Paraná (nas proximidades da cidade de Posadas, norte da Argentina). Em junho de 1528, esse forte foi atacado por nativos hostis. Há indícios de que o portão da paliçada tenha sido aberto por Francisco del Puerto — grumete que os Charrua haviam poupado do massacre no qual Juan Dias de Sólis fora trucidado em 1516. Segundo a maior parte das fontes, todos os espanhóis foram mortos em Santa Ana. Guzman, porém, afirma que Moschera e três outros soldados castelhanos conseguiram sobreviver à chacina. Num pequeno bote, desceram o Paraná e, depois de inúmeras desventuras, chegaram ao Porto dos Patos, em Santa Catarina. Pouco mais tarde, se transferiram para Iguape, a cerca de 70km ao norte de Cananéia e a uns 150 ao sul de São Vicente. Instalaram-se ali, "com casas e sementeiras", sendo bem recebidos pelo Bacharel.*

Afonso suspeitou, então, que o massacre tivesse sido planejado pelo Bacharel de Cananéia e pelos desertores espanhóis que viviam em seus domínios, já que eles eram aliados dos Carijó. Tal suspeita jamais foi confirmada, e o Bacharel nunca admitiu culpa alguma e, de fato, talvez Martim Afonso estivesse errado em sua suposição. De todo modo, o episódio iria provocar a destruição de São Vicente já que, antes de retornar para Portugal, Martim Afonso suspendeu a expedição que iria enviar pelo planalto, sob a chefia de Pero de Góis, e determinou que ela partisse em direção ao reduto do Bacharel.

Entre os espanhóis que viviam na região de Cananéia estava o tenente Ruy Garcia Moschera. *Moschera* fizera parte da tripulação de Sebastião Caboto e, portanto, já se encontrava na América do Sul há seis anos. O mais provável é que tenha desertado quando Caboto estava em Santa Catarina, deixando-se ficar no Porto dos Patos, no verão de 1526. Mais tarde, transferiu-se para Cananéia e foi bem acolhido pelo Bacharel.

No verão de 1534, o Bacharel foi intimado a cumprir seu desterro em São Vicente — onde, assim que chegasse, Pero de Góis pretendia prendê-lo e interrogá-lo para descobrir se ele estava envolvido no massacre da tropa de Pero Lobo. Pouco disposto a dar explicações, o degredado preferiu transferir-se "com toda a sua casa, filhos e criados"[17] para a vila que Moschera erguera em Iguape, próximo a Cananéia.

Ao tomar conhecimento disso, Góis determinou que os espanhóis não só lhe entregassem o Bacharel como passassem a prestar obediência ao rei de Portugal e ao governador Martim Afonso de Sousa, "senhores daquele distrito e jurisdição". Caso contrário, dava-lhes "trinta dias para deixarem aquela terra, sob pena de morte e perdimento de seus bens".[18] Moschera respondeu que "não conhecia ser aquela terra da coroa de Portugal, senão de Castela", afirmando que "estava ali povoado em nome do imperador Carlos V, de quem era vassalo". Estava criado o impasse.

Precavendo-se do ataque iminente, Moschera e o Bacharel capturaram então o navio de uns corsários franceses que, poucos dias antes, haviam chegado a Cananéia em busca de mantimentos. Em "uma noite muito obscura", cercaram a embarcação com muitas canoas e balsas, nas quais, além de 200 índios flecheiros, iam também os dois marinheiros franceses que, pouco antes, tinham desembarcado para "tomar provisão com os índios".[19]

Forçando os reféns a dizerem que estavam retornando para bordo "com o refresco e a comida que haviam saído a buscar", os invasores persuadiram a tripulação a lançar os cabos e cordas pela amurada da nau. Puderam, assim, render os franceses e tomar o navio, "com todas suas armas e munições", ficando "mui bem apetrechados para qualquer acontecimento".[20]

A seguir, Moschera e o Bacharel mandaram cavar uma trincheira em frente a Iguape e a guarneceram com quatro peças de artilharia retiradas do navio francês. Logo depois, deixaram 20 soldados e 150 índios flecheiros atocaiados nos mangues da barra do arroio Icapara.

Quando um esquadrão de 80 portugueses desembarcou, "com suas bandeiras despregadas", foi recebido com "uma surriada de artilharia, arcabuzaria e flecharia" que os desbaratou. Ao bater atrapalhadamente em retirada, os sobreviventes foram surpreendidos pelos espanhóis e pelos indígenas emboscados "num passo estreito que ali fazia um arroio" (a barra do Icapara). Ali, houve então "uma grande matança" e o próprio capitão Pero de Góis ficou gravemente ferido por um tiro de arcabuz.

Após a destruição de São Vicente, Ruy Garcia Moschera e seus homens — aos quais se juntaram "alguns portugueses que dissimuladamente os favoreceram" — fugiram para o Porto dos Patos, em Santa Catarina. Em 1536 ainda estavam lá, como se verá. Quanto ao Bacharel, ele desafiadoramente permaneceu em Cananéia. Disposto a vingar-se dos portugueses, chegou mesmo a trocar cartas e prestar auxílio à imperatriz D. Isabel, de Castela, oferecendo-se para dirigir a ocupação castelhana daquela região, que supostamente seria feita por uma expedição chefiada pelo fidalgo espanhol Gregório Pesquera — mas que jamais parece ter-se concretizado. As referências ao Bacharel desaparecem da história a partir de 1537: alguns pesquisadores acham que, mais ou menos nesta época, ele foi morto por seus aliados, os Carijó.

Entusiasmados por aquela vitória esmagadora, e não desconhecendo que São Vicente deveria estar praticamente desguarnecida, Moschera, o Bacharel e duas centenas de Carijó embarcaram na nau tomada aos franceses e, no dia seguinte, dirigiram violento ataque ao vilarejo fundado por Martim Afonso apenas dois anos antes. Após saquearem tudo o que podiam carregar, queimaram quase todas as casas e deixaram atrás de si apenas destroços fumegantes.

O fato de os rebeldes terem derrubado o pelourinho, arrombado a cadeia e libertado os prisioneiros, destruído o cartório e queimado o "livro do tombo" (no qual estavam registradas as escrituras das sesmarias) parece indicar que Moschera e o Bacharel não estavam dispostos apenas a arrasar São Vicente: esforçaram-se para exterminar todos os sinais da "vida segura e conversável" que Martim Afonso quisera instalar no coração de um território que, até então, estivera à margem da lei e da ordem. Dos 150 portugueses deixados por Martim Afonso no Brasil, cerca de 100 pereceram no confronto. Entre os mortos estava o náufrago Henrique Montes.

Para os lusos, a derrota teve conseqüências dramáticas: por falta de moradores, Piratininga logo se desfez, e seus poucos remanescentes "derramaram-se pelo planalto". Cerca de 20 anos mais tarde, ao serem avistados pelo jesuíta Leonardo Nunes, estavam, segundo o padre, "transformados em selvagens".[21] Quanto a São Vicente, a vila foi tão afetada pelo ataque que cerca de dez anos seriam necessários para recuperá-la da destruição.

A "guerra de Iguape" foi o primeiro conflito armado entre europeus travado em solo americano. Embora o episódio seja virtualmente ignorado pela maioria dos livros, o conflito foi um momento-chave na história do Brasil: depois dele, os

Os historiadores divergem sobre o caráter e o desempenho de D. Nuno da Cunha, décimo Vice-Rei português da Índia. Antes de ser nomeado para o cargo, em abril de 1528, D. Nuno fora Vedor da Fazenda (ou ministro das Finanças) do rei D. João III. Antecedera, portanto, a D. Antônio de Ataíde no exercício daquela função. D. Nuno chegara a Goa em fins de 1528, permanecendo no posto de Vice-Rei por dez anos, até sua destituição, em setembro de 1538. Para o historiador Duarte de Almeida, seu governo foi "o mais edificante espetáculo de desmoralização, desmandos e excessos". Para o pesquisador Dionísio Davi, no entanto, D. Nuno deve ser considerado "uma das mais íntegras e empreendedoras figuras que desempenharam o cargo". Davi atribui as críticas a D. Nuno às "difamações feitas no reino" e afirma que o acordo com o sultão Bahadur, que permitiu a construção da fortaleza de Diu, foi feito por D. Nuno e não por Martim Afonso de Sousa.

portugueses praticamente desistiram de ocupar a "Costa do ouro e da prata", deixando o sul do Brasil abandonado pelos 20 anos seguintes, ao longo das duas décadas durante as quais perdurou o período das capitanias hereditárias. São Vicente iria subsistir apenas graças à perseverança e à ambição dos traficantes de escravos que continuaram vivendo ali.

MARTIM AFONSO NA ÍNDIA

Enquanto sua vila era destruída no sul do Brasil, Martim Afonso estava em Portugal. Mas não permaneceu lá muito tempo: em 12 de março de 1534 (poucos dias após a Guerra de Iguape), comandando dois mil soldados amontoados em seis naus, o donatário de São Vicente zarpou para o Oriente. Apesar de indignado com as artimanhas de Ataíde, ele "não ousou se queixar", pois, de acordo com o cronista Gaspar Correia, "teve modos o D. Antônio que fizeram entender a Martim Afonso que ia para a Índia metido nas sucessões da governança".[22]

De fato, àquela altura, pairavam sobre o então vice-rei da Índia, D. Nuno da Cunha, graves acusações de corrupção e fracassos militares indesculpáveis. Tais percalços constituíam a base sobre a qual Martim Afonso podia assentar esperanças concretas de assumir aquele importante e bem-remunerado cargo. Embora tenha percebido que estava sendo outra vez afastado da corte, Martim Afonso sabia que, na Índia, suas chances de enriquecer eram muito maiores do que no Brasil. O vice-rei da Índia recebia cerca de 50 mil cruzados por ano — dinheiro suficiente para comprar dois navios.

Em 6 de março de 1534, seis dias antes de zarpar, Martim Afonso assinou uma procuração tornando sua mulher, a fidalga castelhana D. Ana Pimentel, responsável pela administração das capitanias de São Vicente e do Rio de Janeiro.

O próprio donatário se desinteressara de tal modo por suas possessões coloniais que nem sequer as visitou durante a jornada para a Índia, embora tenha feito escala na Bahia — onde chegou em junho de 1534, lá deixando sete frades franciscanos, encarregados de evangelizar os Tupinambá que viviam junto a Caramuru. Se tivesse se dirigido a São Vicente, Martim Afonso poderia ter prestado o socorro que sua vila, recentemente arrasada pelo Bacharel, tanto necessitava.

Durante sua breve estada na Bahia, Martim Afonso encontrou, vivendo na vila de Caramuru, dois de seus antigos companheiros da expedição de 1531: o fidalgo genovês Paulo Dias Adorno e o marinheiro Afonso Rodrigues. Acusados de um *crime de morte*, ambos haviam fugido de São Vicente em princípios de 1534, a bordo de um pequeno barco a remo.

Quando Martim Afonso chegou à Bahia, os dois fugitivos estavam vivendo, respectivamente, com as irmãs Felipa e Madalena Álvares, filhas de Caramuru e Paraguaçu. Desde sua viagem à França, em 1528, Catarina Paraguaçu se tornara cristã convicta. Por isso, ela logo fez com que Diego de Borba (um dos frades franciscanos recém-desembarcados) unisse os dois casais pelos sagrados laços do matrimônio. Aqueles foram os dois primeiros casamentos celebrados oficialmente no Brasil.

Zarpando da Bahia, Martim Afonso chegou a Goa em setembro de 1534. Desconfiado de que o recém-chegado vinha para destituí-lo, o vice-rei D. Nuno da Cunha logo se indispôs com ele. Mas a atuação de Martim Afonso foi facilitada pela aliança que firmou com os fidalgos lusos residentes em Goa, "porque, como chegara à Índia precedido da fama de que seria o próximo Vice-Rei, todos cedo se chegaram para ele, e muito o agradaram, acataram e veneraram para que lhes fizesse alguma mercê" após assumir o poder.[23]

A cidade-portuária de Diu — localizada na península de Guzerate, costa norte-ocidental da Índia — era um ponto estratégico fundamental pois quem a dominasse controlaria o comércio entre o Mar Vermelho e a Índia. No início de 1531, D. Nuno da Cunha tentara tomar Diu, mas foi vencido pela frota comandada pelo governador do Egito, paxá Al Khadim, súdito do poderoso sultão da Turquia e senhor de Constantinopla, Solimão, o Magnífico — que, por carta, exortara seu principal aliado a "conjurar os crimes diabólicos dos portugueses e limpar o mar do seu estandarte". A derrota de D. Nuno causou furor em Portugal e forçou o envio de Martim Afonso para a Índia. Em 1536, Martim Afonso fez acordo com o sultão Bahadur e obteve permissão para construir uma fortaleza em Diu (abaixo), muito atacada pelos muçulmanos.

O destino de D. Nuno da Cunha fora selado em 1531, quando — apesar de chefiar uma armada de "cerca de 200 velas e 16 mil homens, entre portugueses e naturais da terra"[24] — não conseguira tomar o porto de Diu, fundamental para a manutenção do domínio lusitano sobre a Índia. A alarmante notícia da derrota de D. Nuno só chegara a Portugal em fins de 1533, levando o rei D. João III a armar a frota cujo comando, por manobra de Ataíde, foi entregue a Martim Afonso.

Beneficiado por uma série de circunstâncias favoráveis, Martim Afonso aliou-se ao sultão Bahadur, de Cambaia — região do norte da Índia, onde se localizavam os portos de Diu e Damão, importantes pontos do império ultramarino português. No início de 1536, Martim Afonso obteve do sultão permissão para erguer uma *fortaleza em Diu*. No verão de 1538, essa fortaleza foi cercada por uma grande armada egípcia. Mas, no dia 20 de fevereiro daquele ano, após dispersar a frota do samorim de Calicute — que navegava para o norte para unir-se à esquadra do paxá Al Khadim —, Martim Afonso foi capaz de romper o cerco a Diu, forçando o governador do Egito a bater em retirada.

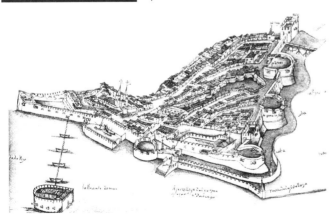

Aquela foi uma vitória histórica, após a qual "as águas indianas permaneceriam durante 60 anos sob dominação portuguesa".[25] Mas há indícios de que este extraordinário feito bélico tenha sido logo "deslustrado" por uma seqüência de "aventuras insensatas e feios atos de rapina",[26] praticados e incentivados pelo próprio Martim Afonso.

Logo após a retomada de Diu, o capitão-mor do mar da Índia, "tão cobiçoso de honra como de dinheiro",[27] armou uma vasta rede de corrupção, "exigindo ou aceitando facilmente dos potentados indianos altas somas que não podia ou não tencionava pagar".[28] Martim Afonso também usou suas tropas para saquear povoados desarmados, como foi o caso da tomada do pagode de Telibacaré, em Cambaia, a qual todos os futuros cronistas lusos iriam se referir com horror e reprovação. Segundo um deles, Diogo do Couto, a mera menção do nome de Martim Afonso "infundia terror às gentes do Oriente".[29]

Antes de se envolver em façanhas tão sangrentas quanto rentáveis, Martim Afonso já estava tão desapegado de suas capitanias brasileiras que, em carta escrita da Índia, em dezembro de 1535, e enviada para D. Antônio de Ataíde, ele diria, não sem alguma ironia: "Pero Lopes me escreveu que Vossa Senhoria queria um pedaço dessa terra do Brasil que eu lá tenho. Pois mande-a tomar toda, ou a que quiser, que essa será para mim a maior mercê e a maior honra do mundo".[30]

As Aventuras de Pero Lopes

Enquanto Martim Afonso lutava e enriquecia na Índia, Pero Lopes não apenas mantinha ativa correspondência com o irmão como prestava serviços à Coroa em outro conflituado palco de guerra: o mar Mediterrâneo. Como Martim Afonso, ele não teria tempo nem interesse para se dedicar às capitanias que recebera no Brasil.

Nos últimos dias de março de 1534, Pero Lopes e seu primo Tomé de Sousa, futuro governador-geral do Brasil, tinham partido de Lisboa à frente de uma armada enviada para o Marrocos com a missão de socorrer a praça de Safim, na costa ocidental daquele país. Como os turcos otomanos no Mar Ver-

O BARBA-ROXA

Conhecido como Barba-Roxa pelos cristãos, o pirata que aterrorizava o Mediterrâneo era turco e se chamava Khayr al-Din. Junto com seu irmão Arudj, ele partira de Constantinopla em 1515 para conquistar a Argélia. Em 1519, fundou o porto de Argel e, sob a suserania do sultão Selim, de Constantinopla, criou a chamada Regência da Argélia, que manteve estado de "guerra perpétua aos cristãos". Khayr e Arudj também eram chamados de "piratas barbarescos". Ao vencê-los, em Argel, o imperador Carlos V resgatou 20 mil cristãos que haviam sido presos pelos piratas e eram usados como remadores em suas galés. Carlos V festejou a libertação daqueles homens pelo fato de as galés do inimigo terem ficado sem força motriz. Em 1543, o rei da França, Francisco I, aliou-se ao Barba-Roxa na guerra contra Carlos V, acordo que escandalizou a Europa. O pirata morreu em 1546. Acima, o navio usado por Carlos V na luta contra o Barba-Roxa.

melho, os xerifes muçulmanos da dinastia Sus desafiavam as bases do império lusitano fincadas em território marroquino.

Em fins de agosto de 1534, Pero Lopes estava de volta ao reino e no dia 1º de setembro recebia a carta de doação da capitania de Santo Amaro, colada a São Vicente. Mas, menos de seis meses depois, era nomeado um dos capitães da armada portuguesa que iria se juntar à enorme frota que o imperador Carlos V comandaria pessoalmente, ao lado do almirante genovês Andrea Doria, com o objetivo de varrer do Mediterrâneo a esquadra do *pirata turco Barba-Roxa*, terror daquele mar.

Pero Lopes partiu do Algarve em 4 de março de 1535. O imperador deixou Madri em abril e zarpou de Barcelona em 30 de maio. As duas armadas se encontraram em pleno mar e, no início de julho, atacaram e tomaram os portos de Túnis e Argel, no norte da África, destroçando a frota de Barba-Roxa.

Na segunda quinzena de outubro de 1535, Pero Lopes já estava outra vez em Lisboa. Um mês depois — mais ou menos quando recebeu a carta de doação de seu terceiro lote no Brasil (a capitania de Itamaracá) —, casou-se com D. Isabel de Gamboa, "rica herdeira da corte". Foi uma união vantajosa: D. Isabel era filha de Tomé Lopes de Andrade, que fora feitor da Casa da Índia e, mais tarde, representante do rei D. Manoel na Antuérpia, onde acumulara uma fortuna. Com a morte do pai, ocorrida em 1516, D. Isabel tornara-se uma mulher opulenta.

Antes de partir para outras ações militares — outra vez em companhia do primo Tomé de Sousa —, Pero Lopes repetiu o que fizera seu irmão: assinou uma procuração nomeando D. Isabel a responsável pela colonização de seus três lotes no Brasil. Mas sua esposa ainda levaria sete anos para tomar qualquer atitude prática — e só o faria após a morte do marido, ocorrida na Índia, por volta de 1541.

Ironicamente, a ida de Pero Lopes para a Índia foi um prêmio por seu desempenho à frente da esquadra guarda-costas dos Açores, para onde ele foi enviado poucos meses após seu casamento. Em combate travado em 28 de setembro de 1536, Pero Lopes conseguiu tomar mais um navio francês. Embora tenha perdido sete soldados e quebrado uma perna durante o confronto, o irmão de Martim Afonso matou 17 franceses e capturou a embarcação com a qual eles estavam retornando da costa brasileira — como sempre, carregados de pau-brasil e desrespeitando os acordos entre as duas Coroas.

A Fundação de Buenos Aires

Apesar de essa nova façanha de Pero Lopes ser mais um sinal de que os franceses não tinham desistido de seu assédio ao litoral brasileiro, o rei D. João III logo teria motivos mais sérios para se preocupar com sua colônia americana. E os rápidos desdobramentos dessa outra questão — somados à destruição de São Vicente após a Guerra de Iguape e ao pouco interesse de Martim Afonso por suas capitanias — o levariam a também optar pelo abandono do projeto, outrora tão estimulante, de conquistar a "Costa do ouro e da prata".

Embora o fato de D. João ter concordado em juntar seus navios à esquadra com a qual Carlos V vencera o pirata Barba-Roxa e tomara Túnis e Argel em julho de 1535 fosse um indicativo de suas eventuais alianças com o imperador, o monarca luso ainda tinha muitos litígios territoriais com seu poderoso cunhado. E nenhum deles era maior do que a luta pela posse do rio da Prata.

Por isso, a notícia de que Carlos V enfim autorizara o envio de uma poderosa frota com o objetivo de colonizar a foz daquele estuário repercutiu muito mal em Portugal. O fato de aquelas informações terem chegado a Lisboa já em fins de 1533, funcionara — como já foi dito — como um estímulo a mais para deflagrar o processo que resultara na divisão do Brasil em capitanias hereditárias.

De início, porém, uma série de entraves burocráticos e questões políticas retardaram a assinatura da capitulação que Carlos V deveria firmar com apenas um entre os vários fidalgos castelhanos que se propunham a investir o próprio dinheiro na aventura platina. O favorecido acabou sendo o cavaleiro D. Pedro de Mendoza — e o recente retorno de Fernando Pizarro do Peru com certeza há de ter acelerado o ritmo daquelas negociações, concretizadas em maio de 1534.

Com um *parentesco ilustre*, e aproveitando-se do extraordinário chamariz que o ouro peruano representava, Pedro de Mendoza não encontrou dificuldades em convencer duas das famílias mais ricas da Europa — os banqueiros alemães Fugger e Welser — a financiarem a armação de sua extraordinária frota. De fato, com 14 navios, 100 cavalos, muitas cabeças de gado e de suínos, e quase 3.000 tripulantes — entre os quais 2.500 espanhóis e cerca de 200 alemães, holandeses e saxões —, aquela era a maior esquadra que Castela jamais havia enviado para o Novo Mundo.

A frota zarpou de Sevilha no dia 20 de agosto de 1534. O cronista Gonzalo Fernandes de Oviedo, testemunha ocular da história, assegurou que "aquela companhia não deixaria de impressionar a armada de César, ou a de qualquer outro soberano do mundo".[31] A imponência da esquadra e as festividades que cercaram sua partida não poderiam dissimular melhor a tragédia que logo se abateria sobre ela.

Entre os integrantes da frota de Pedro de Mendoza não estavam apenas ricos fidalgos castelhanos, feitores alemães ou negociantes flamengos. A bordo seguiam também dois homens

GOVERNADOR DO PRATA

Além de ser filho do embaixador castelhano em Portugal, Lope Hurtado de Mendoza, D. Pedro de Mendoza era irmão do embaixador em Roma e do cardeal arcebispo de Sevilha. Também era primo dos vice-reis do México e do Peru. Provinha, portanto, de uma das famílias mais nobres de Castela. Foi com ele que Carlos V celebrou acordo em maio de 1534, nomeando-o o primeiro "adelantado" (ou governador) da região do rio da Prata. D. Pedro de Mendoza comprometeu-se a investir 40 mil ducados na colonização daquela remota região.

que conheciam muito bem o sul do Brasil: Gonçalo da Costa, "genro" do Bacharel, e Melchior Ramires, náufrago de Sólis, companheiro do finado pioneiro Aleixo Garcia e um dos fundadores do Porto dos Patos.

Talvez não seja despropositado lembrar que Gonçalo da Costa tinha partido de Cananéia em junho de 1530. Logo após sua chegada a Castela, ele fora atraído para Lisboa, onde, em outubro, mantivera sua longa entrevista com o rei D. João III. Ao retornar para Sevilha, depois de ter recusado as "mercês" que o monarca lusitano lhe oferecera, ele havia revelado à imperatriz D. Isabel os planos relativos à expedição de Martim Afonso de Sousa. Em retribuição à sua lealdade, D. Isabel o nomeara "capitão no serviço das Índias", através de cédula real assinada em 30 de julho de 1531.

Por três anos Gonçalo da Costa permaneceu em Sevilha, recebendo soldo mas sem emprego. Foi somente após assinar com D. Pedro de Mendoza as capitulações para "conquistar e povoar as terras e províncias que ficam no rio de Sólis, que chamam da Prata" que o imperador Carlos V escreveu para o genro do Bacharel ordenando-lhe que acompanhasse a expedição. Gonçalo da Costa embarcou levando consigo três filhos, um tio e um primo que, de acordo com suas próprias declarações, "tinham notícias das regiões do Prata". Ele acabaria se tornando uma figura-chave naquela malfadada aventura.

As desventuras de D. Pedro de Mendoza no Prata ficaram conhecidas graças ao diário escrito pelo alemão Ulrich Schmidel. Andarilho nascido na Baviera por volta de 1510, Schmidel perambulara sem rumo pela Europa até alistar-se na frota de Pedro de Mendoza como soldado raso. Estava disposto a partir para o Novo Mundo pelo simples prazer da aventura.

Como ele, vários mercenários alemães não tiveram dificuldade em juntar-se à expedição, já que cinco dos 14 navios que compunham a frota pertenciam aos banqueiros alemães Bartolomeu Welser, de Nuremberg, e Jacob Fugger, de Augsburg. Ambos, especialmente Fugger, haviam sido os principais responsáveis pela *eleição de Carlos V* ao cargo de Imperador do Sacro Império Romano, em 1519. Passados 15 anos, o imperador ainda lhes devia muito dinheiro (leia nota lateral na página anterior).

A jornada de Pedro de Mendoza através do Atlântico decorreu sem maiores incidentes — embora, já nas proximidades da costa brasileira, uma das naus tenha se desgarrado, indo naufragar na costa do Rio Grande do Norte. Lá, vários dos marinheiros que escaparam do desastre foram devorados pelos Potiguar. Alguns poucos sobreviventes seriam recolhidos, meses mais tarde, pela expedição que os donatários Fernão Álvares de Andrade e João de Barros enviaram para colonizar o Maranhão (veja p. 174).

Em janeiro de 1535, abalada por problemas internos,[32] a frota de Mendoza entrou no estuário do Prata. Após avançar cerca de 250km rio acima, ancorou na margem esquerda daquele grande curso d'água. O primeiro espanhol a desembarcar, um certo Sancho del Campo, exclamou: "Que buenos aires son los de este sitio". No dia 2 de fevereiro os espanhóis já estavam estabelecidos ali, erguendo, nas margens de um pequeno córrego, o vilarejo batizado de Santa María del Buen Aire — a futura cidade de Buenos Aires.

Assim que pisaram em terra, os estrangeiros depararam com cerca "de três mil homens, com suas mulheres e filhos".[33] Eram os Querandi, uma das várias tribos que constituíam a grande nação Charrua. "Durante duas semanas", conta Schmidel, "estes querandis compartilharam todos os dias conosco sua

O ataque dos Querandi, Charrua e Chaná à nascente Buenos Aires foi a primeira vitória em grande escala dos nativos sobre os europeus na América do Sul. Os indígenas voltariam a atacar e devastar o vilarejo em oito outras ocasiões. Foi somente a partir de 1580 que os espanhóis conseguiram se estabelecer definitivamente às margens do Prata.

Uma extraordinária consequência do primeiro ataque a Buenos Aires (abaixo) foi que, após a destruição do vilarejo, os cavalos trazidos pelos castelhanos se espalharam pelo pampa. Domados pelos nativos, esses cavalos — e seus descendentes — iriam modificar por completo o modo de vida dos Charrua e dos Querandi, que ficariam conhecidos como índios-cavaleiros, graças à admirável habilidade com suas montarias. Boleadeiras são três pedras atadas a uma tira de couro.

pobreza de pescado e carne. No décimo quinto dia, eles não vieram. Então nosso comandante enviou o tenente Juan Pavón e dois soldados até o acampamento deles para pegar comida. Chegando lá, esses homens se comportaram de tal forma que os índios os surraram com paus e os mandaram embora".

Indignado, D. Pedro de Mendoza determinou que seu irmão, D. Diego, acompanhado por 300 soldados, fosse até o acampamento dos nativos e "lhes desse uma boa lição". Mas quando os espanhóis chegaram ao local onde se encontravam os indígenas, eles já eram cerca de 5.000 e estavam prontos para o confronto. Com suas *boleadeiras*, derrubaram os europeus de seus cavalos e, além de D. Diego, mataram seis cavaleiros e 20 soldados. Embora mais de mil Querandi tenham sido mortos, para os espanhóis o combate resultou em desastre já que, a partir de então, eles não tiveram um só momento de paz.

Ao longo dos quatro meses seguintes, ajudados por outras tribos Charrua, os Querandi sitiaram Buenos Aires. Dentro das muralhas de barro que ergueram para se proteger, os espanhóis passaram terríveis privações. Após comerem todos os ratos, cobras e ervas que puderam encontrar, só lhes restou alimentar-se com o couro fervido de suas botas e cintos. Mas o pior estava por vir: no dia 24 de julho de 1535, cerca de 23 mil nativos — Querandi, Charrua e Chaná coligados — dirigiram *um ataque frontal* ao vilarejo. A luta durou o dia todo. Quando anoiteceu, as casas erguidas dentro do fortim tinham sido destruídas por flechas incendiárias, quatro das 13 naus estavam queimadas e apenas 560 europeus haviam sobrevivido.

Pedro de Mendoza determinou então que alguns dos sobreviventes subissem o Prata em direção ao rio Paraná, à procura de novo lugar onde se estabelecer. Também enviou seu irmão Gonzalo de Mendoza para o Porto dos Patos com a missão de obter provisões entre os Carijó. Para guiá-lo até lá, Pedro de Mendoza escalou Gonçalo da Costa — um grande conhecedor da região.

Quando Gonçalo da Costa e Gonzalo de Mendoza chegaram a Santa Catarina, encontraram refugiados ali os homens de Ruy Garcia Moschera que, seis meses antes, haviam saqueado São Vicente, durante a Guerra de Iguape. Moschera e seus companheiros uniram-se aos recém-chegados e, em companhia deles, retornaram com os mantimentos para o rio da Prata. Quando chegaram lá, Pedro de Mendoza já havia abandonado Buenos Aires e estava instalado às margens do rio Paraná, no fortim de Sancti Spiritus (o estabelecimento que Sebastião Caboto fundara quase dez anos antes, nos arredores da atual cidade de Rosário — veja mapa na p. 18).

Entre os quase 2.500 mortos que os espanhóis deixaram sepultados entre as ruínas de Buenos Aires estavam os três filhos, o tio e o primo de Gonçalo da Costa, além do náufrago de Sólis, Melchior Ramirez.

A Capitania de Pero de Góis

No instante em que os espanhóis travavam seus terríveis combates contra os Querandi e os Charrua, o vilarejo de São Vicente continuava desbaratado, e os portugueses remanescentes esforçavam-se para reerguê-lo. O lugar-tenente Pero de Góis — que fora ferido com gravidade durante sua tentativa de tomar Iguape e prender o Bacharel — ficou cerca de seis meses convalescendo, precariamente instalado em São Vicente.

109

Assim que recuperou as forças, Góis partiu para Portugal. Chegou ao reino em fins de 1535, ainda com cicatrizes pelo corpo todo e com a lastimável novidade de que tanto São Vicente quanto Piratininga se encontravam virtualmente despovoadas. Embora tivesse apenas más notícias para dar, uma boa nova o aguardava em Lisboa.

Cerca de um ano e meio antes, a 10 de março de 1534, o rei D. João III tinha assinado um "alvará de lembrança" incluindo o nome de Góis entre os futuros donatários. Aquele fora um pedido pessoal de Martim Afonso, que pretendia, dessa forma, premiar seu leal assessor. Góis acabaria se tornando, assim, o único dos donatários que não era nem funcionário da Fazenda nem militar com carreira na Índia. Isso também explica o fato de ele sempre ter sido considerado o donatário que menos dispunha de recursos pessoais para levar adiante um projeto colonial. Com menos de 30 anos, Pero de Góis era também o mais moço entre os 12 agraciados com terras no Brasil.

No dia 28 de fevereiro de 1536, o rei assinou a carta de doação concedendo-lhe a capitania de São Tomé, mais tarde chamada de "Campos dos Goitacases" e, por fim, de Paraíba do Sul. Além de ser o último lote doado pela Coroa, a capitania de Góis era a menor de todas: tinha apenas 30 léguas (ou 180 quilômetros) de largura. Iniciava-se ao sul da foz do rio Itapemirim (no atual estado do Espírito Santo) e se prolongava até a foz do rio Macaé (RJ). Ficava, portanto, entre a capitania do Espírito Santo (concedida a Vasco Fernandes Coutinho, em junho de 1534) e a capitania do Rio de Janeiro, que pertencia a Martim Afonso (veja mapa na página seguinte).

Em abril de 1536, Pero de Góis já estava de volta a São Vicente. Lá, recolheu seu irmão, Luís de Góis — que o acom-

Assinatura de Pero de Góis

110

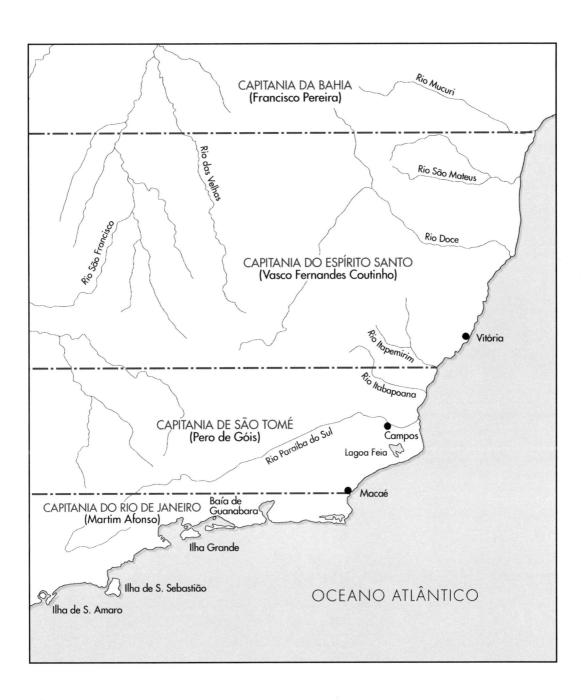

CAPITANIA DA BAHIA
(Francisco Pereira)

Rio Mucuri

Rio das Velhas

Rio São Mateus

Rio São Francisco

Rio Doce

CAPITANIA DO ESPÍRITO SANTO
(Vasco Fernandes Coutinho)

Rio Itapemirim

Vitória

Rio Itabapoana

CAPITANIA DE SÃO TOMÉ
(Pero de Góis)

Rio Paraíba do Sul

Campos

Lagoa Feia

Macaé

Baía de
Guanabara

CAPITANIA DO RIO DE JANEIRO
(Martim Afonso)

Ilha Grande

Ilha de S. Sebastião

OCEANO ATLÂNTICO

Ilha de S. Amaro

panhara ao longo de toda a expedição de Martim Afonso — e, com alguns poucos colonos, transferiu-se para os sertões ainda inexplorados de sua capitania. No inverno de 1536, ele chegou à vasta planície através da qual os rios Paraíba do Sul e Itapemirim deságuam no Atlântico, após serpentear em meio a línguas de terra e brejais extensos e insalubres.

Embora a maioria de seus homens tenha adoecido de febres palustres, Pero de Góis foi capaz de erguer uma pequena cidade. Ele a batizou com o nome de Vila da Rainha — em homenagem à rainha Catarina, mulher de D. João III. Como esse vilarejo logo seria destruído pelos nativos, os historiadores ainda discutem onde ele se localizava. Mas vários indícios permitem supor que a Vila da Rainha ficava na margem direita do rio Paraíba do Sul, onde hoje se ergue a cidade de Campos (RJ). Foi lá que Pero de Góis deu início ao plantio de cana-de-açúcar, graças ao qual esperava prosperar rapidamente. Como no caso de outras capitanias, porém, quase nada daria certo em São Tomé.

O fato de Pero de Góis ter erguido a Vila da Rainha não no litoral mas a cerca de 30km da costa, em pleno continente, já era, em si, um indício de que seu lote oferecia condições pouco favoráveis para a colonização. Com efeito, a formação geológica daquele trecho inóspito do litoral brasileiro impedira a existência de portos ou enseadas naturais. Pero de Góis sofreu profundamente os efeitos desse isolamento.

OS GOITACÁ

Ainda mais grave, no entanto, era o fato de a capitania de Góis se localizar justamente em pleno território tribal dos Goitacá. Os Goitacá (aportuguesamento da palavra tupi *Waitaká*) eram uma das únicas nações indígenas da costa do Brasil que não pertencia ao grupo lingüístico Tupi-Guarani. Na ver-

OS WAITAKÁ

O significado da palavra Waitaká é um pouco controverso. Alguns tupinólogos acham que o termo designava "grandes corredores" e era originário do verbo "guata" ("correr", "marchar"). Mas o pesquisador Bezerra de Meneses assegura que a palavra provinha de "aba" (homem) "ytá" (nadar) e quaa ("saber"), ou seja: "gente que sabe nadar". Ambas as explicações podem estar corretas pois os Waitaká eram, de fato, extraordinários nadadores e grandes corredores.

112

dade, como os seus vizinhos Aimoré (do grupo Jê), os Goitacá tinham resistido à invasão Tupi do litoral brasileiro, que começara no início da era Cristã e ainda estava em andamento quando os portugueses desembarcaram no Brasil em 1500.

Baseando-se no depoimento que sobre eles deixaram vários cronistas europeus contemporâneos, não chega a ser uma surpresa o fato de os Goitacá não terem sido vencidos pelos Tupi. Altos, robustos e de pele mais clara que os demais povos da costa, os Goitacá eram guerreiros tremendos. Usavam flechas enormes, eram grandes corredores e nadadores inigualáveis. Entre as suas façanhas mais extraordinárias estava a pesca de tubarões, realizada numa incrível luta corpo a corpo.

De acordo com o relato de frei Vicente do Salvador (1564-1639), os Goitacá mais pareciam "homens anfíbios do que terrestres", que nenhum branco era capaz de capturar, pois "ao se verem acossados, metem-se dentro das lagoas, onde ninguém os alcança, seja a pé, de barco ou a cavalo". Ainda conforme frei Vicente, os Goitacá eram capazes de capturar peixes "a braço, mesmo que sejam tubarões, para os quais levam um pau que lhes metem na boca e como o tubarão fique de boca aberta, que não a pode cerrar com o pau, com a outra mão lhe tiram por ela as entranhas, e com elas a vida, e o levam para a terra, não tanto para os comerem como para dos dentes fazerem as pontas de suas flechas, que são peçonhentas e mortíferas".[34]

Se não comiam tubarões, os Goitacá eram, segundo o francês Jean de Léry (1534-1611), "grandes apreciadores de carne humana, que comem por mantimento e não por vingança ou pela antiguidade de seus ódios".[35] Para Léry, a tribo devia ser "considerada como a mais bárbara, cruel e indomável das nações do Novo Mundo: selvagens estranhos e ferozes que não só não conseguem viver em paz entre si como mantêm guerra permanente contra seus vizinhos e contra estrangeiros".

De acordo com o padre Simão de Vasconcelos (1596-1671), os Goitacá viviam em palafitas, construídas em meio aos pântanos mais insalubres: "Todo o edifício de suas aldeias vinha a parar em umas choupanas semelhantes a pompais, erguidas, por causa das águas, sobre um só esteio; essas choças são muito pequenas e para entrar nelas é preciso ir de gatinhas". Grandes corredores, capazes de capturar veados a pé, os Goitacá, ao contrário das nações Tupi, desconheciam o uso de redes: dormiam no chão "como cães", ou em suas minúsculas choupanas erguidas nos pântanos entre os meandros dos rios Paraíba do Sul e Itabapoana. Usavam longas cabeleiras, até o meio das costas, e queimavam ervas venenosas lançando nuvens tóxicas em seus inimigos. Os Goitacá eram cerca de 12 mil e jamais foram vencidos pelos europeus no campo de batalha: a tribo foi exterminada em fins do século 18, por uma epidemia de varíola, propositalmente espalhada entre eles.

Embora rival de Léry, o cosmógrafo André Thevet (1502-1592) confirma o relato de seu desafeto. Thevet afirmou que, após capturar um inimigo, os Goitacá "imediatamente o trucidam e o comem seus pedaços quase crus, como fazem com outras carnes". Depois de narrar o caso de um guerreiro Goitacá que, mesmo tendo a cabeça aberta por um golpe de tacape, foi capaz de se erguer e atacar seu carrasco, Thevet escreveu: "Eu jamais acreditaria nisso se não tivesse visto com meus próprios olhos".[36]

À luz desses relatos (aos quais se poderiam somar *muitos outros*), não é difícil imaginar os terríveis problemas que Pero de Góis iria enfrentar. No entanto, os devastadores ataques dos Goitacá, responsáveis pela destruição e abandono da capitania de São Tomé, só seriam deflagrados alguns anos após o desembarque do donatário — e, como se verá, os responsáveis por eles foram os próprios portugueses.

De início, apesar do surto de malária que se abateu sobre vários colonos, as coisas correram bem na Vila da Rainha. Tanto é que, em 14 de agosto de 1537 — cerca de um ano após o início da colonização de sua capitania —, Pero de Góis sentiu-se seguro o bastante para se ausentar de seus domínios. A bordo de um de seus navios, ele se dirigiu para o norte, para decidir, junto com o donatário da capitania do Espírito Santo, onde ficava o limite entre os dois lotes.

Com efeito, na terceira década de 1500, aquela parte do litoral brasileiro era tão pouco conhecida (por causa da inexistência de portos naturais) que as cartas de doação assinadas pelo rei não definiam claramente onde passava a extrema entre as duas capitanias. Góis e seu vizinho, Vasco Fernandes Coutinho, donatário do Espírito Santo, travaram uma relação amistosa e, de comum acordo, escolheram a foz do rio Itapemirim como o limite entre os dois lotes. O encontro foi tão prazeroso que, em

114

Erguida na inóspita ilha de Gerum — um arenoso pedaço de terra localizado na estreita passagem entre o golfo Pérsico e o golfo de Omã —, a fortaleza de Ormuz (abaixo) foi construída em outubro de 1507 por Afonso de Albuquerque, o Terrível. Desde 1501 os lusos sabiam que, "além de muito rica e nobre", a cidade de Ormuz era "a chave das Pérsias". A cidade enriquecera graças ao comércio de cavalos árabes, exportados para a Índia com lucros superiores a 300%. Ormuz também exportava pérolas, seda, almíscar, âmbar, frutas secas e cereais, em troca do arroz indiano. A alfândega de Ormuz rendia cerca de 60 mil cruzados por ano para os portugueses. A fortaleza de Ormuz ficou sob seu poder até fevereiro de 1622, quando uma frota persa — apoiada por uma esquadra inglesa — tomou aquela praça de guerra.*

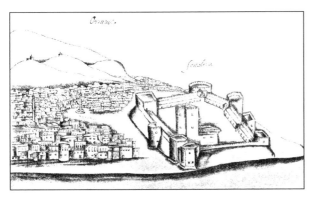

carta enviada para o rei, em fins de 1537, Vasco Fernandes fez várias referências simpáticas a Pero de Góis, afirmando que ele o ajudara a combater os nativos e lhe dera alguns escravos.

A CAPITANIA DO ESPÍRITO SANTO

Ironicamente, os problemas que causaram a desgraça de São Tomé iriam se iniciar a partir do Espírito Santo.

Vasco Fernandes Coutinho, donatário daquela capitania, possuía extraordinária folha de serviços prestados à Coroa no Oriente. Ele fora para a Índia pela primeira vez em 1508, com cerca de 20 anos de idade. Lá, servira sob as ordens de Afonso de Albuquerque, o maior dos conquistadores lusos do Oriente. Em julho de 1511, participara da tomada de Malaca (próxima a Cingapura, na Malásia). Malaca era um porto de imensa importância estratégica, a partir do qual os lusos seriam capazes de estender seus domínios até o mar da China.

A tomada de Malaca foi uma batalha terrível, durante a qual Coutinho se consagrou ao investir contra "uma carga de elefantes que esgrimavam com espadas nas trombas".[37] Como prêmio pela bravura em combate, foi feito alcaide-mor (ou governador) da *fortaleza de Ormuz*, outro ponto de enorme valor estratégico, situado na entrada do golfo Pérsico. Permaneceu naquele posto de 1514 a 1524, quando partiu para a China, onde lutou ao lado de Duarte Coelho, futuro donatário de Pernambuco. Em 1527, já estava na África, combatendo os muçulmanos no litoral do Marrocos.

Ao retornar para Portugal, em meados de 1528, Vasco Fernandes

Coutinho tinha se tornado um homem rico. Tanto é que, entre várias propriedades, possuía "um prédio de casas"[38] em Santarém, a uns 70km ao noroeste de Lisboa, que arrendava para o hospital da cidade. Além disso, ganhava uma tença (ou pensão) de 30 mil reais.

Apesar dessa renda, Coutinho talvez passasse por dificuldades financeiras, já que, em fins de 1528, o rei D. João III assinou um alvará determinando que os vereadores da Câmara de Alenquer não lhe cobrassem o imposto de 28 mil reais relativos à compra de uma mansão na qual o futuro donatário do Espírito Santo decidira se instalar, disposto a "aquietar-se das canseiras do Oriente".[39]

Embora se mantivesse "distante das intrigas palacianas, na sua vida tranqüila de herói em repouso" Vasco Fernandes Coutinho acabou tendo seu nome incluído na lista de donatários do Brasil. O fato de a vila que ele adquirira em Alenquer localizar-se ao lado da casa de campo que D. Antônio de Ataíde possuía na região pode explicar o motivo pelo qual ele foi lembrado para receber uma capitania no Brasil — sem que a tivesse solicitado.

No dia 1º de junho de 1534, o rei assinou a carta de doação e Vasco Fernandes aceitou o desafio de instalar-se num sertão remoto e até então desconhecido. Teria o resto da vida para lamentar a decisão.

Sua capitania — que, de início, sequer tinha nome — começava ao sul da foz do rio Mucuri (quase na fronteira entre os atuais estados da Bahia e do Espírito Santo) e terminava 50 léguas (ou 300 km) mais ao sul, em lugar não claramente definido pela carta de doação, já que se tratava de um território praticamente inexplorado (veja mapa na p. 111).

Assinatura de Vasco Coutinho

Assim que recebeu a mercê real, Vasco Coutinho vendeu tudo o que possuía em Portugal. Obteve 300 mil reais em troca de sua propriedade em Alenquer e, a seguir, vendeu, para o próprio rei, por 225 mil reais, os direitos sobre sua pensão vitalícia. Com o dinheiro, começou a armar a expedição com a qual iria tentar colonizar o Espírito Santo.

Os historiadores divergem com relação ao caráter e as intenções de Vasco Fernandes Coutinho. Para alguns, ele era o "típico cavaleiro renascentista, leal, fiel e dedicado".[40] Para outros, seu plano era estabelecer um "principado independente no Brasil".[41] Há sinais de que, para isso, ele teria mesmo pensado em aliar-se aos franceses. Mas, como essa acusação foi feita pelo colono Duarte de Lemos, o principal desafeto de Coutinho, é preciso interpretá-la com ressalvas.

Em um ponto, porém, todos os cronistas concordam: embora fosse um militar eficiente, um amigo leal e um homem generoso, Coutinho iria se revelar um péssimo administrador e um chefe excessivamente liberal e irresponsável.

De toda a forma, os principais problemas enfrentados pelo donatário do Espírito Santo — e que iriam precipitar a ruína não só de sua capitania, como a da vizinha São Tomé — foram indiretamente provocados pelo próprio rei. Afinal, embora ainda não tivesse assinado o alvará mediante o qual transformou o Brasil em território de "couto e homizio", D. João III decidiu que Vasco Fernandes levaria consigo 60 degredados para a colônia. Foi o primeiro donatário incumbido dessa tarefa.

Julgando que muitos condenados estavam "escapando da justiça e refugiando-se em reinos estrangeiros", o rei concluíra que seria "mais serviço de Deus e Meu que os sobreditos criminosos fiquem antes em terra de Meus senhorios e vivam e morram nela, especialmente na capitania do Brasil que ora fiz

mercê a Vasco Fernandes Coutinho". O mesmo alvará decretava também que esses homens "indo-se para o dito Brasil para morar e povoar a capitania do dito Vasco Fernandes, não possam lá ser presos, acusados nem demandados ou constrangidos nem executados por nenhuma via nem modo que seja pelos casos que cá *(em Portugal)* tiverem cometido".[42]

O "HOMEM DE MALUCO"

Entre as dezenas de "ladrões e desorelhados" que Coutinho foi intimado a trazer para o Brasil estavam dois degredados de origem nobre — e que logo se revelariam os mais insubmissos dentre todos. Eram eles os fidalgos D. Simão de Castelo Branco e D. Jorge de Meneses — que, no Brasil, ficaria conhecido como "o homem de Maluco".

D. Jorge de Meneses, "fidalgo de elevada nobreza",[43] iniciara sua carreira militar na Índia em 1520. Lá, ao tomar parte nos combates contra o samorim de Calicute, tivera a mão direita decepada. Foi, por isso, premiado com o cargo de governador de "Maluco" — como os portugueses então chamavam as *ilhas Molucas*. Durante a viagem desde a Índia até lá, Meneses tornou-se o descobridor da Nova Guiné — o que lhe assegura lugar de relativo destaque na saga ultramarina dos portugueses pelos mares do mundo.

Mas, após desembarcar na ilha de Ternate, em maio de 1527, o "homem de Maluco" começou a se tornar "o monstro de perversidade"[44] ao qual os próprios cronistas lusos iriam se referir com horror. Poucos dias após assumir o cargo de governador, D. Jorge teria convencido os reis das minúsculas ilhas de Tibore e Gibolo a matar os espanhóis ali estabelecidos, "lançando peçonha na água do poço de que bebiam".[45] Naquela época, lusos e castelhanos ainda disputavam a posse das Molucas.

O plano de Meneses falhou porque o capitão da fortaleza de Maluco, o português Gaspar Pereira, alertou os espanhóis. D. Jorge então matou o delator, tornando-se um governador "progressivamente despótico e cruel".[46] Em agosto de 1530, ele mandou decapitar o "quichil" (espécie de sultão) da ilhota de Reves. O assassinato provocou uma insurreição geral entre os nativos e, por dois meses, os portugueses ficaram sitiados em seu fortim, "não ousando sair mais do que (*a distância de*) um tiro de arcabuz".

Em outubro, o capitão Gonçalo Pereira — que alguns historiadores julgam ser parente de Gaspar, o homem assassinado por Meneses — chegou a Ternate, vindo da Índia. Ele levantou o cerco à fortaleza e prendeu D. Jorge de Meneses, enviando-o a ferros para Portugal.

Quanto a Simão de Castelo Branco — o outro fidalgo degredado para o Espírito Santo — os dados são mais escassos. Sabe-se apenas que lutara em Azamor, no Marrocos, onde chegou a possuir "uma fortuna em cavalos e criados",[47] antes de se desentender com D. João III e ser enviado a ferros para Lisboa.

O "VILÃO FARTO" DE VASCO COUTINHO

Em companhia de D. Jorge de Meneses, D. Simão de Castelo Branco e de outros 58 degredados, Vasco Coutinho partiu de Lisboa em dezembro de 1534, a bordo da nau *Glória* — que havia comprado com o dinheiro da venda de sua pensão. A travessia do Atlântico decorreu sem transtornos. Após uma breve escala na Bahia, em fins de fevereiro de 1535, o donatário zarpou para o sul, em direção aos seus inexplorados domínios.

Após examinar as embocaduras dos rios Doce e São Mateus, numa ensolarada manhã de domingo, dia 23 de março de 1535, os expedicionários entraram numa baía de extraordinária beleza natural e grande valor estratégico. Coalhada de ilhas verdejantes, regada por vários rios e emoldurada por majestosos picos de granito (futuramente chamados de penhasco da Penha, pico do Moreno e penedo do Pão de Açúcar), a baía guardava grandes semelhanças com a de Guanabara.

Como era domingo de Pentecostes, Coutinho decidiu batizar seu lote com o nome de capitania do Espírito Santo. "Mas a invocação", reflete o historiador Varnhagen, "procedera do hábito: estava só nos lábios, não nascera no coração".[48]

A *Glória* ancorou na praia que os nativos chamavam de Piratininga, localizada imediatamente ao sul do monte Moreno. De acordo com o relato de frei Vicente do Salvador, Coutinho e seus homens "desembarcam sob chuva de flechas" disparadas pelos indígenas que perambulavam pela praia. Tendo ou não ocorrido o combate, foi exatamente ali que o donatário decidiu erguer o vilarejo mais tarde chamado de Vila Velha.

Como, naquela época, a posse dessa região era disputada por três nações indígenas, é praticamente impossível saber quais os nativos que teriam enfrentado os colonos no instante de seu desembarque: se os Goitacá, se os Aimoré ou se os Tupiniquim do sul da Bahia. De todo modo, os tiros de arcabuz forçaram os nativos a bater em retirada e buscar refúgio na mata. Para eles, a vila fundada por Coutinho seria chamada de Mboab — "o lugar habitado pelos emboabas" ou "forasteiros".

Depois de erguer uma paliçada e instalar-se na praia de Piratininga, o donatário iniciou a doação de sesmarias. D. Jorge de Meneses recebeu a ilha do Boi, um certo Valentim Nunes tornou-se proprietário da ilha dos Frades, e o fidalgo Duarte de Lemos ganhou a ilha de Santo Antônio — todas localizadas no

120

interior da atual baía de Vitória. Duarte de Lemos não fazia parte da tripulação original da nau *Glória*. Ele viera para o Brasil alguns meses antes, em companhia do donatário da Bahia, Franscico Pereira Coutinho. Mas, seduzido pelas propostas vantajosas de Vasco Fernandes, feitas durante sua escala breve na Bahia, decidira "arrebanhar seus criados"[49] e acompanhar o donatário do Espírito Santo.

Enquanto seus colonos instalavam-se nas ilhas da baía de Vitória, Vasco Coutinho se estabelecia na Vila Velha. A fertilidade da terra encantou o donatário: as matas ofereciam grande variedade de frutas comestíveis, os rios eram piscosos e o interior da baía freqüentado por grandes cardumes de peixes-boi — mamíferos aquáticos facilmente capturáveis, "cuja carne sabe a vitela". Em carta enviada ao rei, Coutinho revelou-se entusiasmado com o que chamou de "meu vilão farto".

E assim, no dia 14 de agosto de 1537, quando Pero de Góis aportou em Vila Velha para se encontrar com Vasco Fernandes Coutinho e tratar da questão dos limites entre as duas capitanias, dois anos e cinco meses já se haviam passado desde que o donatário desembarcara e tudo ainda corria bem na capitania do Espírito Santo. Mas a situação não iria permanecer assim por muito tempo.

A OUTRA GUANABARA

Abaixo, mapa da baía de Vitória, coalhada de ilhas, entre as quais a de Santo Antônio, a do Frade e a do Boi — todas ocupadas pelos colonos do donatário Vasco Fernandes Coutinho.

Ilha do Frade

Ilha de Santo Antônio

Ilha do Boi

Vitória

ESCALA
4 Km

Vila Velha

Um dia após Coutinho e Góis terem se encontrado no Espírito Santo, a cerca de 1.500km dali, os remanescentes da expedição de Pedro de Mendoza estavam fundando a cidade de Assunção, atual capital do Paraguai.

Estrategicamente localizada na confluência dos rios Pilcomayo e Paraguai, Assunção teria grande influência na história da ocupação do sul do Brasil. Em primeiro lugar, com a construção daquele vilarejo, os espanhóis estavam bloqueando o caminho do Peabiru — o que impediria o avanço dos portugueses em direção ao oeste. Além disso, como a vila ficava na mesma latitude de Cananéia (ambas se localizam a 25° Sul — veja mapa na p. 18), os castelhanos logo pensaram em estabelecer um posto avançado nos domínios do Bacharel, já que concluíram — com razão — que, para os viajantes que viessem da Europa, seria mais fácil desembarcar em Cananéia e seguir até o Paraguai por terra do que navegar ao longo da perigosa costa sul-brasileira, entrar no Prata e subir até Assunção pelo curso sinuoso dos rios Paraná e Paraguai.

Além de Cananéia ficar dentro da zona espanhola da demarcação de Tordesilhas, ali os castelhanos poderiam contar com o apoio do Bacharel — que, após a guerra de Iguape, se aliara a eles e, desde 1536, trocava cartas com a imperatriz D. Isabel comprometendo-se a auxiliar os rivais dos lusos. Ele já fora incumbido de dar apoio a um certo Gregório Pesquera, que iria colonizar Cananéia em viagem que não se concretizou.

A importância de Assunção era ainda maior porque — incapazes de vencer a ferrenha resistência dos Querandi — os castelhanos haviam desistido de instalar-se em Buenos Aires. De fato, no dia 20 de abril de 1537, o governador Pedro de

Mendoza simplesmente decidira abandonar a empreitada e retornar para a Espanha. Ao partir, deixou cerca de 250 homens precariamente instalados no fortim de Sancti Spiritus (de onde, em breve, eles partiriam rio acima para fundar Assunção).

O navio com o qual Mendoza zarpou para a Europa foi conduzido pelo português Gonçalo da Costa, "genro" do Bacharel de Cananéia. Em fins de julho, quando já se encontrava próximo ao arquipélago dos Açores, Mendoza — doente desde o início da expedição — morreu de sífilis. Enrolado em uma mortalha, seu corpo foi jogado ao mar.

Quando os espanhóis ancoraram nos Açores, Gonçalo da Costa já assumira o comando da expedição. Na ilha Terceira (uma das nove que constituem o arquipélago), Costa encontrou-se com Álvar Nuñez Cabeza de Vaca — talvez o mais extraordinário personagem europeu da conquista da América.

Cabeza de Vaca estava retornando para a Europa depois de ter passado oito anos como escravo de indígenas, na América do Norte. Tinha caminhado cerca de 8.000km, descalço e nu, desde a Flórida até a Cidade do México, numa aventura sem igual na história da exploração do Novo Mundo. Por influência de Gonçalo da Costa, Cabeza de Vaca dentro em breve desembarcaria no Brasil.

Enquanto isso, os homens que D. Pedro de Mendoza deixara no fortim de Sancti Spiritus tinham decidido subir o rio Paraná em busca de um lugar melhor onde se instalar. No dia 15 de agosto de 1537, tendo chegado à confluência dos rios Pilcomayo e Paraguai, eles fundaram Assunção. Além de fértil, a região era habitada pelos Guarani — indígenas muito menos aguerridos do que os Charrua.

Os Guarani forneceram aos espanhóis todos os mantimentos e apoio logístico de que eles necessitavam. Tal circunstância não os livrou de um brutal processo de escravização, iniciado assim que os forasteiros, sob a liderança do capitão Domingo de Irala, se sentiram fortes o bastante para romper a aliança com os nativos que os tinham ajudado a instalar-se ali.

De acordo com vários depoimentos — entre os quais o do mercenário *Ulrich Schmidel*, testemunha ocular da história —, Assunção logo se tornou uma cidade mergulhada na mais absoluta devassidão: um lugar violento, onde os fidalgos castelhanos não só espancavam constantemente seus escravos como envolviam-se em inúmeros conflitos entre si e tinham inúmeras concubinas nativas. Houve até quem definisse a cidade como "o paraíso de Maomé".

A Capitania de Santo Amaro

Antes de saberem da fundação de Assunção — notícia de todo desvantajosa para eles —, os remanescentes da expedição de Martim Afonso que haviam sobrevivido à Guerra de Iguape ainda labutavam para reerguer São Vicente. Aquela era tarefa árdua e, embora eles em breve pudessem contar com o auxílio de um novo grupo de colonos, vários anos seriam necessários antes que o antigo Porto dos Escravos se reestabelecesse.

Os reforços, que chegaram em 1538, eram parte de um grupo arregimentado por D. Isabel de Gamboa (esposa e procuradora de Pero Lopes). Mas, sob a chefia de um certo Gonçalo Afonso (companheiro de Pero Lopes na luta contra os franceses nos Açores), aqueles homens não tinham vindo para o Brasil com o objetivo de reerguer São Vicente: sua missão era dar início à colonização da capitania de Santo Amaro, que ficava ao lado de São Vicente e pertencia a Pero Lopes.

O "cacique" Cunhambebe ("O Gago", em tupi) foi um dos principais líderes indígenas contra a ocupação portuguesa do Brasil — e o mais temido deles todos. Aliado dos franceses, manteve guerra constante contra os "perós". Liderava seus homens em grandes esquadrilhas de canoas (algumas com capacidade para 60 pessoas) e, em geral, desferia seus ataques à noite. Não temia a artilharia dos brancos: chegou a roubar seis canhões de uma caravela lusa, e os disparava carregando-os sobre os próprios ombros. Cunhambebe matou o fidalgo Rui Pinto, lugar-tenente de Martim Afonso, e passou a usar o hábito e a cruz da Ordem de Cristo que pertenciam à vítima. O alemão Hans Staden foi seu prisioneiro. Cunhambebe (abaixo) tornou-se célebre na Europa ao ser descrito pelo padre André Thevet em Singularidades da França Antártica. Morreu por volta de 1555.

Os colonos se estabeleceram na ilha de Guaimbé, rebatizada Santo Amaro. A ilha, no entanto, ficava dentro dos limites da capitania de Martim Afonso (veja mapa na p. 87). Mas como os dois irmãos pouco se interessavam pela sorte de seus lotes, não houve, a princípio, conflito territorial algum. O litígio judicial só eclodiria anos mais tarde — ferrenhamente travado pelos herdeiros de ambas as possessões.

De todo modo, Gonçalo Afonso e seus homens não conseguiram permanecer muito tempo em Santo Amaro. Sob a liderança do temível *Cunhambebe*, os Tamoio (aliados dos franceses e inimigos ancestrais dos Tupiniquim) partiram das ilhas Grande (RJ) e São Sebastião (SP) a bordo de suas grandes canoas e, no início de 1539, devastaram tudo o que Gonçalo Afonso havia construído. Só então os sobreviventes se transferiram para a vizinha São Vicente.

O DESTINO DE PERO LOPES

Pero Lopes jamais soube da tragédia que se abateu sobre sua capitania. No início de 1539, o rei o enviara para a Índia — e lá, o irmão de Martim Afonso encontrou a morte.

Àquela altura, Lopes já havia lutado no Brasil e no Marrocos e servira na frota guarda-costas estacionada nos Açores. Mas nunca fora nomeado para uma missão na Índia — o mais alto reconhecimento para um conquistador como ele. Portanto, deve ter sido com muita honra que ele recebeu tal incumbência. Uma carta escrita por Antônio de Ataíde para Martim Afonso, em fins de 1538 — na qual o conde dizia que "vosso irmão apesar da pouca idade está feito um homem muito honrado"[50] —, parece indicar que, uma vez mais, o dedo de Ataíde esteve por trás da nomeação que certamente encheu Pero Lopes de orgulho e esperança de enriquecimento.

Chefiando uma esquadra de seis naus, Pero Lopes partiu de Portugal em março de 1539 e desembarcou em Goa em setembro. Segundo os cronistas reais, durante os dois anos em que esteve no Oriente, ele cometeu uma série de atrocidades contra povos asiáticos. Em seu clássico *Lendas da Índia*, Gaspar Correia chegou a afimar que Lopes, "zeloso de mal fazer", possuía "a maldade de Nero".[51]

Correia revela que, disposto a transportar em uma das naus pimenta para si próprio, Pero Lopes simplesmente jogou no oceano 40 baús carregados com os pertences de seus homens. Mais tarde, ao descobrir 15 clandestinos no porão do navio, "mandou deitá-los todos ao mar". Como era "homem de mui forte condição", julgava que não seria punido pelo rei. Mas, de acordo com Gaspar Correia, não pôde escapar da "justiça divina":

"E porque aquele (*crime*) era um tão enorme feito, a que El Rei não houvera de dar o castigo que merecia, quis Deus dar-lho, que (*Pero Lopes*) sumiu no mar, que nunca mais apareceu, nem novas dele. E posto que com esse tirano muitos padeceram morte, quis Nosso Senhor mostrar sua divina justiça, como o fará a outros grandes males que há na Índia, que não pode haver castigo senão da sua mão, porque é juiz que não toma peita (*não aceita dádivas*) senão de corações direitos".[52]

Gaspar Correia julgava que o navio de Pero Lopes tivesse naufragado ao largo de Moçambique, nas proximidades da ilha de Madagáscar, na costa oriental da África, em fins de 1541. As notícias que faltaram a Correia foram descobertas por frei Fernão de Queiróz — desvendando um destino mais atroz. De acordo com frei Queiróz, Pero Lopes foi preso no Ceilão (atual Sri Lanka), teve o nariz e outras partes do corpo cortadas pelos nativos e morreu de forma lenta e terrível.[53]

Alvar Nuñez Cabeza de Vaca foi uma das mais extraordinárias figuras da conquista européia da América. Nascido em 1492, ele partiu para o Novo Mundo em 1527, como tesoureiro da expedição de Panfilo de Narváez. A frota naufragou na Flórida e, além de Cabeza de Vaca, apenas três homens sobreviveram. Eles foram escravizados pelos nativos, conseguiram fugir e caminharam 8.000km, nus e descalços, até a cidade do México, onde chegaram no início de 1537, tendo se tornado os primeiros europeus a percorrer todo o sudoeste dos EUA. Os indígenas que encontraram pelo caminho os chamavam de "filhos do Sol" e os julgaram deuses, pois Vaca havia curado alguns. Foi provavelmente por isso que ele se tornou, pelo resto da vida, defensor dos nativos, chegando a dizer que seu objetivo era "ensinar o mundo a conquistar pela bondade, não pela matança". Abaixo, retrato supositício de Vaca.

Enquanto o irmão agonizava no Oriente, Martim Afonso já estava de volta a Lisboa, onde havia chegado em agosto de 1539. Tendo feito a viagem marítima entre Portugal e a Índia na mesma época — embora em sentido contrário — os navios dos dois irmãos com certeza se cruzaram em alto-mar. Mas, como não se avistaram naquela ocasião, Martim Afonso e Pero Lopes jamais tornariam a se ver.

CABEZA DE VACA PERCORRE O PEABIRU

Em setembro de 1539, um mês depois do retorno de Martim Afonso à Europa, Alvar Nuñez Cabeza de Vaca se tornou o segundo "adelantado" (ou governador) do Rio da Prata. Ao desembarcar em Sevilha, dois anos antes, em companhia de Gonçalo da Costa, Cabeza de Vaca solicitara para si o cargo de "adelantado" da Flórida — região onde havia naufragado em 1527 e a partir da qual iniciara sua *dramática odisséia* pelas planícies da América do Norte. A notícia de que aquele posto fora concedido pouco antes para o fidalgo Hernando de Soto foi uma amarga decepção para ele.

Mas, como era preciso nomear um substituto para o finado D. Pedro de Mendoza, o imperador Carlos V acabou escolhendo o próprio Cabeza de Vaca para o cargo. Após escutar o relato de Gonçalo da Costa sobre os ataques indígenas a Buenos Aires, Cabeza de Vaca — que se tornara defensor intransigente dos nativos e tinha como objetivo "ensinar o mundo a conquistar pela bondade, não pela matança"[54] — se entusiasmara com a possibilidade de pacificar os Querandi.

Portanto, não só aceitou o posto que lhe foi oferecido pelo imperador como se dispôs a investir 40 mil ducados de sua fortuna familiar para tentar colonizar novamente o estuário do Prata. Àquelas alturas, na Europa, nada se sabia sobre a fundação de Assunção.

Em companhia de Gonçalo da Costa, Cabeza de Vaca partiu da Espanha em novembro de 1540. No dia 29 de março do ano seguinte, ancorou no Porto dos Patos, em frente à ilha de Santa Catarina. A ilha ficava dentro da zona espanhola de demarcação e, 15 anos antes, fora batizada por Sebastião Caboto, em homenagem à sua esposa, Catarina Medrano.

Enquanto Cabeza de Vaca permanecia ali, preparando-se para zarpar em direção ao Prata, um pequeno barco a remo ancorou no Porto dos Patos. A bordo daquele batel vinham nove castelhanos. Ao longo de três meses de viagem, eles tinham descido boa parte dos rios Paraguai e Paraná, cruzado o estuário do Prata e subido a tormentosa costa que se estende desde Punta del Este até Santa Catarina. Estavam "esgotados, famintos e nus".[55]

Mas a desvairada aventura na qual haviam se lançado 90 dias antes valera a pena: eles tinham escapado dos desmandos e crueldades do capitão Domingo de Irala — que se autonomeara governador de Assunção e pretendia executar todos os que não se aliassem a ele. Foi através do relato daqueles homens que Cabeza de Vaca soube do abandono definitivo do fortim de Sancti Spiritus e da fundação de Assunção.

Informado também de que o vilarejo recém-fundado ficava mais ou menos na mesma latitude do Porto dos Patos — e da existência de uma trilha indígena que conduzia até lá —, Cabeza de Vaca decidiu seguir por terra até Assunção, enquanto seus navios desciam a costa para depois subirem o Prata e o Paraná. Guiado por Gonçalo da Costa e acompanhado por 250 soldados, 26 cavalos, dois frades e vários índios, Vaca partiu do Porto dos Patos no dia 18 de outubro de 1541. Uma semana mais tarde, ingressou na trilha do Peabiru, o ancestral caminho indígena que conduzia até o Peru.

FRANCISCO DEL PUERTO

Não se sabe quem era o homem en-
contrado pela tropa de Cabeza de
Vaca ao longo do Peabiru. Al-
guns historiadores supõem que
fosse o misterioso Francisco del
Puerto. Francisco era grumete e
tinha 14 anos quando foi poupa-
do do massacre que vitimou Juan
Diaz de Sólis no Rio da Prata.
Ficou vivendo na ilha de Martim
Garcia, onde foi encontrado pelo
capitão Cristóvão Jaques, em
1521. Depois de usá-lo como
guia, Jaques o abandonou na
mesma ilha. Lá, Francisco foi
encontrado em 1526 por Se-
bastião Caboto e subiu com ele até
o alto Paraná, onde Caboto fun-
dou o fortim Santa Ana. O for-
tim foi atacado e existem suspei-
tas de que Francisco tenha facili-
tado a ação dos indígenas, abrin-
do os portões. Como o homem en-
contrado por Vaca vivia naquelas
imediações e se chamava Fran-
cisco, talvez ambos fossem a mes-
ma pessoa.
Na ilustração acima, uma das
balsas que os homens de Cabeza
de Vaca fizeram para cruzar o
Iguaçu, depois desceram por terra
pelo lado das cataratas.

Vencendo a Serra do Mar pelo vale do rio Itapocu, a tropa refez a mesma jornada que Aleixo Garcia havia realizado 17 anos antes e ao longo da qual descobrira o lendário território do Rei Branco. Em dezembro de 1541, em algum lugar do atual estado do Paraná, em pleno Peabiru, o grupo de Vaca deparou com um *misterioso homem branco*, que disse se chamar *Francisco* e garantiu ter sido "criado de (*Aleixo*) Garcia".

Pouco mais tarde, em 14 de janeiro de 1542, Cabeza de Vaca se tornou o primeiro europeu a vislumbrar a foz do Iguaçu. Mas, para ele, esse monumental espetáculo da natureza significou apenas uma nova e árdua barreira em seu caminho. A bordo de *balsas precárias*, e com muito risco, a tropa cruzou o Iguaçu, pouco abaixo das cataratas. E então, no dia 12 de março de 1542, o novo governador do Prata finalmente chegou a Assunção.

MARTIM AFONSO, VICE-REI DA ÍNDIA

Em 12 de março de 1541 — exatamente um ano antes da surpreendente entrada de Cabeza de Vaca em Assunção — Martim Afonso de Sousa fora nomeado, em Lisboa, o novo "Vice-Rei das partes da Índia": o mais alto e prestigioso cargo que ele poderia almejar. Apesar das acusações de corrupção — que haviam "deslustrado" seus feitos anteriores no Oriente —, Martim Afonso tinha fundado a fortaleza de Diu e vencera muitas batalhas ao longo dos quatro anos em que estivera na Índia. Por isso, após o retorno a Lisboa, em agosto de 1539, fora coberto de prêmios por seu velho amigo de infância, o rei.

De fato, em 19 de setembro de 1540, para o "honrar e fazer mercê por o ter mui bem servido", D. João III concedera a Martim Afonso uma "tença" (ou pensão vitalícia) de 92 mil reais. O monarca parecia tão disposto a agradá-lo que, pouco antes, já havia dado à mulher de Martim Afonso, D. Ana Pimentel, uma tença ainda maior, no valor de 103.280 reais. Juntas, as tenças equivaliam aos salários anuais de 50 marujos.

Mas nada daquilo podia se comparar ao cargo de "Vice-Rei da Índia", para o qual Martim Afonso foi alçado no dia 12 de março de 1541, em substituição a D. Garcia de Noronha (que havia sucedido D. Nuno da Cunha em janeiro de 1539, mas morrera em abril de 1540). A indicação era ainda mais honrosa porque, antes de obtê-la, Martim Afonso suplantou um competidor de peso: D. Estevão da Gama — filho de Vasco da Gama, almirante e descobridor do caminho marítimo da Índia.

Fora através de uma carta enviada de Goa por Estevão da Gama que D. João soubera da morte de D. Garcia. Já tendo assumido o governo interinamente, Gama ousara oferecer-se para ocupar o cargo em definitivo. O rei, no entanto, acabou optando por Martim Afonso — e a influência de D. Ataíde deve ter sido decisiva para esse desfecho do processo sucessório.

Como já ganhara muito dinheiro na Índia — e se via agora na contingência de ganhar mais —, Martim Afonso tratou de comprar um castelo, o de Alcoentre, nos arredores de Lisboa. Antes de partir, também encarregou D. Ana Pimentel da construção de *duas casas* "formosas e grandes" [56] na capital.

Quando soube que as obras já estavam em andamento — e que as mansões ficavam na refinada rua da Cordoaria Velha (atual rua Garret) —, a rainha D. Catarina chamou D. Ana ao Paço Real e lhe perguntou: "Dizem-me que fazeis umas casas muito formosas para quando vier Martim Afonso?", ao que sua antiga dama de companhia respondeu: "Senhora, se ele vier pobre, aquelas casas bastam; se vier rico, aí está o (*presídio do*) Limoeiro". [57]

Semanas antes de zarpar para a Índia, em 7 de abril de 1541, Martim Afonso tomou a primeira e única atitude em

Referindo-se não só ao governo de Martim Afonso, mas aos que o antecederam e sucederiam, o jesuíta Francisco Xavier escreveu para os seus colegas da Companhia de Jesus: "Não permitais que nenhum dos vossos amigos venha para a Índia com cargos e nomeações do rei, pois dessas pessoas se pode com verdade dizer: 'Riscai-os do livro dos vivos e não os deixeis entrar no livro dos justos'. Porque os que aqui estão têm arreigado hábito de abusarem dos seus deveres — para o que não vejo remédio, pois todos seguem pelo mesmo caminho do 'roubo eu, roubas tu'. É para mim contínua maravilha ver como os que vêm de Portugal encontram tantos modos, tempos e particípios para conjugar esse verbo 'roubar'; e os que vêm com nomeações para esses cargos têm tanta pressa que nunca se moderam, por mais que guardem para si. Por isso agora talvez compreendais como partem mal deste mundo para o outro essas almas providas de tais nomeações". Abaixo, fidalgos lusos na Índia.

prol da capitania de São Vicente. Ele firmou um contrato com o mercador holandês Johann van Hielst para a construção de um engenho de açúcar em seus domínios. Alguns historiadores acham que esse acordo já fora feito sete anos antes, em 1534, e que o próprio irmão de Martim Afonso, Pero Lopes, participara dele. De qualquer forma, nenhuma atitude prática seria tomada até fins de 1541 — quando van Hielst ergueu o estabelecimento batizado de "engenho do Governador".

Chamado de João Vaniste no Brasil, van Hielst era representante do rico comerciante belga Erasmo Schvetz — conhecido como Erasmo "Esquetes" no Brasil e o verdadeiro dono do empreendimento. Da empresa açucareira participou também o inglês John Whithall (que virou "João Leitão"). Foi só após o envolvimento desses grandes investidores que São Vicente enfim pôde "renascer". Ainda assim, como se verá, esses homens em breve teriam que suplantar um novo desastre.

MARTIM AFONSO NOVAMENTE NA ÍNDIA

No dia 7 de abril de 1541, comandando cinco naus, Martim Afonso zarpou de Lisboa para a Índia pela segunda vez na vida. Entre os capitães das naus estavam Álvaro da Gama (filho de Vasco da Gama e irmão de Estevão, que já estava em Goa) e Luís Caiado (irmão de D. Isabel de Gamboa e, portanto, cunhado de Pero Lopes). Entre os passageiros encontrava-se *Francisco Xavier*, um dos fundadores da Companhia de Jesus. Depois canonizado como São Francisco Xavier, ele foi o primeiro jesuíta a partir da Europa em missão evangelizadora — e tornou-se um implacável cronista do governo de Martim Afonso.

131

A jornada até o Oriente foi difícil. Martim Afonso perdeu a monção de verão e teve que invernar em Moçambique até o início de 1542, antes que os ventos mudassem de direção e lhe permitissem cruzar o oceano Índico. Durante essa estada involuntária na África, o vice-rei perdeu Lopo Roiz de Sousa, o segundo dos cinco filhos e três filhas que tivera com D. Ana Pimentel e que embarcara com ele para fazer carreira na Índia.

No dia 6 de maio de 1542, a esquadra enfim aportou em Goa — um ano e um mês depois de ter partido de Lisboa. A chegada de Martim Afonso "causou alvoroço na terra, como era costume",[58] não só porque um novo vice-rei estava chegando mas também porque, junto com ele, "desembarcou muita gente nobre". A maioria desses homens vinha para assumir cargos de chefia na burocracia estatal: eram tabeliães, escrivães, feitores e fiscais que — como seus antecessores — estavam dispostos a enriquecer o mais rapidamente possível.

Martim Afonso governou a Índia durante três anos e quatro meses. De acordo com o historiador Duarte de Almeida, o novo vice-rei, com "sua ambição desmedida e absoluta falta de escrúpulos", transformou seu governo em "um sudário de vergonhas e escândalos", entre os quais não faltaram "uma sórdida especulação com os recursos do Tesouro Real e a venda de cargos públicos".[59]

MAREMOTO EM SÃO VICENTE

No verão de 1542 — enquanto Martim Afonso ainda estava retido em Moçambique, aguardando o início da monção para seguir rumo à Índia — um *maremoto* submergiu boa parte da vila de São Vicente, engolindo também algumas das praias que a cercavam.

A FORÇA DAS ÁGUAS

O maremoto que atingiu São Vicente teve, segundo testemunhos da época, ondas de até 8m de altura, fez o mar avançar por 150m engoliu quase todo o vilarejo, que foi então transferido das cercanias do Porto das Naus para a praia em frente à atual ilha Porchat, ao lado do local que os nativos chamavam de Tuamiru. Um certo Pedro Colaço foi encarregado pela Câmara dos Vereadores da missão de recolher do fundo do oceano o antigo pelourinho e outros marcos da povoação tragada pelas águas. Abaixo, mapa feito pelo historiador Mário Neme para mostrar o avanço do mar e a região que foi submersa.

Embora fosse um desastre natural, a tragédia fora acentuada pela imprevidência dos colonizadores: como eles haviam destruído os mangues e desmatado os morros vizinhos para plantar cana, São Vicente perdera suas defesas naturais, sendo varrida pelas ondas.

De fato, poucos meses mais tarde, o Porto das Naus ficou assoreado, impedindo os navios de ancorar nele. A causa do novo problema foi a mesma que agravara os efeitos do maremoto ocorrido em janeiro de 1542: "As roças e a derrubada dos matos, que antes vestiam o solo e o seguravam, permitiram que as enxurradas de verão levassem consigo muita terra até entulhar o ancoradouro", escreveu o historiador Francisco de Varnhagen. "Esse fenômeno se repetiria em muitos outros de nossos rios e baías, à medida que suas vertentes foram sendo devastadas e cultivadas".[60]

Àquelas alturas, a principal fonte de renda da capitania continuava sendo o tráfico de escravos indígenas. Mas, como o açúcar estava começando a desempenhar um papel progressivamente importante em São Vicente, a existência de um bom porto era fundamental para o escoamento da produção. Por isso, em 1543, o colono *Brás Cubas* fundou a vila de Santos, localizada a poucos quilômetros de São Vicente. Como era um porto mais favorável, Santos logo suplantou São Vicente, e a maior parte dos colonos se transferiu para lá.

O açúcar não era propriamente uma novidade em São Vicente. Antes da construção do "engenho do Governador", a capitania já possuíra dois outros estabelecimentos similares: o engenho da Madre de Deus, erguido por Pero de Góis em 1533 e o engenho dos Adornos, de propriedade dos irmãos genoveses e em funcionamento desde 1534. Nenhum deles, porém, podia se comparar — em dimensões e recursos — ao engenho dirigido por Johann van Hielst, mais tarde rebatizado de engenho de São Jorge dos Erasmos, numa referência ao verdadeiro dono do empreendimento, o mercador belga Erasmo Schetz.

Em muitos aspectos, a história do engenho São Jorge dos Erasmos é semelhante à dos grandes engenhos da ilha da Madeira, caracterizados por serem basicamente um empreendimento mercantil de holandeses, belgas e alemães em possessões lusas, financiado por comerciantes estrangeiros e visando a um mercado europeu mais amplo.[61]

Os europeus tinham descoberto as delícias do açúcar desde o tempo dos cruzados. Mas fora somente após o florescimento dos canaviais e dos engenhos erguidos nas ilhas da Madeira e São Tomé que o produto começara a chegar em grande quantidade aos centros consumidores da Europa.

Por volta de 1541, uma arroba (ou 15kg) de açúcar valia um cruzado (ou 400 reais) no Brasil e era revendida pelo triplo do preço em Amsterdam. Uma arroba de açúcar equivalia ao salário mensal de um trabalhador comum. Por isso, o engenho dos Erasmos logo se revelou um investimento lucrativo, produzindo mil arrobas por ano, de acordo com uma carta enviada para a Europa por um dos feitores da família Schetz.[62]

Essa mesma carta é particularmente instrutiva porque, nela, seu autor informava aos patrões, instalados em Antuérpia, que, por negligência dos feitores anteriores, a propriedade fora invadida por posseiros.

Os invasores tinham plantado grandes lavouras nas cercanias do engenho e forneciam cana para a moagem. Mas o novo feitor sugeriu que o estabelecimento passasse a moer exclusivamente a cana plantada nas porções não usurpadas da propriedade. A proposta foi aceita pelos patrões, que determinaram que os invasores deveriam ser retirados da propriedade.

134

E então, em princípios de 1548, a força foi usada para expulsar os posseiros, no primeiro confronto fundiário travado entre europeus a ser documentado na história do Brasil.

De qualquer forma, São Vicente não estava destinada a se tornar uma importante área açucareira durante o período colonial: as terras da capitania eram menos próprias para o plantio, as faixas planas eram menores, o clima era "fresco" demais e, acima de tudo, São Vicente ficava mais longe de Portugal do que Pernambuco — circunstância que fazia o preço do frete subir consideravelmente.

São Vicente continuou sendo uma capitania pobre e remota. E a principal fonte de renda de seus colonos permaneceria sendo o tráfico de escravos indígenas.

DEVASTAÇÃO EM SÃO TOMÉ

Em fins de 1541, enquanto Johann van Hielst erguia em São Vicente o engenho do Governador, o donatário Pero de Góis, seu irmão Luís e cerca de 40 colonos estavam instalados na capitania de São Tomé. O donatário — que já fora responsável pelo estabelecimento do primeiro engenho nas terras de Martim Afonso — dedicava-se agora à implantação da indústria canavieira na sua Vila da Rainha (provavelmente erguida, como já foi dito, no sítio da atual cidade de Campos, RJ).

Mas o processo exigia investimentos de vulto. A mera instalação de um engenho requeria recursos superiores a 20 mil cruzados — o mesmo preço de uma nau. Não apenas as mudas e o maquinário eram importados (em geral da ilha da Madeira) como também era preciso contratar técnicos e funcionários especializados, que recebiam altos salários.

Convencido de que "sem capitais, nada poderia fazer",[63] Pero de Góis — que era o donatário que menos dispunha de recursos pessoais — partiu para o reino em março de 1542, à procura de um sócio capitalista disposto a investir no negócio. Junto com ele, seguiu seu irmão, Luís. O governo da capitania ficou então sob a responsabilidade de um lugar-tenente, um certo Jorge Martins.

Em abril de 1542, a passagem dos irmãos Góis pela capitania de Pernambuco foi registrada pelo donatário Duarte Coelho. Não se sabe quando eles chegaram a Portugal, mas no dia 12 de março de 1543 com certeza já estavam lá, pois o acordo de limites que Góis firmara seis anos antes com Vasco Fernandes Coutinho foi registrado em cartório naquela data — e assinado por ambos os donatários, em frente a um tabelião. É provável que Pero de Góis tenha desembarcado em Lisboa no início do segundo semestre de 1542.

Durante sua estada no reino, ele conseguiu convencer o "mercador de ferragens" Martim Ferreira (que provavelmente era cristão-novo, ou seja, um judeu convertido [64]) — a investir "muitos mil cruzados" para incrementar a incipiente indústria açucareira da capitania São Tomé. Aquela viagem, porém, teria uma conseqüência histórica bem mais duradoura e importante: enquanto Pero de Góis tratava de negócios, seu irmão Luís tornava-se o primeiro europeu a introduzir *o uso do tabaco* na Europa. Sem que pudesse imaginar, estava dando início à expansão de um dos vícios mais duradouros da história.

O TABACO

A revelação de que foi Luís de Góis quem levou as primeiras mudas de tabaco para Portugal foi feita por Damião de Góis, um dos mais ilustres humanistas portugueses do século 16 (e que, apesar de ter o mesmo sobrenome, não era parente de Luís de Góis).

Antes de se tornar um vício planetário, o tabaco foi duramente combatido na Europa. Na Inglaterra, até fins do século 16, fumar poderia levar à pena de morte. Os indígenas do Brasil, porém, fumavam muito — e louvavam o tabaco. Os portugueses passaram a imitá-los. O ato de fumar era, então, definido pela expressão "beber fumo", já que, muitas vezes, o tabaco era aspirado a partir de uma cabaça com água e o usuário "soltava a fumaça pelas ventas". Abaixo, um Tupinambá tragando seu longo cigarro, em gravura de Theodore de Bry.

Damião de Góis — que enfrentaria uma série de problemas com a Inquisição — era um defensor do tabaco e lhe reputava virtudes medicinais: "Faz cousas milagrosas, de que vi a experiência", escreveu ele. O tabaco era chamado de "erva de fumo" mas, disse Damião de Góis, "eu lhe chamaria de erva santa", já que era um "remédio infalível" contra as "apóstemas ulceradas, fístulas, caranguejas (*cancros em geral*), pólipos e outras moléstias graves".

No Brasil, o tabaco era muito usado pelos indígenas. "Especialmente", anotou o historiador seiscentista Gabriel Soares, "pelos feiticeiros, nas funções de médicos e adivinhadores". Ainda de acordo com Soares, "tinham os índios o tabaco por indispensável aos defuntos, sendo uso colocá-lo nas sepulturas, na forma de uma espécie de comprido cigarro, que era posto junto com a água e a comida para a jornada no além".

Apesar de Luís de Góis ter levado a planta para Portugal, o hábito de fumar tabaco só se espalhou pela Europa depois que o embaixador francês em Lisboa, Jean Nicot, recolheu secretamente algumas mudas, no Jardim Botânico da cidade, e as enviou, em 1560, para a rainha Catarina de Médicis, mulher do rei Henrique II. A rainha e a corte francesa adotaram o hábito de fumar. Ironicamente, embora Jean Nicot nunca tenha fumado — nem recomendasse o uso da erva — seu nome acabaria sendo usado para batizar o princípio ativo do tabaco: a nicotina.

Quando Pero e Luís de Góis retornaram para São Tomé em fins de 1543, encontraram toda a sua obra destruída. A capitania estava "alevantada e devastada".[65] Os colonos tinham se embrenhado na mata e o lugar-tenente Jorge Martins — que fora deixado no governo — simplesmente fugira. Pero de Góis pensou em desistir de tudo, como revelou em carta para o sócio Martim Ferreira. Mas, como precisava pagar o financiamento que obtivera dele em Lisboa, pôs mãos à obra e deu início à dura tarefa de reconstruir o que os Goitacá haviam devastado.

Pelo depoimento dos colonos sobreviventes, o donatário ficou sabendo então que a revolta dos nativos havia sido provocada pelas incursões escravagistas que o lugar-tenente Jorge Martins havia liderado em sua ausência.

Embora tenha refeito os fundamentos da Vila da Rainha, Góis decidiu explorar o litoral de sua capitania em busca de um novo lugar onde se instalar, examinando "as águas que nesta terra onde fico havia".[66] Ele entrou pela foz do rio Itabapoana e, ao longo de dois meses, navegou cerca de 60km por seu curso acima, "até onde o rio começa a cair em quedas". Ali, numa grande cachoeira, instalou um engenho movido a água.

Nos dois anos seguintes, outros quatro engenhos foram erguidos nas proximidades do Itabapoana e nas margens do Paraíba do Sul. Pero de Góis estava tão entusiasmado com o andamento das obras que, em 18 de agosto de 1545, mandou uma carta para Martim Ferreira afirmando que, em menos de dois anos, seria capaz de enviar ao sócio "um par de mil arrobas de açúcar nosso, destes engenhos, e daí para adiante mais".[67]

Góis aproveitou da mesma carta para solicitar que Ferreira lhe enviasse, o mais rapidamente possível, 60 "negros da Guiné": dez para o plantio, corte e transporte da cana e 50 para trabalhar no engenho d'água. Ao mesmo tempo, não deixou de reclamar do material "de má qualidade" que o sócio recentemente lhe enviara: "Tenho para mim que nada é pior para a armação do engenho do que mandar coisas ruins, porque são as baratas que saem caras", disse ele. "O ferro que ora veio, com ele nada se faz. As facas são de baixa sorte e as tesouras não se as pode aproveitar. E isso não é minha culpa, pois eu vos avisei bem do caso e não sei por que não lembra do que vos escrevo, pois tudo é para vosso proveito e serviço e olhe bem de quem lá se fia, porque cá vem tudo furtado".[68]

Apesar da observação em tom de reprimenda, Góis se despedia do sócio com expectativas bastante otimistas — e não sem beijar "as mãos de vossa mercê mil vezes", pois não ignorava que o futuro da capitania dependia de seus investimentos.

Mas então, quando tudo parecia bem, uma nova tragédia se abateu sobre a capitania de Góis — e desta vez de forma definitiva. O relato otimista que o donatário enviara para o reino em agosto de 1545 contrasta amargamente com a carta que ele escreveu para o rei D. João III em 29 de abril do ano seguinte, na qual relatava a destruição total de sua capitania.

De acordo com o depoimento de Pero de Góis, seus domínios tinham sido arrasados por causa da ação de "piratas" que haviam zarpado da capitania do Espírito Santo. Liderados por um certo Henrique Luís de Espina, os corsários tinham chegado ao litoral de São Tomé para escravizar os nativos. Capturaram então um dos principais líderes dos Goitacá, "e o mais amigo dos cristãos", pedindo resgate por ele. Embora os indígenas tivessem pago o preço exigido, Henrique Luís não só não devolveu o refém como o entregou para uma tribo inimiga — "que o comeu". Irados, os Goitacá devastaram a capitania, matando vários colonos e queimando os canaviais.

O relato de Góis é dramático: "Por causa de Henrique Luís, os índios se alevantaram todos, dizendo de nós muitos males e que não se fiavam mais de nós, que não mantínhamos a verdade, e se vieram logo a uma povoação minha pequena que eu tinha e, estando a gente segura, fazendo suas fazendas, deram neles e os mataram e queimaram os canaviais todos, com a fazenda que havia, e tomaram toda quanta artilharia havia, deixando tudo estroído (*sic*) e quando lá fui a acudir era tudo estroído".[69]

A revolta se espalhou pela capitania inteira, e os Goitacá atacaram e devastaram a Vila da Rainha: "Do mar onde eu estava", conta Góis, "via tudo alevantado, com o gentio pronto para me matar, como a toda minha gente, e perdi 25 homens que me mataram, dos melhores que eu tinha, e fiquei com um olho perdido, de que não vejo, e bem assim perdidos 15 anos em esta terra; porém mais sinto ainda a perda que dei a homens que em mim confiaram".

A traição de Henrique Luís iria adquirir contornos ainda mais atrozes ao ser revelada por completo, quatro anos mais tarde, pelo ouvidor-geral Pero Borges, que veio para o Brasil com o governador-geral, Tomé de Sousa. De acordo com Borges, Henrique Luís fora salvo por "um índio principal que o livrara das mãos de outros, mal ferido e mal tratado". Depois de curado, o pirata partiu para outra capitania, mas retornou a São Tomé pouco tempo depois "e mandou dizer ao índio principal que o tivera em sua casa que o fosse ver ao navio". Achando que Henrique Luís vinha para "lhe agradecer", o chefe indígena atendeu ao convite. Mas, "quando o teve no navio (*Henrique Luís*), o cativou (...) e o foi vender por essas capitanias".

O mesmo Pero Borges revelou o fim de Henrique Luís: "Esse homem não ficou ele sem castigo porque naquele mesmo porto onde ele tomou aquele índio, que tão boas obras lhe fizera, vindo ele ali outra vez saltear, se perdeu o navio e o comeram os peixes, e os gentios comeram o peixe que a este homem tinham comido".[70]

140

O FIM DE SÃO TOMÉ

Em 1602, Gil de Góis da Silveira, filho de Pero Góis, veio para o Brasil e instalou-se na capitania de São Tomé, que herdara depois da morte do pai, ocorrida em 1580. Gil de Góis construiu uma vila na foz do Itapemirim e se amancebou com a filha de um cacique Goitacá. Quando sua esposa, a castelhana D. Francisca de Aguiar, chegou ao Brasil, ficou enciumada com a concubina do marido e, na ausência dele, mandou chicoteá-la. A nativa então fugiu para sua aldeia e seus parentes "alevantaram-se" contra os colonizadores, destruindo a vila, que se chamava Santa Catarina. Gil de Góis foi forçado a retornar para Portugal e, em 1619, renunciou à posse da capitania, já então chamada "em língua de negros" de Paraíba do Sul. Assim, todo aquele território voltou a pertencer à Coroa.

Para Pero de Góis, porém, a vingança veio tarde demais. Sua capitania fora devastada e ele se lastimava para o rei: "Eu, Senhor, tenho mãe e três irmãs, que lá (*em Portugal*) deixei, e como nada tenho de meu, nem meus avós me deixaram mais que aquilo que Deus e V. Alteza me fez mercê, mantenho-as com muito trabalho de minha vida e pessoa".

Ao retornar para Lisboa, Góis obteve do rei uma pensão de 36 mil reais para o sustento da mãe e das irmãs. Em fins de 1548, foi feito "capitão-mor do mar do Brasil", com direito a um salário de 200 mil reais por ano (ou 500 cruzados, o equivalente ao ordenado de 50 marujos), retornando para a colônia em companhia de Tomé de Sousa. Ainda assim, jamais conseguiu se reestabelecer em *sua capitania*.

ANARQUIA NO ESPÍRITO SANTO

Embora amargo, o destino de Pero de Góis foi bem melhor do que o de Vasco Fernandes Coutinho, donatário do Espírito Santo. O fato de Henrique Luís de Espinha e seus piratas terem partido daquela capitania já era indício evidente da desordem que reinava no lote vizinho a São Tomé. Com efeito, durante a longa ausência de Vasco Fernandes, o caos se instaurara no Espírito Santo.

Vasco Fernandes Coutinho tinha partido para Portugal por volta de 1539, logo após se estabelecer em seu "vilão farto" — a atual Vila Velha, erguida no continente, ao sul de onde, mais tarde, surgiria a cidade de Vitória. No reino, seu objetivo era similar ao de Pero de Góis: Coutinho pretendia encontrar um sócio que se dispusesse a investir na exploração das "minas de ouro e prata" de cuja existência, em algum lugar "sertão adentro", o donatário tinha "recebido novas".

Antes de partir, Coutinho tivera a má idéia de deixar em seu lugar o degredado D. Jorge de Meneses — o "homem de Maluco". A opção mais razoável teria sido entregar o governo para o fidalgo Duarte de Lemos. Mas Coutinho e Lemos haviam tido uma série de conflitos sobre questões fiscais e pagamentos de impostos. Por conta delas, não se falavam mais.

Indícios permitem supor que D. Jorge tenha decidido "governar a ferro e fogo, repetindo as cruéis proezas que realizara na Índia". Liderados pelo "homem de Maluco", os colonos do Espírito Santo partiram em incursões para o interior dispostos a escravizar indígenas para o trabalho nas lavouras de cana. Deflagraram, assim, a insurreição geral dos nativos — especialmente os Goitacá. Num desses conflitos, D. Jorge de Meneses foi morto a flechadas.

Quem assumiu o governo em seu lugar foi D. Simão de Castelo Branco, o outro degredado de origem nobre que Coutinho trouxera consigo em 1535. Seu destino foi similar ao do "homem de Maluco": os nativos também o mataram e, a seguir, invadiram e destruíram Vila Velha, queimando os canaviais e forçando os colonos remanescentes a se refugiarem na ilha de Santo Antônio, que fora doada a Duarte de Lemos.

Convencido de que a capitania dificilmente iria se recuperar, Duarte de Lemos simplesmente abandonou suas propriedades no Espírito Santo e se transferiu para Porto Seguro, a donataria vizinha, ao norte. Todos estes acontecimentos devem ter ocorrido por volta do segundo semestre de 1544.

Tais notícias demoraram alguns anos para chegar ao reino. Tanto é que, ao zarpar de Portugal de volta para o Brasil, Coutinho ainda ignorava a tragédia que devastara seus domínios. Foi só ao desembarcar no Espírito Santo, em fins de 1546, que o donatário encontrou destruído tudo o que erguera:

os canaviais arrasados, e os corpos de D. Jorge de Meneses e D. Simão de Castelo Branco enterrados em covas rasas.

Dias antes de chegar ao Espírito Santo, Coutinho fizera uma escala na capitania de Porto Seguro. Lá, tomara uma atitude típica de um homem imprevidente como ele. Ao desembarcar, Coutinho encontrou um bando de degredados que havia fugido da cadeia de Ilhéus. Gravíssima acusação pesava sobre aqueles homens: eles eram suspeitos de ter capturado um navio ao largo da costa nordestina "e lançado dez, ou quinze, ou vinte almas aos Potiguar e as darem de comer aos índios". Mais tarde, dispostos a "vender os pertences roubados de suas pobres vítimas", tinham tido a audácia de desembarcar em Ilhéus, onde foram presos — e de onde logo escaparam. Refugiaram-se então em Porto Seguro, onde Vasco Fernandes os encontrou.

Julgando que as acusações que incriminavam aqueles piratas não eram suficientemente fortes, o donatário do Espírito Santo lhes ofereceu refúgio em sua capitania.

Como entre os integrantes do grupo estava um francês "de nome Formão (*sic*), degredado para sempre por ser ladrão e do mar corsário", é possível que tenha sido esse o episódio que, pouco mais tarde, levaria Duarte de Lemos a escrever para o rei denunciando o suposto plano de Vasco Fernandes de "aliar-se aos franceses para recuperar sua fazenda perdida no Espírito Santo".

De toda forma, o episódio revela a irresponsabilidade com a qual Vasco Fernandes Coutinho tratava os criminosos que infestavam a costa brasileira. O próprio Henrique Luís — o corsário que fora responsável direto pelos episódios que haviam precipitado a derrocada da capitania de São Tomé — provavelmente fizera sua base no Espírito Santo.

Com o auxílio dos colonos remanescentes e do bando de piratas que recolhera em Porto Seguro, Vasco Coutinho retornou ao Espírito Santo e conseguiu afugentar os indígenas rebelados. Fundou então um vilarejo na ilha que doara a Duarte Lemos. O estabelecimento ficaria conhecido como Vila Nova, em oposição à devastada Vila Velha. Em 8 de setembro de 1551, após novo combate contra os nativos, a vila recebeu o nome de Vitória. Foi a origem da atual capital do Espírito Santo.

Mas a desordem e a falta de respeito ao donatário logo precipitariam a ruína de sua capitania. O próprio Vasco Coutinho "acabou por dedicar-se com excesso às bebidas espirituosas e até se acostumou com os índios a fumar, ou a beber fumo, como então se chamava a esse hábito, que naquele tempo serviu de compendiar até onde o tinha levado sua devassidão", conforme escreveu Francisco de Varnhagen.

O vício do tabaco levaria Coutinho a sofrer uma série de humilhações públicas, infringidas pelo primeiro bispo do Brasil, D. Pero Fernandes Sardinha. Com efeito, em maio de 1555, Vasco Fernandes chegou a Salvador, na Bahia e, de acordo com o relato do então governador-geral, D. Duarte da Costa, "vinha velho, pobre e cansado, bem injuriado do Bispo, que lhe tolhera a cadeira das espaldas e apregoara por excomunhão, por sua mistura com homens baixos e por seu hábito de beber fumo; e eu o agasalhei em minha casa, e com minha fazenda socorri a sua pobreza (...) e o Bispo dissera dele no púlpito coisas tão descorteses, estando ele presente, que o puseram em condição de se perder, do que eu o desviei, e tenho vergonha de declarar o que o Bispo lhe disse por defender a ele o fumo, sem o qual não tem vida, segundo ele me disse".

Três anos mais tarde, em 22 de maio de 1558, outra vez cercado pelos indígenas em sua ilha, Coutinho escreveu para o novo governador-geral, Mem de Sá, pedindo auxílio e dizendo-se "velho, doente e aleijado". Mem de Sá mandou reforços, mas, em carta para o rei, não deixou de sugerir: "Parece que V. Alteza devia tomar esta terra a Vasco Fernandes e dar aos homens ricos que para cá querem vir".

E então, em 1561, "enfim gastados muitos mil cruzados que trouxera da Índia, e muito patrimônio que tinha em Portugal", Vasco Fernandes "acabou seus dias tão pobremente que chegou a pedir que lhe dessem de comer por amor de Deus, e não sei se teve um lençol seu em que o amortalhassem".

O Espírito Santo ficou de tal forma abandonado que — embora escrevesse em 1854 — Varnhagen diria que "apesar de tão boas terras, com um porto excelente e rios navegáveis", a capitania ainda permanecia "sem desenvolver-se, e reduzida a uma população que não medra e a um solo cujas matas-virgens estão quase todas sem romper-se".

REBELDIA EM ASSUNÇÃO

Os conflitos com os nativos e as desordens, tumultos e insurreições que se abateram sobre as capitanias de São Vicente, São Tomé e Espírito Santo não eram exclusividade do modelo colonialista adotado pelos portugueses no Brasil. A história da cidade de Assunção — que os castelhanos haviam fundado nos confins do Paraguai — era, nessa mesma época, ainda mais desordenada, desastrosa e cruel.

Ao chegar àquele vilarejo, em março de 1542, Cabeza de Vaca o encontrara em situação caótica. Os castelhanos estavam amancebados com muitas nativas e os indígenas brutalmente escravizados. O novo governador estabeleceu um regime moralizante: proibiu a escravidão, cancelou a cobrança de impostos extorsivos e prendeu os líderes despóticos — que chamavam a si próprios de *los viejos* ("os velhos" ou "antigos").

Revoltados, os "viejos" teriam posto fogo na cidade: um incêndio misterioso de fato irrompeu em Assunção, na madrugada de 4 de fevereiro de 1543, destruindo todo o vilarejo. "Como a maioria dos espanhóis ficou sem nada", relatou Pedro Hernandez, o escriba de Cabeza de Vaca, "o governador passou a abastecê-los com os mantimentos de seu próprio armazém. Passou a ajudá-los também a reconstruir suas casas, só que ordenou que as fizessem de taipa, e não de palha, para evitar novos incêndios. Como era grande a necessidade de todos, e maior ainda o entusiasmo dos índios com as novas leis do governador, em poucos dias a obra ficou pronta".

Em 8 de setembro de 1543, disposto a procurar a Serra da Prata — cuja existência as lendas propagadas pelos nativos não cessavam de ecoar — Vaca partiu numa jornada fluvial rio Paraguai acima. As dimensões da expedição eram impressionantes: 400 homens amontoados em dez bergantins e 120 canoas a bordo das quais seguiram cerca de mil nativos.

No dia 12 de outubro, a frota chegou ao porto de Candelária, muito próximo ao lugar onde hoje se ergue Corumbá, no Mato Grosso. Determinado a seguir em frente, Cabeza de Vaca continuou subindo o Paraguai, entrou num de seus afluentes, o Cuiabá, e, no dia 6 de janeiro de 1544, fundou o Porto dos Reis (provavelmente a atual Cuiabá). Mas ali, os espanhóis foram atacados pelos indígenas, que lhes mataram 60 homens.

Não menos terríveis eram os incessantes ataques de morcegos, moscas e mosquitos, "tantos, e de tão variados tipos, que não podíamos dormir de noite nem descansar de dia". A maior parte da tropa caiu vitimada pelas febres palustres e muitos — entre eles o próprio Cabeza de Vaca — contraíram malária. Além disso, iniciara-se o período das cheias.

Assim sendo, Vaca decidiu suspender a expedição, embora um de seus acompanhantes, o homem chamado Francisco (que o próprio governador havia encontrado ao longo do Peabiru e que, como já foi dito, talvez fosse o grumete Francisco del Puerto) insistisse em dizer que eles se achavam "muito próximos da zona da prata". Francisco estava certo: Potosí se localiza a 700km a oeste dali — a 19° de latitude, portanto, quase exatamente na mesma altura de Corumbá.

Embora não tenham encontrado a montanha lendária, ao navegarem pelos alagadiços que constituem o Chaco paraguaio e o Pantanal mato-grossense, os espanhóis devem ter concluído que a tese segundo a qual o Amazonas e o Prata nasciam em "uma lagoa dourada" estava correta: tal lagoa nada mais era do que a grande área pantanosa. Assim sendo, é possível que a misteriosa viagem de circunavegação da "ilha Brasil", a qual o piloto João Afonso se referiu em seu livro *Voyages Aventureux* (veja nota da p. 36), talvez tenha de fato se realizado, já que o Paraguai é um dos formadores do Prata, e o Guaporé, que nasce naquelas proximidades, é afluente do Amazonas.

Ao chegarem de volta a Assunção, no dia 8 de abril de 1544, após a estafante jornada de sete meses por aquela região insalubre, Vaca e seus homens estavam cansados, famintos e enfraquecidos pela malária. Aproveitando-se desta situação, seus inimigos — *los viejos* —, liderados pelo governador destituído Domingo de Irala, deflagraram uma conspiração e prenderam Cabeza de Vaca e seus principais assessores.

"Apesar do grave estado de saúde do governador, e da febre alta que enfrentava, eles o aprisionaram, gritando: Liberdade, liberdade!", relatou o cronista Pedro Hernandez. "Chamando-o de tirano, e mantendo uma espada em seu peito, os *viejos* lhe disseram: 'Aqui pagareis as injúrias e os danos que tendes nos feito'".[71]

Da conspiração tomaram parte Ulrich Schmidel, Gonçalo da Costa e Gonzalo de Mendoza, irmão de D. Pedro de

Mendoza. Por 11 longos meses, Cabeza de Vaca foi mantido em um cárcere pequeno e úmido em Assunção.

A Descoberta da Serra da Prata

A Montanha de Prata

Entre 1545 e 1560, a mina de Potosí produziu a extraordinária média de 266 mil quilos de prata por ano. No escudo que a cidade recebeu de Carlos V, o imperador mandou gravar: "Eu sou a rica Potosí, o tesoureiro do mundo, a rainha das montanhas e a inveja dos reis". Os escravos — que trabalhavam dentro da montanha, como mostra a gravura abaixo, feita por Theodore de Bry no século 16 — fixavam as velas que iluminavam o interior da mina em seus próprios polegares. Atualmente, com o veio de prata esgotado, Potosí é apenas uma pequena cidade boliviana, onde vivem cerca de 65 mil pessoas.

Enquanto o homem que tentara "ensinar o mundo a conquistar pela bondade" permanecia encarcerado no Paraguai, um grupo de aventureiros espanhóis, partindo de Arequipa, no Peru, transpôs a barreira dos Andes, cruzou pelos lagos salgados do deserto e chegou ao desolado altiplano da Bolívia.

Ali, nos primeiros meses de 1545, e a 4.200m de altitude, fizeram uma das mais extraordinárias descobertas da história: luzindo sob o ar límpido e gélido do planalto boliviano estava um cerro de formato cônico, com 600m de altura, quase que inteiramente de prata. Era Potosí, "a montanha que troveja", de cuja existência até os nativos do sul do Brasil tinham notícia.

Os espanhóis logo começaram a explorar a mina, e Potosí — declarada "cidade imperial" por Carlos V — se tornou uma vila fervilhante e um "antro de iniqüidade, mergulhado na luxúria, na jogatina e na prostituição". Dos 120 mil habitantes que circulavam pela cidade em 1590 (e que a tornaram mais populosa do que Sevilha, a maior cidade da Espanha na época), quase 50 mil eram escravos — indígenas e africanos.

Dezenas de milhares de nativos de fato eram forçados a trabalhar no interior da montanha, que foi inteiramente escavado. "Eles labutam numa escuridão opressiva, rompida apenas pelo facho trêmulo das velas", escreveu um visitante. "Nunca sabem se é dia ou se é noite e não se passa uma semana sem que morram muitos, seja por vários desastres, como as avalanches de grandes quantidades de terra e a queda de pedras, seja por outros acidentes".

A descoberta de Potosí — de onde se extraíram 6.000 m³ de prata — fez com que Assunção e Buenos Aires perdessem toda a importância. Domingo de Irala e seus *viejos* ficaram indignados: como os portugueses, eles também haviam estado a um passo de descobrir a mina antes que os aventureiros do Peru o fizessem.

O Destino de Cabeza de Vaca

Em 7 de março de 1545, poucas semanas após a descoberta de Potosí, Cabeza de Vaca, ainda em correntes, foi posto em um bergantim e enviado de volta para julgamento na Espanha. Embora seus aliados tivessem pichado os muros de Assunção com a frase *Por teu rei e tua lei, morrerás*, num alerta a Domingo de Irala, a vila logo voltou a ser "o paraíso de Maomé" e o purgatório de milhares de escravos e concubinas indígenas.

O barco que levou o governador destituído de volta à Europa foi conduzido por Gonçalo da Costa, um dos "genros" do Bacharel de Cananéia. Em agosto de 1545, ao chegar a Sevilha, dez anos depois de haver partido de lá, Gonçalo soube que suas duas mulheres haviam falecido e que suas quatro filhas — em nome das quais não aceitara as "mercês" que D. João III lhe oferecera em 1530 — estavam "órfãs, pobres, desnudas, desamparadas e mui fatigadas".[72]

Apesar desta dura decepção, a série de aventuras daquele traficante de escravos ainda não estava encerrada: Gonçalo voltaria a partir da Espanha, em 10 de abril de 1549, como guia da expedição de Diego de Sanabria, que Carlos V nomeara o novo "adelantado" do Rio da Prata, em substituição a Cabeza de Vaca. Da mesma frota, que naufragou no Porto dos Patos, também tomou parte o alemão Hans Staden (que, como se verá, já estivera anteriormente no Brasil).

Gonçalo da Costa ainda faria duas viagens de ida e volta entre a Europa e a América. Em agosto de 1555, ele serviu de guia na armada de Martin de Orúe. Dois anos depois, em 30 de dezembro de 1557, zarpou de Sevilha, como piloto da expedição de Jaime de Rasquin. Gonçalo da Costa morreu durante um ataque dos indígenas a Assunção, ocorrido em novembro de 1558. Tinha, então, mais de 70 anos de idade.

Gonçalo da Costa servira como testemunha de acusação no processo movido contra Cabeza de Vaca. O julgamento se iniciou em dezembro de 1545. Contra o governador pesavam 36 acusações — inventadas pelos aliados de Domingo de Irala. Vaca foi forçado a pagar 10 mil ducados de multa ao Conselho Real e condenado a dez anos de prisão. Seu advogado, Alonso de San Juan, recorreu da sentença, mas não pôde contar com o testemunho dos moradores de Assunção, a maioria dos quais eram favoráveis às medidas moralizantes de Vaca.

O processo se arrastou por seis anos, durante os quais Cabeza de Vaca permaneceu na prisão. No dia 18 de março de 1549, ele foi oficialmente destituído do cargo de "adelantado" do Rio da Prata. No início de 1551, foi mandado para o exílio em Oran, na Argélia. Não se sabe quanto tempo permaneceu lá, mas sua pena foi comutada em 1556, quando ele foi considerado inocente de todas as acusações, tendo recebido, das mãos do próprio Carlos V, uma indenização de 12 mil maravedis.

SCHMIDEL NO PEABIRU

A saga dos aventureiros que to-maram parte na conquista da Costa do ouro e da prata não pode ser encerrada sem uma palavra a respeito do destino de Ulrich Schmidel. Após participar da rebelião que depôs Cabeza de Vaca, o mercenário alemão permaneceu em Assunção por mais oito anos. Em fins de 1552, ele conseguiu permissão para partir. Deixou o Paraguai em 26 de dezembro de 1552 pela trilha do Peabiru. Deixou um relato minucioso da jornada que, em julho de 1553, o conduziu a Piratininga, a vila de João Ramalho. Schmidel comparou o vilarejo a "um covil de bandidos" e ficou feliz com o fato de Ramalho estar no sertão, capturando índios. Schmidel zarpou de São Vicente em 24 de julho de 1553, num dos barcos de Erasmo Schvetz, dono do Engenho do Governador. Chegou à Alemanha em janeiro de 1554. Acima, Schmidel com seus guias nativos, montado na lhama com a qual percorreu parte do Peabiru.

O maravedi era uma antiga moeda de origem árabe usada tanto na Espanha quanto em Portugal. Um maravedi valia aproximadamente um real. A indenização paga a Cabeza de Vaca equivalia, portanto, a 12 mil reais, ou 300 cruzados.

Além de o dinheiro não ser muito, o perdão parece ter vindo tarde demais: desiludido e amargurado, Álvar Nuñez Cabeza de Vaca — que percorrera milhares de quilômetros pelos desertos da América do Norte, explorara o Pantanal mato-grossense e vislumbrara a foz do Iguaçu — se recolheu para um convento nos arredores de Sevilha. Morreu lá, na obscuridade, por volta de 1559.

A BOA FORTUNA DE MARTIM AFONSO

A sina de Cabeza de Vaca, bem como os destinos dos donatários Pero de Góis, Vasco Fernandes Coutinho e Pero Lopes contrastam profundamente com os favores que a sorte reservou para Martim Afonso de Sousa. Em agosto de 1545 — exatamente quando Cabeza de Vaca chegava preso à Espanha — Martim Afonso deixava o cobiçado cargo de vice-rei da Índia, graças ao qual acumulara uma fortuna.

Martim Afonso governara a Índia durante três anos e quatro meses. No dia 12 de agosto de 1545, chegou a Goa o fidalgo D. João de Castro, enviado para sucedê-lo. Tido como um dos mais eficientes vice-reis da Índia, Castro era um cosmógrafo brilhante (que, como o próprio Martim Afonso, fora aluno do astrônomo Pedro Nunes), filósofo de formação aristotélica e estoicista e autor de vários "Roteiros", considerados essenciais para a expansão portuguesa no Oriente. Os vários livros que escreveu o transformaram em um dos maiores estrategistas do império colonial lusitano.

O cronista Diogo do Couto escreveu: "Primeiro que entregasse a Índia a D. João de Castro, Martim Afonso mandou pôr seu retrato na casa onde estavam os dos outros governadores; e ainda está hoje lá, pelo natural do seu tamanho, com o traje antigo: roupa aberta com mangas de roca, com golpes e botões, gibão de petrina baixa e, sobre ele, couraças postas sobre veludo cravado, musgos dos antigos, espada à testa e barrete redondo com pontas de ouro".

Apesar das críticas e denúncias de D. João de Castro, entre 1547 e 1570, Martim Afonso recebeu várias tenças e pensões. Juntas, las lhe garantiram renda superior a dois milhões de reais por ano. Foi membro permanente do Conselho Real e vivia em seu castelo, em Alcoentre. Morreu rico, m janeiro de 1571, sem jamais retornar ao Brasil.

Martim Afonso entregou o governo em 12 de setembro de 1545, mas, por causa do regime das monções, só pôde partir de Goa em dezembro. Ao longo dos quatro meses durante os quais conviveram, Martim Afonso e D. João de Castro travaram inúmeras discussões sobre a malversação de dinheiro público. Em carta enviada ao rei, Martim Afonso chegou a pedir a demissão de Castro antes mesmo que ele assumisse o cargo. No mesmo relatório, afirmou também que estava entregando "a Índia muito pacífica" para seu sucessor. Pacífica talvez, rebateu Castro — "com os cofres vazios" certamente.

Castro também escreveu para D. João, perguntando: "Em que razão está mandarem dinheiro a uma terra cheia de minas de ouro e prata e de pedras preciosas e onde os matos estão cheios de árvores de canela, de pimenta e de todas as drogas desejadas pelo homem?" E concluía: "Por coisa averiguada tenho que os portugueses perderam a vergonha, o temor de Deus e o desejo de servir V. Alteza (..). Oh, Senhor, quantos vícios, quantos maus costumes, quanto desamor à pátria!".

Antes de partir, num último desagravo ao adversário, Martim Afonso mandou pintar um retrato seu, em tamanho natural, e exigiu que ele fosse pendurado na casa onde residiam os vice-reis. Só zarpou em 13 de dezembro de 1545, após o quadro ter sido colocado na principal sala do palácio. Como chegou a Portugal em 13 de junho de 1546, fez a viagem em apenas seis meses: tempo recorde "e cousa até então nunca vista".

Ao desembarcar em Lisboa, Martim Afonso trazia "um cofre com 300 mil pardaos, que Sua Alteza mandou receber por João de Barros e logo enviar à Casa da Moeda". O pardao era uma moeda de prata utilizada pelos lusos na Índia. Além dos 300 mil pardaos que entregou para o rei, Martim Afonso trouxe outros 100 mil — esses, para si próprio. Como um pardao valia o equivalente a meio cruzado, Martim Afonso obteve na Índia dinheiro suficiente para comprar duas naus equipadas.

Quando ele chegou à Europa, grande consternação reinava em Portugal. A descoberta de Potosí pelos rivais castelhanos deixara os lusos desolados. Talvez por conta disso, Martim Afonso vendeu sua cota de participação no engenho de Erasmo Schetz, cortando todos os seus vínculos com a capitania de São Vicente. Jamais voltou a se interessar por ela, nem pela capitania do Rio de Janeiro — que, deixada no abandono, acabou invadida e ocupada pelos franceses em 1555. Nessa época, Martim Afonso era membro do Conselho Real — mas não se conhece nenhuma manifestação dele sobre o episódio. Se houve alguma, o documento não sobreviveu.

Dois anos mais tarde, porém, em 1557, logo após a morte de seu amigo de infância, o rei D. João III, Martim Afonso redigiu sua autobiografia. O principal motivo que o levou a relembrar sua vida e seus feitos foi pedir para a rainha D. Catarina mais "reconhecimento e tenças" pelos serviços que prestara ao reino. No texto, de 14 páginas, Martim Afonso se referiu uma única vez ao Brasil, e apenas para dizer que, na remota colônia sul-americana — para a qual o rei o enviara "para descobrir alguns rios" —, tinha gasto "perto de três anos, passando muitos trabalhos, muitas fomes e muitas tormentas".

Falar mal do Brasil não era prerrogativa de Martim Afonso. Em carta ao rei D. João, escrita em fins de 1542, o todo-poderoso D. Antônio de Ataíde já afirmara, em tom indignado: "No Brasil tem Vossa Alteza gastado muito dinheiro e começou a gastar no ano de 1530. Mistério grande foi fazer-se a primeira despesa a fim de coisa que não o merecia".[73]

Um funcionário anônimo, possivelmente ligado ao ministério da Fazenda (e, portanto, subalterno de D. Ataíde), ecoou, por volta de 1544, as críticas do vedor da Fazenda: "O

153

Brasil não somente não rendeu até agora o que soía, mas tem custado a defender e povoar mais de 80 mil cruzados por ano".

Àquela altura, porém, um novo Brasil estava nascendo noutras latitudes. Sua fortuna se baseava na grande lavoura canavieira e no escravagismo em larga escala. Sem riquezas minerais, a região onde a colônia lutava para florescer ficava distante da outrora promissora Costa do ouro e da prata.

Antes, porém, de se conformarem com aquele destino agrário — tido como humilhante para conquistadores ousados —, os portugueses repetiram, na terrível Costa Leste-Oeste (no litoral norte do Brasil), o mesmo que, durante quase 30 anos, haviam tentado no sul. Pela via do Amazonas, eles tentariam conquistar o Peru e enriquecer rapidamente com o ouro e a prata existentes no território do "Rei Branco".

Lá, também iriam fracassar.

Parte III

A Costa Leste-Oeste
Pernambuco e as Capitanias de Cima

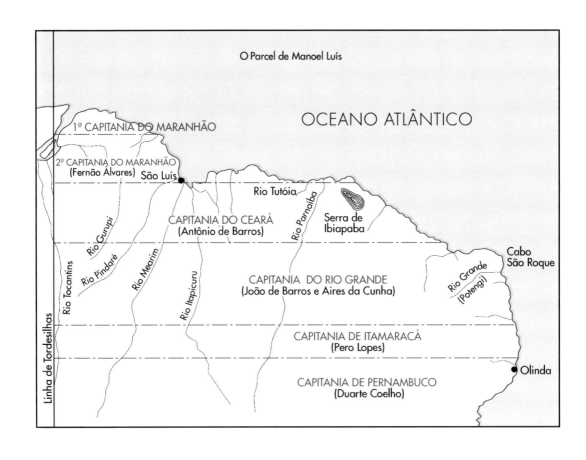

Seis de janeiro de 1536 há de ter sido um dia especial para o donatário de Pernambuco, Duarte Coelho, e para os 200 colonos que o acompanhavam. Ao final daquela manhã, a dura rotina dos trabalhos de construção da vila de Olinda foi interrompida por um acontecimento excepcional: uma grande frota portuguesa surgiu em frente ao porto no qual Coelho e seus homens estavam instalados há cerca de dois meses.

A chegada de um único navio vindo de Portugal já teria sido motivo de celebração. Naquele instante, porém, eram nada menos do que dez as embarcações que apontavam suas proas em direção aos pontiagudos recifes localizados em frente à colina sobre a qual Olinda estava nascendo.

A frota não era apenas imponente: era a maior esquadra que, até então, jamais partira de Portugal para a América, com dimensões só inferiores às da armada de 13 navios com a qual, 36 anos antes, Pedro Álvares Cabral descobrira o Brasil. Cabral, porém, dirigia-se à Índia e sua chegada à Bahia fora um acontecimento secundário em meio à jornada ao Oriente.

Uma outra comparação ainda deve ser feita entre a frota de Cabral e a armada que agora lançava âncoras em frente a Olinda. Tendo a descoberta do Brasil sido intencional ou não, o fato é que, ao desviar seu rumo bem mais para oeste do que o necessário para contornar a África, Cabral não havia aportado na Bahia por acaso. Ele alcançara a costa brasileira no seu trecho mais protuberante: aquele que se prolonga desde o cabo São Roque (RN) até o sul da Bahia — e que, mais tarde, seria chamado de "Costa do Brasil".

157

Os dez navios que chegaram a Olinda na manhã de 6 de janeiro de 1536 também não estavam ancorando ali por acaso: foram os ventos, as correntes e o conhecimento da melhor rota marítima entre Portugal e o Brasil que os havia conduzido até ali. No entanto, não era aquele o porto ao qual se destinavam: a grande esquadra fora incumbida da perigosa missão de seguir para um território muito mais hostil e menos explorado do que o litoral de Pernambuco.

Com 1.500 homens e 113 cavalos a bordo, a expedição, sob o comando do capitão Aires da Cunha, tinha sido armada por ordem e com os recursos de três donatários coligados: Fernão Álvares de Andrade, tesoureiro-mor de Portugal; João de Barros, feitor da Casa da Índia, e o próprio Aires da Cunha.

No processo de partilha do Brasil, a esses três homens coubera quase todo o vasto território que se prolonga desde a baía da Traição, na Paraíba, até a ilha de Marajó, nos confins do Pará. Sem contar com a capitania do Ceará — que ficava entre essas possessões e pertencia a Antônio Cardoso de Barros —, os lotes concedidos aos três donatários associados perfaziam 225 léguas (ou quase 1.500km) de costa, abrangendo todo o litoral setentrional do Brasil (veja mapa na p. 156).

Embora a extensão das terras fosse enorme, havia um grave problema logístico: aquelas capitanias ficavam no trecho chamado de Costa Leste-Oeste — a porção menos conhecida do litoral brasileiro e a que apresentava as maiores dificuldades náuticas para os homens dispostos a percorrê-la nos tempos da navegação à vela. No momento em que determinaram o envio de sua frota conjunta — que zarpara de Lisboa em novembro de 1535 —, os donatários Fernão Álvares, João de Barros e Aires da Cunha já sabiam disto. Mas sabiam também que, a partir de seus lotes, seria possível tentar a conquista do Peru.

158

De fato, desde a descoberta do rio Amazonas — feita pelo espanhol Vicente Yañez Pinzón, em fevereiro de 1500 — e especialmente após a viagem exploratória realizada por Diogo Leite em 1532 (leia p. 41), os europeus concluíram, através do relato dos indígenas, que, como o Prata, aquele enorme rio nascia no topo das grandes montanhas nevadas do oeste do continente. Pela mesma fonte, os exploradores souberam também que tais montanhas eram habitadas por um povo nativo que possuía inesgotáveis reservas de ouro e de prata.

Além de tesoureiro-mor da Fazenda, Fernão Álvares de Andrade era membro atuante do Conselho Real e o principal assessor do rei D. João III, logo abaixo de D. Antônio de Ataíde. Ele já havia desempenhado papel importante no processo de divisão do Brasil em capitanias hereditárias. Com o passar dos anos, iria se tornar também um dos maiores defensores dos investimentos na colônia sul-americana, favorável ao progressivo abandono das praças portuguesas na África.

O historiador Francisco de Varnhagen insinua que, em função do importante cargo que desempenhava na corte — e de sua estreita ligação com D. Ataíde —, Fernão Álvares estava habilitado a escolher e reservar para si aquele que considerasse o melhor lote do Brasil. Em vista dos conhecimentos que já possuía sobre o Amazonas, não chega a ser uma surpresa o fato de ele ter optado por receber uma capitania no Maranhão, próximo à foz do rio majestoso.

Desde fins de 1531, os portugueses estavam convictos de que deveriam se instalar na região do Amazonas. O projeto não apenas se encaixava no conceito geopolítico do "Magnus Brasil" como estava diretamente relacionado com o plano de conquistar o lendário território do "Rei Branco" — que, no norte da América do Sul, era chamado de Eldorado.

Dos 12 donatários agraciados com terras no Brasil, Fernão Álvares de Andrade era, de longe, o mais poderoso e importante. Se decidira receber uma capitania no Maranhão, fora porque estava convicto de que, a partir dali, seria capaz de multiplicar sua fortuna — que já era uma das maiores de Portugal.

Responsável direto pelo recebimento e administração de todo o dinheiro vindo do Oriente, Álvares convivia diariamente com D. João III, redigia suas cartas e, acima de tudo, era o principal encarregado da manutenção e funcionamento dos estaleiros reais. Ele despachava as armadas para a Índia, instruía e comissionava seus capitães, estabelecia os salários dos oficiais de alto bordo, supervisionava o trabalho nos fervilhantes estaleiros da Ribeira das Naus, às margens do Tejo, e tratava do reaparelhamento das frotas, desgastadas pela constância das navegações oceânicas. Há quem o tenha chamado de "o gênio discreto da marinha portuguesa: seu almirante oculto".[1]

Fidalgo descendente dos condes de Andrade, o futuro donatário fora alçado ao cargo de tesoureiro-mor por ser homem letrado, dono de uma inteligência prática e com vocação para números. Por conta dessas qualidades, ele coordenava também a febril atividade dos escritórios da Casa da Mina e da Casa da Índia: os postos alfandegários onde eram armazenados todos os produtos — especiarias, marfim, pedrarias e ouro — trazidos pelos navios cuja partida ele supervisionava.

Tantas e tão importantes funções tinham transformado Fernão Álvares de Andrade em homem opulento. Ele morava em um magnífico palácio, colado ao Paço da Ribeira, e tido como "a mais suntuosa, talvez, das residências da capital".[2] A mansão era tão requintada que para lá iria se transferir o príncipe D. João

Brasão de Fernão D'Álvares

O mito do Eldorado é posterior ao do "Rei Branco". As primeiras notícias relativas a um chefe indígena que todas as manhãs se banhava em uma lagoa e depois tinha o corpo nu coberto de pó de ouro chegaram à Europa em 1533, através do relato do espanhol Sebastian de Bemalzacar, o conquistador de Quito, que ouvira falar das riquezas dos Chibcha, povo nativo que vivia nas atuais Colômbia e Venezuela. Os portugueses associaram este mito à existência da Lagoa Dourada — suposta nascente conjunta do Prata e do Amazonas. Em seguida, passaram a acreditar que o Eldorado e o "Rei Branco" pudessem ser a mesma figura. Abaixo, imagem do Eldorado, o senhor dos Chibchas.

(filho de D. João III e herdeiro do trono) logo após seu casamento com a infanta D. Joana de Castela, filha de Carlos V e de D. Isabel. Ali hospedavam-se também os embaixadores do rei Francisco I, nas inúmeras ocasiões em que vinham a Lisboa para tratar dos conflitos relativos à presença dos franceses no Brasil.

A visão de Fernão Álvares de Andrade sobre as complexidades do comércio global levou um historiador a compará-lo com os banqueiros Fugger e Welser — "embora, ao contrário destes, ele nunca tenha se desligado dos interesses do rei" e jamais atuado na iniciativa privada. "A originalidade do pensamento de Fernão d'Álvares" conclui o mesmo estudioso, "consistia no fato dele preferir o Ocidente ao Oriente".[3]

Com a convicção de que valia mais a pena apostar no Brasil do que na África ou na Índia, o tesoureiro-mor se dispôs a investir parte considerável de sua fortuna no aparelhamento de uma grande frota encarregada de dar início à colonização da foz do Amazonas — e, a partir dali, tentar a conquista do Peru e iniciar a busca pelo *reino do Eldorado*.

Embora fosse muito rico, Álvares não se lançou sozinho em sua aventura brasileira. Ele decidiu se associar com um de seus funcionários mais graduados: o feitor da Casa da Índia, João de Barros. Apesar de desempenhar funções fiscais e escriturárias, Barros era muito mais do que um mero burocrata: historiador, filólogo, gramático, enxadrista e humanista renomado, ele foi um dos maiores gênios da língua portuguesa e um dos principais ideólogos do império colonial português na época da expansão ultramarina.

Se Fernão Álvares de Andrade era o mais proeminente dentre todos os fidalgos que receberam terras no Brasil, João de Barros, por outro lado, foi o único que conseguiu imortalizar o próprio nome.

Filho de família fidalga, Barros nasceu em Viseu, em 1496. Como seu pai e outros parentes circulavam com desenvoltura na corte e pelo alto clero, ele foi admitido pelo rei D. Manoel no círculo restrito do Paço da Ribeira — "ainda na idade do jogo de pião".[4] Foi educado ali, por mestres que lhe ensinaram "as línguas, ciências matemáticas, letras humanas, danças, jogos de armas e outros exercícios virtuosos".[5]

Quando D. Manoel autorizou o filho D. João a se transferir para residência própria, Barros foi nomeado "moço de guarda-roupa" do jovem príncipe. Iniciou-se entre os dois uma relação que, mais tarde, se traduziria na proteção e amizade do futuro monarca. Foi "por cima das arcas de vosso guarda-roupa" que João de Barros — então com pouco mais de 20 anos — concebeu e deu forma à sua obra de estréia como escritor: a *Crônica do Imperador Clarimundo*, um bem-estruturado romance de cavalaria. Oferecido ao rei D. Manoel em 1520, o livro foi redigido sob o olhar atento e o vívido entusiasmo do príncipe D. João.

A narrativa épica e o tom elogioso de *Clarimundo* agradaram de tal forma a D. Manoel que o monarca manifestou o desejo de que João de Barros se encarregasse de escrever sobre "as cousas das partes do Oriente", já que até então, embora pretendesse celebrar os feitos dos portugueses na Ásia, "nunca achara pessoa de que o confiasse".[6]

A morte do rei, em dezembro de 1521, veio interromper o projeto de Barros, uma vez que o novo soberano, D. João III, concedeu a seu companheiro de infância, já em 1522, o governo do Castelo da Mina (a grande feitoria erguida em 1482, no golfo da Guiné). É provável que João de Barros jamais tenha exercido o cargo, já que pouco tempo depois de desembarcar na

UM GÊNIO DA LÍNGUA

João de Barros (abaixo) *continua sendo um nome conhecido e admirado em Portugal.*

A Casa da Índia, na qual João de Barros trabalhou boa parte de sua vida adulta, era o posto alfandegário onde eram depositadas as especiarias e demais mercadorias trazidas do Oriente. Localizado ao lado do Paço da Ribeira, no centro de Lisboa, era um dos prédios mais suntuosos de Portugal no século 16. O local foi descrito com detalhes pelo cronista Damião de Góis. A seguir, trechos do relato de Góis, redigido em 1554: "Realizado de feição maravilhosa, repleto de abundantes presas e despojos de muitas gentes e povos, deveria antes chamar-se de empório copiosíssimo dos aromas, pérolas, rubis, esmeraldas e de outras pedras preciosas que nos são trazidas da Índia ano após ano. Ali estão patentes, para quem os quiser admirar, inúmeros compartimentos, distribuídos com engenhosa arte e ordem, abarrotados com tão grande abundância daquelas preciosidades que — palavra de honra! — ultrapassaria a faculdade de acreditar, se não saltassem aos olhos de todos e as não pudéssemos tocar com as próprias mãos". Abaixo, assinatura de João de Barros.

Guiné foi chamado de volta para o reino, onde iria desempenhar uma série de funções ao longo de quatro décadas de carreira como funcionário público.

De fato, em 1525, Barros foi nomeado tesoureiro das Casas da Índia, da Mina e de Ceuta — ofício que exerceu até 1528. Por ocasião do surto de peste que assolou Lisboa em fins de 1530, ele prudentemente se refugiou em sua casa de campo, numa quinta nos arredores de Coimbra, ao norte da capital. Ao regressar a Lisboa em 1533, foi nomeado feitor da *Casa da Índia* — cargo de maior relevo e rendimento, que exerceu ininterruptamente por cerca de 35 anos, até a aposentadoria em 1567.

Foi durante seu retiro rural que João de Barros escreveu sua segunda obra literária: *Ropicapnefma* (ou "A Mercadoria Espiritual"), um dos mais singulares textos da língua portuguesa. Dedicada ao filósofo Erasmo, *Ropicapnefma* era uma cáustica sátira a todas as classes sociais e uma crítica contundente aos vícios morais da Europa quinhentista.

No entanto, *Ropicapnefma* seria o último trabalho com viés crítico e conteúdo mordaz produzido por João de Barros. Afinal, já no ano seguinte, 1533, ele foi encarregado de redigir o *Panegírico* de D. João III — um elogio oficial ao monarca que era seu amigo e protetor.

Ao traçar o retrato de D. João como "príncipe perfeito", Barros não disfarça seu comprometimento cortesão, alinhando-se ideologicamente com o poder monárquico. Esta posição conservadora seria reforçada pouco mais tarde, quando ele rompeu de vez com sua postura pacifista e tolerante, redigindo o *Diálogo Evangélico sobre os Artigos da Fé, contra o Talmud dos Judeus*. Obra de polêmica antijudaica, dedicada ao futuro cardeal D. Henrique, Inquisidor-Geral do Reino, o *Diálogo* trava-se entre o Evangelho e o "lobo Talmud". Seu objetivo era provar,

através da persuasão e do confronto teológico, a superioridade da doutrina cristã sobre os preceitos do judaísmo.

A Pátria e a Língua

A obediência ao rei e aos seus desígnios iria guiar toda a concepção da obra historiográfica de João de Barros, à qual ele se dedicou a partir de 1545 e que lhe assegurou a imortalidade literária. Mas, antes de mergulhar no ambicioso projeto global de descrever a história do mundo — tendo por base a expansão ultramarina lusitana —, Barros lançou-se na tarefa ainda mais revolucionária de sistematizar e codificar a gramática portuguesa.

Ele estava convencido de que a língua — que amava e conhecia profundamente — destinava-se a desempenhar um papel ideológico preponderante no encontro planetário das civilizações e, acima de tudo, que a propagação do idioma português era a ferramenta ideal para a expansão da fé cristã.

Assim sendo, no impressionante intervalo de apenas um mês, entre dezembro de 1539 e janeiro de 1540, João de Barros publicou quatro obras que constituem um admirável *corpus* gramatical-pedagógico-didático, construído para ressaltar a "majestade da língua portuguesa" e seu papel decisivo na construção de um império universal.

Lançada nos primeiros dias de 1540, sua *Gramática da Língua Portuguesa* era uma codificação minuciosa das regras gramaticais do português. Um mês antes, Barros publicara sua famosa *Cartinha* (que nada mais era do que o que hoje chamamos de cartilha): um manual — inteiramente revolucionário em sua pedagogia e concepção didática — para ensinar a ler e escrever o português. Para João de Barros, a língua era "companheira do império".[7]

Após esse mergulho no universo semântico, João de Barros se propôs a enfrentar uma aventura literária ainda mais ousada: tomando por modelo o historiador romano Tito Lívio, decidiu redigir uma obra monumental, em escala global, com o objetivo de narrar as conquistas lusas ao redor do planeta.

A obra — cuja redação se iniciou em fins da década de 40 — era dividida em três vetores: *A Conquista*, "que é própria da milícia", na qual ele se propunha a fazer a história dos feitos militares portugueses nos quatro continentes (Europa, desde os romanos; África, desde a tomada de Ceuta em 1415; Ásia, desde o início dos descobrimentos patrocinados pelo infante D. Henrique e Brasil, a partir do descobrimento em 1500); *A Navegação*, que se consistiria numa "universal geografia de todo o descoberto"; e, finalmente, *O Comércio*, em que se faria a descrição de todos os "produtos naturais e artificiais de que os homens têm uso", incluindo-se aí uma tabela de pesos e medidas, preços e trocas em escala mundial.

Tratava-se, portanto, de um projeto de concepção globalizante e do qual hoje se conhece apenas uma ínfima parte, relativa à conquista do Oriente e publicada em quatro grossos volumes chamados *As Décadas da Ásia*. Referências feitas pelo próprio Barros permitem supor que *A Navegação* e *O Comércio* tenham sido em grande parte escritos, embora estejam perdidos. O que sobrou, no entanto, não foi suplantado em grandiloqüência, plasticidade e requinte literário — além de possuir inequívoco valor como fonte histórica fidedigna.

De fato, como feitor da Casa da Índia, Barros — que já foi chamado de "historiador sedentário" [8] — tinha acesso direto aos fatos políticos, militares e marítimos, muitas vezes da boca dos próprios protagonistas. Pela sua mão passavam regimentos, roteiros, relações, cartas e todos os projetos relativos à África e ao Oriente. Assim sendo, sua obra historiográfica se articulava em estreita relação com a carreira de funcionário. Durante o dia, Barros desempenhava suas funções na Casa da Índia. À noite, varando as madrugadas, ele redigia, sob a luz trêmula dos candeeiros, seu testamento literário. Era uma rotina exaustiva, da qual ele se queixou em inúmeras ocasiões.

Para escrever as suas *Décadas da Ásia*, Barros não se limitou, contudo, às fontes portuguesas, ao seu vasto conhecimento dos escritores greco-latinos e à leitura atenta dos muitos autores cristãos que, desde Marco Polo até o seu tempo, escreveram sobre as coisas do Oriente. Adepto de uma concepção planetária da história, ele consultou, sempre que possível, textos escritos pelos próprios povos que pretendia documentar. Referiu-se, por exemplo, às crônicas dos reis de Quiloa, Ormuz, Guzarate e Bisnaga, bem como ao clássico *Tarigh*, um sumário sobre os reis da Pérsia. Para escrever sobre a China, utilizou-se de um livro de cosmografia "que nos foi de lá trazido e interpretado por um chim que para isso houvemos".[9]

Desse modo, como disse a pesquisadora Ana Boescu, "no edifício construído por João de Barros sobre a aventura náutica dos portugueses é verdadeiramente notável a atenção e a sensibilidade antropológica na descrição dos amplos quadros geográficos e civilizacionais do Oriente". Entre outros méritos, *As Décadas da Ásia* tem a qualidade adicional de descrever *o outro* com "a especificidade própria da sua cultura e de seus sistemas sociais, revelando, perturbadoramente, para os europeus do século 16, a relatividade das civilizações"[10] e o fato de a Europa não ser o único continente desenvolvido.

Ainda assim, o grande painel mundial de João de Barros se insere plenamente no "espírito de cruzada": ele defende a tese da superioridade dos padrões culturais europeus, acredita no preceito jurídico da "guerra justa" e abraça uma concepção imperialista, épica e centralista da história. Além disso, por ser amigo e panegirista de D. João III, Barros escreveu com a prudência de um cortesão constantemente agraciado com cargos públicos e mercês, e manteve intocado o critério humanista da necessidade de glorificar os heróis pátrios.

Por conta disso — ao contrário de outros cronistas, especialmente Gaspar Correia e Diogo do Couto —, João de Barros calou-se na hora de relatar as mazelas, a corrupção e as crueldades que marcaram o domínio lusitano na Índia. Segundo sua própria justificativa, ele o fez para "não macular uma escritura de tão ilustres feitos com ódios, invejas, cobiças e outras cousas de tão mau nome".[11]

De qualquer modo, ainda de acordo com Ana Boescu, "mais do que qualquer outro historiador da expansão lusa, foi João de Barros quem contribuiu para transmutar a matéria histórica em matéria épica".[12] Ao fazê-lo, abriu caminho para a celebração definitiva dos "triunfos deste reino", concebida e plenamente realizada, alguns anos mais tarde, pelo poeta Luís Vaz de Camões em seu inigualável *Os Lusíadas*, publicado em 1569. É virtualmente impossível imaginar o surgimento de *Os Lusíadas* sem o trabalho anterior de João de Barros.

As Capitanias Setentrionais do Brasil

A aventura historiográfica e a investigação lingüística empreendidas por João de Barros só se iniciaram, porém, após o retumbante fracasso e terrível tragédia que marcaram a expedição que ele armou e enviou para o Brasil, em conjunto não apenas com o poderoso Fernão Álvares de Andrade mas também com seu sócio direto, o militar Aires da Cunha.

Além de amigo e protegido do rei D. João III, João de Barros mantinha estreitas ligações com D. Antônio de Ataíde. Em certa ocasião, ao se referir a Barros, o próprio Ataíde — calejado com a desonestidade e corrupção que caracterizavam o desempenho dos homens encarregados de fiscalizar os negócios alfandegários em Lisboa — disse: "Ainda que roubar fora virtude, ele não o fizera".[13]

Nestas circunstâncias, dada sua proximidade com o trono e suas boas relações com D. Ataíde (que chegou a ter acesso aos originais de *As Décadas da Ásia* antes de sua publicação) João de Barros deve ter despontado como candidato natural para o recebimento de um lote no Brasil. E, de fato, ele foi agraciado não apenas com uma, mas com duas donatarias — embora ambas não lhe tenham sido concedidas para usufruto exclusivo, e sim em parceria com o navegador Aires da Cunha.

Quase nada se sabe sobre Aires da Cunha, a não ser que lutara em Malaca, onde chegou a ser alcaide-mor, e que fora um dos chefes da esquadra guarda-costas dos Açores. Regressara ao reino "como os antigos procônsules romanos: coberto de cabedais e glória", por volta de 1532. Naquela ocasião, chegou a ser incumbido, junto com Duarte Coelho, da missão de seguir para Pernambuco e retomar a feitoria de Igaraçu. Mas, quando se soube, em Lisboa, que Pero Lopes de Sousa já desalojara os franceses de lá, a expedição foi cancelada.

No dia 11 de março de 1535 João de Barros e Aires da Cunha receberam, das mãos do rei, suas duas capitanias no Brasil. O primeiro lote tinha 50 léguas (ou cerca de 300km) de extensão. Iniciava-se no extremo norte da colônia, no então chamado cabo de Todos os Santos (mais tarde ponta dos Mangues Verdes e, atualmente, baía de Cumã), em frente à ilha de Marajó, nas proximidades da atual cidade de Belém do Pará. O limite sul do lote era estabelecido pela foz do rio Gurupi (atual

fronteira dos estados do Pará e do Maranhão), na chamada Abra de Diogo Leite (veja mapa na página 218).

O segundo lote de João de Barros e Aires da Cunha — mais tarde conhecido como capitania do Rio Grande (do Norte) — ficava bem mais ao sul e tinha 100 léguas (ou 600km) de largura. Começava na ponta de Mucuripe (10km ao sul da atual cidade de Fortaleza, no Ceará) e ia até a baía da Traição, na Paraíba (50km ao norte de João Pessoa), que os nativos chamavam de Acajutiribó (*lugar dos cajus azedos* em tupi).

Entre os lotes de Barros e Cunha existiam duas outras capitanias. A primeira delas — mais tarde chamada de Maranhão — fora entregue a Fernão Álvares. O tesoureiro-mor a recebeu em data hoje desconhecida, já que a carta de doação e o foral nunca foram encontrados. Seus limites, porém, são conhecidos: a capitania do Maranhão — com 75 léguas (ou 450 km) de costa — principiava na foz do rio Gurupi e ia até a foz do rio Parnaíba (atual fronteira entre o Maranhão e o Piauí).

Em 20 de novembro de 1535, o provedor-mor da Fazenda, Antônio Cardoso de Barros — subalterno direto de Fernão Álvares e de D. Antônio de Ataíde — recebeu a capitania do Ceará, cujo foral lhe foi passado em 26 de janeiro do ano seguinte. Com 40 léguas (ou cerca de 240km) de largura, a donataria de Cardoso de Barros ia da foz do Parnaíba à ponta de Mucuripe (cerca de 10km ao sul da atual capital Fortaleza).

Embora provavelmente fosse parente de João de Barros, e seu lote ficasse entre as possessões de Fernão Álvares e as de Aires da Cunha e do próprio João de Barros, por algum motivo Antônio Cardoso de Barros não se associou ao projeto no qual seus três vizinhos lançaram-se conjuntamente e, ao que tudo indica, nunca empreendeu a colonização de seu lote.

Mesmo sem o concurso de Antônio Cardoso de Barros, a união das fortunas, dos esforços e da experiência do tesoureiro-mor, do feitor da Casa da Índia e do navegador Aires da Cunha configurava uma poderosa conjugação de forças que, de imediato, os transformou nos donatários mais bem aparelhados para empreender a colonização do Brasil.

E, com efeito, nenhuma expedição partiria de Portugal para a América municiada por tantos recursos, com tantos tripulantes e encarregada da execução de um projeto tão audacioso. Fernão Álvares, João de Barros e Aires da Cunha foram capazes de arregimentar 900 soldados, 120 cavalos e 600 colonos. Adquiriram também cinco naus e cinco caravelas — o que significa dizer que, entre embarcações, mantimentos, tripulantes, munições e braços armados, investiram cerca de 600 mil cruzados no empreendimento. A frota era, por si só, "tão poderosa quanto as de Colombo, Vasco da Gama, Cortez e Pizarro reunidas", como observou um historiador.[14]

O comando da armada foi entregue a Aires da Cunha — navegador e militar experiente, afeito às agruras da vida no mar e à conquista em terras estrangeiras. Fernão Álvares e João de Barros, burocratas e cortesões, permaneceram na corte — onde, aliás, seus serviços eram indispensáveis ao bom funcionamento dos negócios ultramarinos. Barros, no entanto, mandou dois de seus filhos, Jerônimo e João. Não se sabe quem Álvares escolheu para representá-lo, mas com certeza há de ter sido um funcionário graduado.

Assinatura de Aires da Cunha

Consciente da importância, das dimensões e dos vultosos investimentos movimentados por aquele ousado projeto colonial, o rei D. João III tratou de conceder aos donatários associados vantagens adicionais, além daquelas que já lhes tinham sido asseguradas pelos respectivos forais. Álvares, Barros e Cunha foram beneficiados pela Coroa com a isenção de alguns impostos, com o fornecimento de ferramentas agrícolas, mudas e sementes e até com certa quantidade de armamentos e munições, cedidos pelo próprio Arsenal Régio.

Mas a principal mercê que os três donatários obtiveram do monarca lhes foi garantida por um alvará assinado no dia 18 de junho de 1535, mediante o qual ficou decidido que "todas as minas de ouro e prata por eles achadas e descobertas de qualquer modo que seja e em quaisquer partes que fiquem, pelas terras adentro de suas capitanias", passariam a lhes pertencer "para todo o sempre, por juro e herdade", podendo ser repassadas a seus filhos, netos e herdeiros legais.

Esta concessão excepcional — feita exclusivamente àqueles donatários — se justificava não só pelo fato de eles terem investido muito dinheiro na armação de sua esquadra como também pelo próprio risco e a enorme importância estratégica de seu objetivo primordial: a conquista do Peru.

O óbvio caráter militar da expedição, de todo inusual para o Brasil de então, revela que o projeto dos três donatários era a penetração armada pelo interior do continente, através da via fluvial do Amazonas, até os Andes, após a qual planejavam abrir uma via de comunicação entre o Atlântico e o Peru — em busca do território do Rei Branco e da mitológica Laguna Dourada, suposta nascente do Amazonas e do Prata.

A própria presença, na frota, de uma centena de cavalos era um indicativo dessa pretensão. Afinal, embora tivessem desempenhado um papel-chave na conquista do México e do Peru — empreendidas pelos espanhóis — os cavalos até então nunca tinham sido trazidos pelos portugueses para o Brasil.

Pretensões tão ambiciosas e preparativos tão ruidosos evidentemente não passaram despercebidos ao embaixador castelhano em Lisboa, Luiz Sarmiento. Tanto é que, em 2 de fevereiro de 1536, Sarmiento escreveu para o imperador Carlos V, informando-lhe que "em fins de novembro passado", cruzara pelas ilhas Canárias "uma frota de dez navios e 1500 homens, dos quais 113 a cavalo, que o Sereníssimo Rei de Portugal enviou de Lisboa, a qual diziam publicamente que ia ao Peru, que fica na demarcação de Vossa Majestade Imperial".[15]

Sarmiento não deixou de observar que nenhum dos navios anteriormente enviados ao Brasil por outros donatários levava "soldados e artefatos de guerra, mas apenas gente para povoar, e o necessário para a vida habitual e pacífica". Ironicamente, é graças a esta e a outra carta de Sarmiento — citada mais adiante — que se pôde *reconstituir o trágico destino* da expedição, já que os registros acerca de sua existência foram praticamente riscados dos arquivos portugueses.

Sob o comando de Aires da Cunha, a armada dos três donatários coligados zarpou de Lisboa na segunda semana de novembro de 1535. Cerca de dez dias depois, a frota cruzou ao largo das ilhas Canárias, onde os castelhanos — espantados com suas dimensões e poderio bélico — enviaram relatos alarmantes para o embaixador Sarmiento, os quais ele prontamente tratou de retransmitir para o imperador Carlos V.

DESASTRE NO MARANHÃO

Então, ao final da manhã de 6 de janeiro de 1536, a mais poderosa esquadra que jamais fora enviada da Europa para o Brasil surgiu, majestosa, à frente da nascente vila de Olinda. O encontro entre o donatário de Pernambuco, Duarte Coelho, e o recém-chegado Aires da Cunha há de ter sido caloroso.

A narrativa dos eventos que marcaram a expedição de Aires da Cunha ao Maranhão será feita, nas páginas seguintes, não apenas com base nas cartas de Sarmiento mas, acima de tudo, graças ao minucioso estudo empreendido pelos historiadores Rafael Moreira e William M. Thomas, publicado em julho de 1996 pela revista Oceanos, *com o título de* Desventuras de João de Barros, primeiro colonizador do Maranhão. *Acima, retrato de João de Barros feito no século 16.*

Ambos já se conheciam: tinham combatido juntos em Malaca e compartilhado a chefia da esquadra dos Açores.

Informado dos planos de seu antigo companheiro de armas, Coelho forneceu-lhe alguns mapas e quatro intérpretes — homens bem versados na "língua geral" —, cedendo-lhe também uma *fusta*. O donatário de Pernambuco não ignorava que aquela pequena embarcação seria de inestimável valor para as sondagens de uma costa traiçoeira e pouco conhecida.

Por volta da segunda quinzena de janeiro — aproveitando-se da época em que os ventos ficam mais fracos naquela porção do litoral —, a armada de Aires da Cunha partiu de Pernambuco em direção ao noroeste. A partir de então, nada iria sair como o planejado.

A FUSTA

Fustas são embarcações relativamente pequenas, com cerca de 25 metros de comprimento e 4 de largura, movidas a remo e à vela. De origem árabe, eram chamadas de "falucho" no Oriente Médio. Cada barco tinha entre 12 e 18 bancadas de remadores e cada bancada possuía dois remos. As fustas possuíam um único mastro, armado com vela latina (ou triangular), podendo ter uma coberta na popa. Seu fundo era quase chato, o que a permitia navegar em águas rasas, próximo à costa.

Depois de navegar por cerca de 300km ao longo da costa, a frota cruzou pela ampla foz do rio Potengi (o "Rio Grande do Norte" de então), que fica a cerca de dois quilômetros ao norte da atual cidade de Natal e onde, cerca de 60 anos depois, seria construído o Forte dos Reis Magos. Apesar de aquele ser um local estratégico e ficar dentro dos limites da donataria que ele compartilhava com João de Barros, Aires da Cunha inexplicavelmente não fez escala ali, embora, por motivos ainda mais obscuros, tenha decidido desembarcar cerca de 12km mais ao norte, na tortuosa foz do rio Baquipe — hoje chamado Ceará-Mirim.

No momento em que puseram os pés em terra, os soldados de Aires da Cunha foram rechaçados pelos Potiguar — que, cinco anos antes, já tinham impedido Pero Lopes de se abastecer de água ali e que, em janeiro de 1500, haviam enfrentado e vencido os homens que acompanhavam o espanhol Vicente Pinzón. Quando Aires da Cunha tentou o desembarque, enfrentou uma situação ainda mais grave: naquela ocasião, os

Potiguar estavam "unidos a muitos franceses" [16] e, com o auxílio das armas de fogo de seus aliados, mataram cerca de 70 portugueses. Embora Cunha certamente pudesse ter vencido o inimigo — já que suas tropas eram muito maiores e estavam mais bem armadas do que o adversário —, ele preferiu bater em retirada, zarpando para o norte, "disposto a ir tentar melhor sorte nas terras de seu terceiro sócio, Fernão Álvares de Andrade".[17]

Em algum ponto da costa entre o Ceará-Mirim e o cabo São Roque, a expedição encontrou e recolheu vários náufragos castelhanos da expedição de D. Pedro de Mendoza — cujo galeão havia se desgarrado da frota enviada para colonizar Buenos Aires e, depois de ficar algumas semanas à deriva, afundara ali, cerca de um ano antes (leia p. 107).

Os espanhóis — alguns dos quais haviam sido devorados pelos Potiguar — fizeram um relato aterrorizante sobre aqueles indígenas. Ainda assim, talvez nem todos tenham preferido juntar-se aos portugueses: alguns anos mais tarde, um castelhano seria encontrado vivendo entre os nativos daquela região. Com os lábios furados, o corpo tatuado e pintado de jenipapo, este homem "se fizera botocudo" e liderava os ataques indígenas contra os portugueses. Varnhagen supõe que fosse um dos náufragos de Pedro de Mendoza, que decidira abandonar a vida civilizada e, segundo ele, "asselvajar-se".[18]

Deixando o território dos Potiguar para trás, a frota de Aires da Cunha prosseguiu para o norte. Acompanhando a linha da costa — que, a partir dali, se inflete decisivamente para o noroeste —, os navios dobraram o cabo São Roque e, em fevereiro de 1536, entraram na traiçoeira Costa Leste-Oeste. A ousadia lhes custaria caro.

174

Embora o projeto Magnus Brasil — de acordo com o qual os lusos pretendiam tomar posse da foz dos rios Amazonas e Prata — só tenha surgido na corte por volta de 1530, o fato de os portugueses terem realizado em 1514 duas expedições conjuntas — uma para o sul, sob o comando de João de Lisboa e outra para o norte, chefiada por Estevão Fróis — indica que, desde aquela época, eles já pretendiam expandir os limites de sua possessão na América do Sul para além da exígua linha estabelecida em Tordesilhas. A expedição de João de Lisboa foi responsável pela descoberta do Rio da Prata. A missão de Fróis foi prejudicada pelas dificuldades náuticas impostas pela Costa Leste-Oeste. Seu navio foi empurrado para o Caribe, onde ele acabou preso pelos castelhanos. Só foi liberado, após várias torturas, dois anos mais tarde, em troca dos náufragos espanhóis da expedição de Juan Diaz de Sólis, que o capitão Cristóvão Jaques capturara no Porto dos Patos, no verão de 1516.

Desde uma *expedição clandestina*, realizada pelo capitão Estevão Fróis em 1514, os portugueses sabiam que, a partir do cabo São Roque, as correntes corriam paralelas à costa e conduziam os navios no rumo leste-oeste, empurrando-os vigorosamente em direção ao Caribe. O que eles ainda ignoravam era que essas mesmas correntes imprimiam uma velocidade extra aos navios — que não era computada pelos pilotos e "produzia um erro de longitude que ia se acumulando".[19]

Assim sendo, após três semanas de navegação sob os ventos fracos do final do verão, a frota de Aires da Cunha se encontrava bem mais a oeste do que julgava estar, com base nos mapas de que dispunha. De qualquer forma, até aquele momento, a esquadra contava com a orientação dada pelos pilotos que avançavam próximo da costa, a bordo da fusta cedida por Duarte Coelho. Desta forma, o grosso da armada podia se manter a uma prudente distância do litoral.

Ironicamente, porém, no trecho que vai do cabo São Roque até o delta do rio Parnaíba, as águas costeiras são profundas e não oferecem nenhum obstáculo natural. Além disso, ao longo desta mesma porção do litoral, é possível vislumbrar, do alto-mar, o perfil eriçado da serra da Ibiapaba (CE), "cujos morros e picos serviam de orientação aos mareantes".[20]

Vencidas as águas barrentas do delta, no entanto, todas as referências desaparecem. Inicia-se ali a zona dos chamados "lençóis maranhenses": um amplo cordão de dunas que emoldura uma costa baixa e plana, prolongando-se pelo oceano na forma de uma plataforma submarina de pouca profundidade.

E foi justamente aí que a frota de Aires da Cunha perdeu o auxílio inestimável da fusta que a acompanhava. Empurrada por ventos contrários, essa pequena embarcação sumiu de vista e se desgarrou da armada. Por dois meses, os oito marinheiros que estavam a bordo permaneceram à deriva. Deses-

175

Localizado em alto-mar, a uns 180 km ao norte da atual cidade de São Luís (MA), o Parcel de Manoel Luís é um afloramento de algas calcárias fossilizadas, com 5km de extensão e 500m de largura, com imensas torres, ou "cabeço" de 30m de altura. Cerca de 240 naufrágios já ocorreram ali, de acordo com a pesquisadora Judite Cortesão (filha de Jaime Cortesão). O Parcel — cujo nome provém de um antigo pescador da região — só foi cartografado em 1820 pelo oceanógrafo francês barão Albin Roussin. Tranformado em Parque Estadual Marinho em 1991, o Parcel é um banco genético belíssimo, repleto de corais, esponjas, anêmonas e gorgônias de múltiplas cores.

perados — sem água e sem comida —, acabaram sendo resgatados por um navio espanhol. Conduzidos para a ilha de São Domingos, no Caribe, foram presos, acusados de invadir águas territoriais de Castela.

Sem o insubstituível apoio do barco de reconhecimento, a tragédia logo se abateu sobre a frota de Aires da Cunha. As cinco naus e as cinco caravelas haviam seguido seu rumo em direção ao Amazonas. Após a foz do Tutóia — a uns 25km do Parnaíba, onde o rio se perde em meandros entre os "lençóis" — a costa inflete ligeiramente para o sul, iniciando o contorno do Golfão maranhense. Se mantiver o curso normal para leste — o que é forçado a fazer, na busca por águas mais profundas —, o navegante perde, de súbito, qualquer contato visual com a costa. A meio dia de viagem dali, à espera de suas vítimas, está um perigoso banco de corais: o *Parcel de Manoel Luís.* Nas suas proximidades, as correntes adquirem velocidades de até três nós (ou cerca de 5km/h), ajudando o Parcel a atrair e engolir as vítimas empurradas até lá.

Parece ter sido justamente isso o que aconteceu com a nau-capitânia, comandada por Aires da Cunha. Em fins de março de 1536, este navio desapareceu misteriosamente, tragado pelas ondas sem deixar vestígios. As mais variadas e fantasiosas hipóteses têm

OCEANO ATLÂNTICO

Área de Cabeço: 20m^2

25 m de altura

Ponta Oeste

Cemitério de Navios

Ponta Leste

♣ Locais de Naufrágios
  Torres de algas calcárias

sido levantadas desde então para explicar o naufrágio — e cinco diferentes locais já foram apontados como o possível palco da catástrofe.

Estudos feitos em 1996 pelos pesquisadores Rafael Moreira e William Thomas elucidaram definitivamente a questão: distanciando-se demasiadamente para nordeste e se afastando do restante da frota — que não teria podido avistar em função de uma das freqüentes chuvas, rápidas mas intensas, típicas do litoral maranhense —, a nau de Aires da Cunha foi tragada pelo Parcel de Manoel Luís e sumiu para sempre. Seria apenas o primeiro de muitos navios a enfrentar o terrível destino ditado por aquele traiçoeiro banco de corais.

A VILA E A FORTALEZA DE NAZARÉ

Uma dúvida, porém, ainda persiste. A segunda carta enviada pelo embaixador Sarmiento ao imperador Carlos V permite conjecturar que, antes da tragédia, Aires da Cunha já tinha desembarcado na ilha de São Luís, no Maranhão. De fato, num relato redigido em Évora, em 15 de julho de 1536, Sarmiento registrava a chegada a Portugal de "um piloto que trazia cartas do capitão que se chama Acuña" (sem dúvida Aires da Cunha), afirmando ainda que "aqui (*em Portugal*) estão mui alegres com as novidades e acham que ninguém sabe de nada, e tratam do assunto da forma mais dissimulada possível".[21]

Pouco mais tarde, o sempre bem informado Luiz Sarmiento teria acesso também a "uma carta particular que foi escrita por um dos tripulantes que seguiu com a armada, que se mantém lá mui secretamente". De acordo com esse novo relato, o embaixador castelhano soube que os portugueses haviam desembarcado "em uma ilha que há junto ao rio Maranhão, e dizem que foram bem-recebidos pela gente que vivia ali e puse-

177

ram o nome de Trindade à dita ilha e passaram a edificar uma povoação e um castelo *(uma fortaleza)* e batizaram a dita povoação e o dito castelo com o nome de Nazaré".[22]

Quase nada se sabe sobre a história dessa malograda colônia — cujo nome, segundo alguns historiadores, foi uma homenagem à vila pesqueira de Nazaré, em Portugal, próxima à quinta de João de Barros e de onde provinham vários dos tripulantes da armada. De todo modo, o vilarejo com certeza ficava na ilha do Maranhão, no seu sítio mais defensável, no qual hoje se ergue a cidade de São Luís (fundada em 1615) — "e onde o velho bairro de Nazaré pode ainda assinalar a memória desse primitivo estabelecimento".

Como as cartas de Sarmiento narram a fundação de Nazaré mas não fazem referência ao naufrágio da nau de Aires da Cunha, os historiadores supõem que ele tenha se dado após o desembarque no Maranhão e a fundação da colônia. Assim sendo, a tragédia possivelmente ocorreu no segundo semestre de 1536, durante uma das várias expedições realizadas ao longo da costa, em direção ao norte, rumo à foz do Amazonas.

Que os homens de Aires da Cunha realmente se empenharam na exploração daquele rio é fato registrado por outros cronistas. Um deles, Pero Magalhães Gandavo, chegou a afirmar que os expedicionários navegaram "umas 250 léguas *(cerca de 1.500km)* Amazonas acima" — o que, para o pesquisador Luís da Câmara Cascudo, "não parece verdade limpa".[23] De todo modo, é certo que os rios Itapecuru, Mearim e Pindaré — que deságuam na baía da ilha de São Luís — foram explorados.

Segundo Sarmiento, os portugueses estavam convictos de que o Pindaré nascia "muito perto do Peru" e que "nas proximidades dele existe uma serra na qual há infinita quantidade

178

de ouro". Deve ter sido durante uma daquelas expedições costeiras que o navio de Aires da Cunha acabou naufragando.

O Trágico Fim da Expedição

Os Tremembé

Como os Aimoré e os Goitacá, os Tremembé eram um dos poucos povos indígenas do litoral brasileiro que não pertenciam ao grupo Tupi-Guarani. Seu território tribal se prolongava da ilha de São Luís, no Maranhão, até a foz do rio Acaraú, no norte do Ceará. Além de grandes nadadores, os Tremembé eram mergulhadores estupendos, capazes de se manter submersos por vários minutos. Eles costumavam mergulhar para cortar, à noite, as amarras dos navios portugueses. Com cerca de 20 mil integrantes, a tribo se aliou aos franceses e era tida como uma das mais nefastas pelos lusos, pois impediam as comunicações por terra entre as capitanias do Maranhão e do Ceará. Os Tremembé foram massacrados em abril de 1679 por uma expedição comandada por Vital Maciel Parente. Os poucos sobreviventes internaram-se no delta do rio Parnaíba.

De qualquer forma, após a morte do donatário o desânimo e a anarquia se abateram sobre os sobreviventes. Os nativos — provavelmente os *Tremembé* —, que a princípio tinham recebido bem os forasteiros, se rebelaram, queimando as plantações e sementeiras, impedindo o acesso às fontes de água e sitiando a nascente vila de Nazaré.

Cerca de 120 homens haviam sucumbido no naufrágio e outros 70 tinham sido mortos pelos Potiguar na foz do Ceará-Mirim. Ainda assim, restavam pelo menos 1.300 expedicionários. Dos 113 cavaleiros de guerra, no entanto, não se ouviu mais falar — "sinal de que teriam sido convertidos ao trabalho agrícola ou dizimados", segundo as hipóteses sugeridas pelos pesquisadores Rafael Moreira e William Thomas.

Ao longo de dois anos, isolados no remoto litoral maranhense, os sobreviventes ainda perseveraram. Mas "sem a energia e o comando de Aires da Cunha, sem deparar ouro nem preciosidade, cercados pela indiaria cotidianamente verificando a fraqueza dos exploradores, eles decidiram renunciar aos sonhos de grandeza"[24] e, aos poucos, foram iniciando a melancólica jornada de retorno para Portugal. Seus tormentos, porém, ainda não estavam encerrados.

No início do segundo semestre de 1538, três caravelas partiram do Maranhão e foram parar no mar do Caribe. Em agosto de 1538, com cerca de 45 portugueses (muitos deles com suas mulheres) e 140 nativos a bordo (entre livres e escravos), dois destes navios arribaram — com "os homens mui perdidos e necessitados" — na ilha de Porto Rico. Um mês depois, a outra caravela, esta com 150 tripulantes, foi dar na ilha de Santo Domingo. Os portugueses que estavam a bordo dos dois navios — entre eles João de Barros, filho do donatário — foram detidos e seus escravos nativos distribuídos entre os castelhanos.

Um quarto navio chegou à ilha de Margarita, ao largo da costa da Venezuela. A bordo dele estava um dos filhos de João de Barros, Jerônimo, "não muito faminto e torturado, porque durante aquela estada se divertiu jogando cartas com o vigário local, que lhe ganhou 200 cruzados, sem que Jerônimo os pagasse".[25] A dívida jamais parece ter sido saldada pois, anos mais tarde, Jerônimo de Barros a listou em seu rol testamentário, deixando-a "sujeita às decisões de um bom teólogo, capaz de sentenciar sobre a validade moral do débito".[26]

Se não pagou a quantia que Jerônimo perdeu no carteado, João de Barros, por outro lado, "gastou muita palavra e muito ouro".[27] para reaver os dois filhos, seus navios e seus colonos, pagando por eles o resgate exigido pelos castelhanos. Não foram estas as únicas despesas com as quais arcou o feitor da Casa da Índia: segundo o cronista Antônio Galvão, Barros — "homem virtuoso e de larga condição" — pagou, por vontade própria, vultosa pensão para a viúva e os filhos de Aires da Cunha, bem como para os parentes "de outros que lá faleceram".

De acordo com o relato que o donatário Duarte Coelho, de Pernambuco, enviou para o rei, anos mais tarde, foram cerca de 800 os portugueses que perderam suas vidas ao longo daquela malfadada aventura maranhense. Tudo indica que alguns sobreviventes permaneceram no Maranhão, mas suas tentativas de reconstruir a colônia perderam-se na história e não existem notícias sobre o destino que tiveram.

Tantas despesas deixaram João de Barros arruinado. Embora, anos depois, o rei D. Sebastião perdoasse uma dívida de 600 mil reais que Barros tinha com o arsenal régio e, após a morte do donatário, concedesse à sua viúva uma pensão de 500 cruzados, o grande escritor nunca se recuperou do prejuízo. Tanto é que, em 1552, em seus apontamentos, Barros escreveu: "O princípio da milícia (*ou conquista*) desta terra (*o Brasil*), ainda que seja o último de nossos trabalhos, na memória eu o tenho mui vivo, por quão morto me deixou o grande custo desta armada sem fruto algum".

É interessante notar que — embora a parte relativa à "conquista da Terra de Santa Cruz", que faria parte de sua *Geografia*, tenha se perdido — João de Barros acabou se tornando, em outros textos, um dos defensores da tese de que o Brasil fora descoberto "por acaso". Tal teoria — compartilhada por Gaspar Correia, Damião de Góis e Fernão de Castanheira — surgiu, na corte, numa época em que a colônia sul-americana era quase que inteiramente desprezada em Portugal.

João de Barros, no entanto, não desistiu de imediato do Brasil. Em 1539, ele teria enviado o fidalgo Luís de Melo com a missão de instalar-se novamente no Maranhão — ou, quando menos, para resgatar alguns portugueses porventura remanescentes entre as ruínas de Nazaré. Mas sua sorte foi, uma vez mais, "desastrosa e fugidia":[28] Melo também naufragou nos tenebrosos baixios da costa maranhense.

Três anos após este novo fracasso, os portugueses — exatamente como acontecera na "Costa do ouro e da prata" — tiveram que amargar uma outra vitória dos castelhanos. E, como já ocorrera no caso do naufrágio de Martim Afonso no Uruguai, este novo feito dos rivais espanhóis significava a dolorosa confirmação de que o projeto lusitano de conquistar o Peru através da costa leste do Brasil estava, em tese, correto.

Planta de la Canela.

A CANELA

A canela é a casca interior da caneleira, uma árvore de porte médio, da família das Lauráceas (Laurus cinnamomum), nativa do Ceilão e da Malásia. Usada na perfumaria, na confeitaria, como condimento e na preparação de vinhos aromáticos, a canela tinha também grandes aplicações medicinais. Anti-séptica e digestiva, era usada sobretudo no tratamento de doenças do aparelho respiratório. Por conta de tantos usos, era a mais cara das especiarias: um quintal (ou 60kg) de canela valia, na Europa, cerca de 50 cruzados (contra 30 cruzados do quintal da pimenta e 35 cruzados do de noz-moscada)

No dia 26 de agosto de 1542, o capitão Francisco de Orellana, acompanhado por 48 homens famintos e fatigados, entrou com um bergantim nas águas do Atlântico. Naquele instante, estava se tornando o primeiro homem a ter navegado, da nascente à foz, os mais de sete mil quilômetros do maior rio do mundo. Fora uma jornada épica — e a prova irrefutável de que havia uma ligação fluvial entre o Brasil e o Peru.

Orellana havia partido de Quito, no Equador, em junho de 1541, em companhia de 21 homens, entre os quais o frei dominicano Gaspar de Carvajal — que se tornou o cronista daquela inacreditável expedição. Orellana fora incumbido da missão de juntar-se ao grande contingente de soldados e escravos indígenas com o qual Gonzalo Pizarro — irmão de Francisco, o conquistador do Peru — partira de Quito, em fevereiro de 1541, em busca de um suposto "reino da canela".

De acordo com as informações que tinham obtido dos nativos, os castelhanos achavam que, uma vez vencida a cordilheira dos Andes, iriam mergulhar em um vasto pomar, repleto de árvores de canela. No século 16, *a canela* era uma das especiarias mais valiosas e, embora já tivessem obtido uma imensa fortuna com o ouro saqueado aos Incas, os espanhóis decidiram partir em busca daquela nova fonte de riqueza.

Quando os exércitos de Gonzalo Pizarro e Francisco de Orellana juntaram suas forças, passaram a contar com 200 cavalos, mil cães, dois mil porcos e quatro mil escravos indígenas, além de 250 soldados. Metade dos nativos, alguns espanhóis e boa parte dos animais já estavam mortos quando, em novembro de 1541, após uma marcha tremendamente exaustiva, a tropa enfim conseguiu sobrepujar a árida e vertiginosa barreira dos Andes.

Mas, à frente dos sobreviventes — enregelados e famintos —, descortinava-se um ambiente igualmente hostil e um desafio ainda mais ameaçador: a gigantesca e misteriosa floresta amazônica. Assim que penetrou na mata, Pizarro percebeu que, além de poucas e esparsas, as árvores de canela ali existentes eram de pouco valor comercial. De acordo com o cronista Carvajal, ele ficou tão furioso que *jogou aos cães* metade dos indígenas sobreviventes e queimou vivos os demais.

Sem guias nativos, os espanhóis logo se perderam no emaranhado da floresta. Em breve, já haviam comido todos os seus porcos, cavalos e cães — restando-lhes apenas as próprias botas e cintos, que eles ingeriram fervidos com ervas. Então, no dia seguinte ao Natal de 1541, Pizarro mandou construir um bergantim e ordenou que Orellana, acompanhado por 57 homens, descesse o rio à margem do qual eles se encontravam. Sua missão era saquear as grandes aldeias indígenas, de cuja existência os castelhanos tinham sido informados.

Mas aquela seria uma viagem sem volta. No dia 27 de dezembro, Orellana e seus homens embarcaram no bergantim e lançaram-se ao curso tempestuoso do rio. Ao longo de seis dias, as fortíssimas correntes os empurraram cerca de mil quilômetros águas abaixo. E não havia nem sinal de aldeias: apenas mata e rio numa sucessão interminável.

Este rio era o Coca, um dos afluentes do Napo, ao qual o grupo de Orellana chegou nos primeiros dias de janeiro de 1542. O Napo, por sua vez, é um afluente da margem esquerda do Ucayali — cujo nome muda para Solimões assim que seu curso penetra em território hoje brasileiro, após cruzar pela atual cidade de Iquitos, no Peru. O Solimões, por fim, é um dos principais formadores do imenso rio no qual aquela nau de insensatos inadvertidamente penetrou ao cair da tarde do dia 11 de fevereiro. (Veja mapa na página seguinte.)

Mais ou menos nesta mesma época — depois de aguardar por 40 dias pelo retorno de Orellana —, Gonzalo Pizarro resolveu voltar para Quito. Amaldiçoando Orellana — que julgava tê-lo abandonado deliberadamente —, Pizarro chegou à Quito inca em agosto de 1542: sem canela, sem cães, sem cavalos e sem ouro. De imediato, denunciou Orellana ao Conselho Real, acusando-o de traição.

As Fabulosas Amazonas

Um Relato Fantástico

A Relación *de frei Gaspar de Carvajal, redigida no Caribe, em setembro de 1542, foi publicada pela primeira vez pelo cronista Gonzalo Fernandes de Oviedo, em 1557, em sua* Historia General de las Indias. *A segunda edição do texto de Carvajal só foi lançada em 1894. Anotada e comentada pelo historiador chileno Jose Toribio Medina, continua sendo a fonte primordial para o estudo do descobrimento do maior rio do planeta. Ao lado, mapa com a jornada de Orellana e Carvajal.*

Em 24 de julho, poucos dias antes do amargo regresso de Pizarro a Quito, Orellana estava vivendo a mais extraordinária das inúmeras aventuras que marcaram sua jornada rio abaixo. De acordo com o *relato* do frei Gaspar de Carvajal, ao chegar na confluência do rio Trombetas com o imenso curso d'água pelo qual navegavam, os espanhóis foram atacados por um bando de mulheres guerreiras. "Elas eram muito alvas e altas, com cabelos longos, entrançado e enrolado no alto da cabeça", escreveu. "São muito robustas e andam nuas em pêlo, tapadas apenas suas vergonhas, e trazem arcos e flechas nas mãos, fazendo tanta guerra quanto dez índios homens. Em verdade, houve uma delas que enterrou uma flecha a um palmo de profundidade no bergantim, e as outras pouco menos, de modo que, finda a luta, nosso barco parecia um porco-espinho".[29]

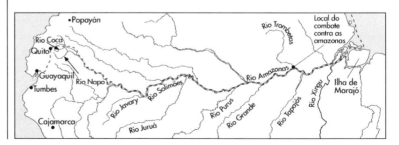

O mito das Amazonas, que frei Gaspar de Carvajal transplantou para os trópicos, era milenar. O primeiro escritor a tratar do tema foi Homero, no século 8 a.C. A própria palavra "amazona" (ou "amazo": sem seio) fora usada pelo autor da Odisséia. *Homero se referia às mulheres guerreiras da antiga Cítia, na Ásia Central, cuja real existência vem sendo comprovada por registros arqueológicos. Quanto às amazonas citadas por Carvajal* (representadas na gravura abaixo), *embora a questão ainda seja controversa, existe a possibilidade de que se tratassem das chamadas "Çacoaimbaeguira", termo usado pelos Tupinambá para definir guerreiras lésbicas que, segundo o relato posterior dos jesuítas, "não conhecem homem, têm mulher e falam e pelejam como homem".*

Após matarem sete das 12 mulheres que os atacaram, os espanhóis seguiram viagem. E então, um mês e dois dias depois do combate, em 26 de agosto de 1542, Orellana e 48 sobreviventes contornaram a ilha de Marajó, entrando no oceano Atlântico. Tinham navegado cerca de 7.250km, tornando-se os primeiros homens a percorrer, da nascente à foz, o maior rio do planeta.

Algumas semanas mais tarde, ao desembarcar na pequena ilha de Cubágua, a 200km de Trinidad, no Caribe, frei Gaspar de Carvajal sentou-se para redigir o extraordinário relato daquela expedição — e o olho que lhe fora roubado por uma flechada não o impediu de concretizar a tarefa. Embora o diário narrasse uma façanha épica, o ponto alto da narrativa era a descrição das mulheres guerreiras — que Carvajal, baseado em um antigo mito grego, decidiu chamar de "amazonas".

Embora Orellana tivesse batizado o gigantesco rio com seu próprio nome, a estrada fluvial que une o Peru ao Brasil acabaria ficando conhecida como "o rio das Amazonas" — designação que ainda se mantém. Ainda assim, o relato de Carvajal seria contestado por inúmeros cronistas — e alguns deles o fizeram quando o frei ainda estava vivo.

De fato, em 1552, o historiador castelhano López de Gomara (1510-1560) afirmou na sua *Historia de las Índias*: "Dentre os disparates que (*frade Carvajal*) disse, o maior foi afirmar que havia amazonas (*já que*) nunca tal se viu nem tão pouco se verá neste rio". Para Gomara, a explicação para o episódio narrado por Carvajal era simples: "Que mulheres andem com armas e pelejem ali não é grande coisa, pois este é o seu costume nas Índias".

É interessante estabelecer um paralelo entre as jornadas de Orellana e de Cabeza de Vaca, realizadas quase na mesma época. Embora o projeto de conquistar as bacias do Amazonas e do Prata fosse originalmente lusitano, foram os espanhóis que primeiro o concretizaram: Cabeza de Vaca partiu do litoral sul do Brasil e chegou ao Paraguai (e, depois, à Bolívia); Orellana partiu do Equador e chegou ao Atlântico. A tese geopolítica do "Magnus Brasil" — que estava, portanto, correta — ficou, desta forma, seriamente abalada. Os lusos precisariam de quase dois séculos para concretizar seu projeto expansionista e avançar para além dos limites estabelecidos pela linha de Tordesilhas. Na gravura abaixo, mapa do Amazonas feito pelos espanhóis em fins do século 16.

Menos pelas mulheres-guerreiras do que pelas supostas riquezas que se escondiam em suas margens e por sua localização estratégica, o rio das Amazonas despertou de imediato o interesse de espanhóis e portugueses. Sua conquista tornou-se *projeto prioritário* de ambas as Coroas. Mas os obstáculos impostos por uma das regiões mais selvagens e inóspitas do planeta cedo iriam cobrar um preço altíssimo a todos aqueles que ousassem penetrá-la.

O primeiro a pagar com a vida pela audácia foi o próprio Orellana. Ao desembarcar na Espanha, em maio de 1543, ele precisou provar em juízo que não havia abandonado Pizarro às margens do rio Coca. Absolvido da acusação de traição, acabou sendo nomeado pelo imperador Carlos V, em 13 de fevereiro de 1544, como "adiantado" da província de Nova Andaluzia — nome com o qual ele batizara a região do Amazonas.

Em 11 de maio de 1545, Orellana partiu de San Lucar de Barrameda em direção à foz do formidável rio, com quatro navios e cerca de 400 homens. Após uma viagem acidentada, ele só conseguiu chegar à ilha de Marajó em 20 de dezembro. E então entrou no Amazonas pela segunda vez em sua vida — só que, então, na direção inversa.

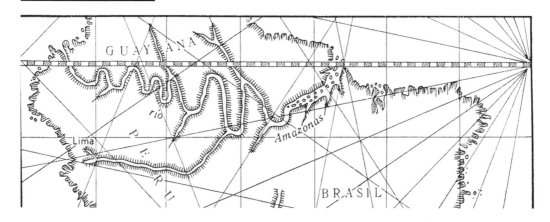

Foi uma jornada de danação. Vários naufrágios e ataques de indígenas, o tormento incessante dos mosquitos e as caminhadas por alagadiços com água acima da cintura; o labirinto de igarapés, as febres palustres e alimentação deficiente: tudo conspirava contra o avanço da expedição. Em dezembro de 1546, depois de os nativos terem matado 17 de seus homens, o próprio Orellana sucumbiu — provavelmente de malária — não muito longe da foz do rio cuja imensidão ele fora o primeiro a vislumbrar.

Em 27 de fevereiro de 1544 — apenas duas semanas após Orellana ter sido nomeado governador da Nova Andaluzia —, o rei D. João III havia concedido uma audiência, no palácio de Évora, a um certo Diego Nuñez de Quesada, fidalgo espanhol que viera lhe propor o audacioso plano de "varar pelo sertão do Amazonas até os lindes dos Andes". Embora soubesse que estaria incorrendo em uma invasão do território que pertencia a Castela, D. João aceitou a proposta.

Nuñez de Quesada já estivera anteriormente no Peru, de onde trouxera "grandes cabedais". Mas como a conquista do Amazonas fora concedida exclusivamente a Orellana, o aventureiro deixou a Espanha e buscou o apoio do monarca luso. Em outubro de 1544, uma vez obtida a sanção real, Quesada associou-se ao capitão português João de Sande, e ambos armaram quatro navios com o objetivo de conquistar o Amazonas.

Em 21 de novembro, tendo se dirigido a Sevilha com o objetivo de recrutar veteranos da primeira expedição de Orellana, João de Sande foi preso como espião e permaneceu encarcerado até abril do ano seguinte — quando Quesada pagou por sua libertação. Em julho de 1545, Sande e Quesada enfim partiram de Portugal. Mas sua expedição simplesmente sumiu na Amazônia, sem que ninguém jamais voltasse a ouvir falar dela.

O próprio João de Barros — em cuja capitania se localizava a foz do Amazonas — ainda levaria alguns anos para desistir da conquista da região. Embora financeiramente arruinado pelo fracasso de sua primeira expedição, Barros tornou a enviar seus dois filhos, Jerônimo e João, para nova tentativa de instalar-se na Costa Leste-Oeste. A expedição partiu de Lisboa em 1555 ou 1556 — mas, ao tentar fundar uma colônia no atual Rio Grande do Norte, os dois irmãos foram novamente rechaçados pelos Potiguar e por seus aliados franceses.

Velho, empobrecido e fatigado, João de Barros desistiu definitivamente de seu lote no Brasil — a colônia cuja mera menção do nome lhe traria, para sempre, as piores recordações. Até sua morte, em 1570, Barros ainda não havia conseguido se recuperar do prejuízo que as três tentativas de colonizar a costa setentrional do Brasil tinham lhe causado.

Ao contrário de João de Barros, o tesoureiro-mor Fernão Álvares de Andrade — que também perdera muito dinheiro na tentativa de ocupar o Maranhão — se manteve um dos principais incentivadores do projeto de investir no Brasil, embora estivesse convicto de que o destino da colônia residia na exploração da lavoura canavieira.

Quanto ao provedor-geral da Fazenda e donatário do Ceará, Antônio Cardoso de Barros, ele não parece ter tomado nenhuma atitude com vistas à ocupação de seu lote, embora algumas ruínas "de pedra e cal", encontradas em 1614 na praia de Camocim — no extremo norte do Ceará, a uns 30km da praia de Jericoacoara —, tenham levado o historiador Francisco de Varnhagen a supor, em 1854, a existência de uma desconhecida tentativa de colonização daquela região, talvez empreendida pelo próprio Cardoso de Barros, apesar de não existirem provas documentais da suposta expedição.

De todo modo, quando tais ruínas foram avistadas pelo explorador Jerônimo de Albuquerque, no início do século 17, toda a extensão da Costa Leste-Oeste permanecia desabitada e os portugueses já haviam desistido do grandioso projeto de conquistar o Peru pela via do Atlântico. O próprio Jerônimo de Albuquerque era parente do donatário de Pernambuco, Duarte Coelho, e havia partido justamente de Olinda — o único local onde os portugueses tinham achado "ouro" no Brasil.

Só que tal "ouro" era de tonalidade marrom, tinha que ser duramente arrancado da terra... e se chamava açúcar.

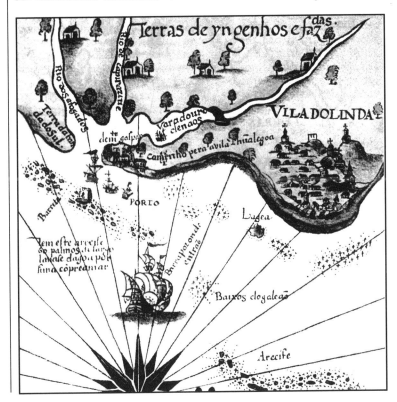

Ao lado, mapa da capitania de Pernambuco em fins do século.

189

Impossível conjecturar o que Duarte Coelho, o donatário de Pernambuco, pensou ao se encontrar com Aires da Cunha, ao final da manhã de 6 de janeiro de 1536, quando seu velho companheiro de armas aportou em frente a Olinda, comandando uma enorme frota e encarregado da arriscada mas fascinante missão de conquistar o Peru pela via do Amazonas.

Apesar de ter prestado à expedição todo o auxílio que estava a seu alcance, é justo supor que Duarte Coelho sentisse uma pitada de inveja com relação ao objetivo de Aires da Cunha — especialmente se o comparasse com o destino ao qual ele próprio decidira se submeter. Afinal, embora também fosse soldado — tendo participado de grandes conquistas no Oriente — Coelho viera para o Brasil disposto a viver do que a terra desse. E isso implicava se adaptar ao regime monótono, previsível e cansativo da produção agrária.

Assim sendo, o confronto silencioso entre a audácia de Aires da Cunha e a resignação de Duarte Coelho — tão bem representado pelo encontro entre ambos os homens em frente à colina na qual Coelho estava construindo a vila de Olinda — refletia, de certa forma, duas visões de vida que, embora divergentes, sempre haviam caminhado juntas na história de Portugal, e que tinham ajudado a forjar a alma da nação.

Apesar de ser militar, Duarte Coelho provinha da nobreza agrária de Portugal. O mesmo sucedia com sua mulher, D. Brites de Albuquerque, que viria a ser a primeira mulher chefe de governo na América. Ambos eram descendentes de senhores rurais do norte do país. Da mesma região, tinham vindo com eles, para o Brasil, numerosas famílias de agricultores, "gente pobre, de Viana".

Os colonos desembarcados em Pernambuco eram, de acordo com Gilberto Freire, homens e mulheres que, além do "amor pelas árvores, pela lavoura e pelo trabalho longo, paciente e difícil, tinham fama, em Portugal, de serem pouco inteligentes". Mas, como o próprio Freire afirma, "os portugueses do velho tronco rural que vieram para o Brasil ficariam incompletos sem os chamados 'inimigos da agricultura', cujos traços predominantes eram o espírito da aventura e o gênio prático. No Brasil, os plantadores lusos foram (...) enganados ou explorados por aqueles compatriotas que se davam antes à aventura comercial".[30]

A grande ironia do encontro entre os representantes de interesses tão díspares foi que, enquanto Aires da Cunha partia para um destino inglório, Duarte Coelho fincava raízes em Olinda — dando início ao estabelecimento da única capitania capaz de prosperar no Brasil. Ainda assim, o sucesso do projeto colonial de Pernambuco seria abalado "pela praga" dos degredados e pelo assédio de traficantes portugueses de pau-brasil — homens que "se davam antes à aventura comercial" e que consideravam os trabalhadores rurais "pouco inteligentes".

Ao receber a capitania de Pernambuco, em março de 1534, Duarte Coelho possuía uma extraordinária folha de serviços prestados à Coroa nos mares e campos de batalha do Oriente. Com efeito, dentre todos os homens agraciados com terras no Brasil, nenhum — nem mesmo Vasco Fernandes Coutinho — havia participado de façanhas tão relevantes.

Nascido em Miragaia, norte de Portugal, por volta de 1485, Duarte era filho bastardo do navegador Gonçalo Coelho. Alguns historiadores acreditam que ele tenha tomado parte,

Brasão de Duarte Coelho

191

junto com o pai, da primeira expedição enviada ao Brasil, em 1501-1502 — na qual também esteve presente, como cosmógrafo ou como piloto, o florentino Américo Vespúcio. É provável que Duarte Coelho tenha retornado ao Brasil em 1503, outra vez em companhia do pai e do próprio Vespúcio.

Disposto a seguir a carreira das armas, Coelho partiu para a Índia em março de 1509, junto com os 1.600 soldados que faziam parte da armada chefiada pelo marechal D. Fernando Coutinho. Coutinho fora encarregado de duas importantes missões: primeiro, deveria destituir D. Francisco de Almeida do cargo de vice-rei da Índia, enviando-o de volta para Portugal e assegurando a posse de seu substituto, Afonso de Albuquerque. Depois, fora incumbido de atacar a cidade de Calicute — que, àquela altura, se tornara o principal obstáculo à expansão do império português na Índia.

Quando a armada de Coutinho aportou em Goa, em outubro de 1509, Afonso de Albuquerque havia sido preso por D. Francisco de Almeida — que se recusava a abrir mão do cargo de vice-rei. Mesclando diplomacia e força, Coutinho contornou a questão e garantiu a posse de Albuquerque em novembro. Em janeiro do ano seguinte, ele e Albuquerque dirigiram um ataque conjunto a Calicute e conquistaram a cidade.

Logo a seguir, no entanto, Coutinho se dispôs a tomar o palácio do samorim, que ficava nos arredores de Calicute. A ação foi bem-sucedida, mas enquanto seus soldados se entregavam ao saque e à pilhagem, o exército hindu — apoiado pelos mercadores árabes — teve tempo para se reorganizar e desferir um vigoroso contra-ataque, no qual a maioria dos lusos pereceu. Entre os mortos estava o próprio marechal Coutinho.

Um dos sobreviventes do desastre foi Duarte Coelho que, já no ano seguinte, tomou parte na conquista de Malaca. Graças a sua posição estratégica, a cidade de Malaca, localizada

192

A fortaleza de Malaca foi tomada após uma fragorosa batalha, ocorrida em 1º de julho de 1511 e na qual, além de Duarte Coelho, tomaram parte dois outros futuros donatários no Brasil: Aires da Cunha e Vasco Fernandes Coutinho. O grande herói luso do confronto foi Afonso de Albuquerque, que liderou suas tropas contra os elefantes do sultão de Malaca (gravura abaixo). Os lusos seriam senhores de Malaca por mais de um século. Até sua conquista pelos soldados holandeses da Companhia das Índias Orientais, em 1641, a alfândega de Malaca foi uma das principais fontes de renda da Coroa portuguesa.

na pensínsula da Malásia, entre as atuais Cingapura e Kuala Lumpur, era o principal centro comercial do sudeste da Ásia e o local onde eram negociadas todas as especiarias. Sua conquista, sob o comando de Afonso de Albuquerque, foi um dos mais extraordinários feitos bélicos realizados pelos portugueses no Oriente.

Após aquela vitória histórica, Duarte Coelho retornou para a Europa. Mas em 1518 já estava de volta a Malaca, de onde partiu com a missão de estabelecer relações comerciais com o vizinho reino do Sião (hoje Tailândia). O Sião (aportuguesamento do chinês *Hsien-lo*) era uma região rica e densamente povoada, cujas origens remontavam ao antigo império de Angkor. Tendo chegado a Krung Thep (hoje Bangkok), Duarte Coelho foi bem recebido pelo rei Ramathibodi II, obtendo dele permissão para os portugueses se estabelecerem no Sião — sob condições bastante favoráveis e com liberdade de religião.

Cinco anos mais tarde, em 1523, Duarte Coelho foi encarregado de outra missão diplomática. Por ordem de Jorge de Albuquerque — sobrinho de Afonso de Albuquerque e então governador de Malaca — ele foi enviado para a Cochinchina (atual Vietnã). Tornou-se, assim, o primeiro europeu a navegar pelo Mar da China. Mas, ao aproximar-se da capital, Thanh Pho (mais tarde Saigon e hoje Ho Chi Minh), Coelho soube que o reino estava conturbado por uma guerra civil, travada desde 1516 entre as dinastias Trinh e Nguyen.

Embora não tenha desembarcado, o futuro donatário de Pernambuco tomou posse da região, colocando dois "padrões" em seu litoral. Uma dessas colunas de pedra foi deixada na ilha de Pulo Champalo (hoje Cù-lao Chàm). Trinta e dois anos mais tarde, em 1555, aquele padrão seria avistado pelo aventureiro português Fernão Mendes Pinto, autor de *Peregrinação*, um dos mais extraordinários relatos de viagem da história.

Em 1527, Duarte Coelho esteve no litoral da China e, talvez em companhia de Aires da Cunha, tomou parte nos combates contra a frota do imperador Wu-tsung, o "Filho do Céu", senhor supremo do "Império Celestial". Os choques se deram nos arredores de Macau, resultando na expulsão dos portugueses da região de Kuang Tung (chamada de Cantão pelos lusos). Só por volta de 1545 os portugueses conseguiram estabelecer relações comerciais com a fechadíssima China.

Em fins de 1528, Duarte Coelho retornou para a Europa. No ano seguinte — após se casar com uma rica fidalga, D. Brites de Albuquerque —, ele partiu para a África, em companhia de dois engenheiros e encarregado da missão de estudar a fortificação de alguns portos do Marrocos, na costa ocidental daquele continente. De volta a Lisboa, foi enviado por D. Antônio de Ataíde para

Krung Thep

Pulo Champalo

COCHINCHINA

Golfo do Sião

MAR DA CHINA

MALÁSIA

Malaca

Singapura

BORNÉU

SUMATRA

JAVA

uma missão diplomática na França, relativa aos permanentes conflitos com o Brasil.

No segundo semestre de 1531, Coelho seguia outra vez para a África, como comandante da frota encarregada de vigiar a Costa da Malagueta, na Guiné. Depois de quase dois anos — passados entre a ilha de São Tomé e a fortaleza da Mina, e durante os quais combateu alguns navios franceses —, Coelho foi substituído no cargo por seu velho companheiro Aires da Cunha. Na verdade, ambos apenas trocaram de posto: em fevereiro de 1533, Coelho assumiu a chefia da esquadra guarda-costas fundeada nos Açores, que antes fora comandada por Cunha.

Em fins de julho de 1533, chegava àquele arquipélago — vindo do Brasil — o fidalgo Martim Afonso de Sousa. Coelho comboiou os navios de Martim Afonso e, na segunda quinzena de agosto, ambos desembarcaram juntos em Lisboa. Nos meses seguintes, iniciou-se a partilha do Brasil.

No dia 10 de março de 1534, Duarte Coelho se tornou o primeiro donatário a receber uma capitania no Brasil. Ele não obteve apenas a primazia: foi agraciado também com o melhor lote da colônia, o atual litoral de Pernambuco e Alagoas — zona que, além de possuir as terras mais férteis e mais apropriadas à lavoura canavieira, ficava mais próximo de Portugal do que qualquer outra porção da costa brasileira.

Tais privilégios se explicam não só pelos inúmeros serviços que Duarte Coelho prestara à Coroa mas também porque o futuro donatário era concunhado de Manuel de Moura, escrivão oficial de D. João III. Moura era casado com uma irmã de D. Brites de Albuquerque, esposa de Duarte Coelho. D Brites, por sua vez, era prima do grande Afonso de Albuquerque, conquistador de Malaca e figura-chave na construção do império ultramarino português no Oriente.

195

Na carta de doação que entregou a Duarte Coelho, porém, o rei não fez referências ao casamento "bom" nem às ligações entre Coelho e Moura — embora o historiador Pedro Calmon insinue que foi o escrivão de D. João quem articulou a manobra que acabou favorecendo o futuro donatário de Pernambuco. De qualquer forma, o respeito que o monarca tinha por Duarte Coelho — e pelo pai dele, Gonçalo — fica evidente na carta. Em documento anterior, o próprio rei já afirmara que o futuro senhor de Olinda entendia "bem do mar, por andar nele tanto tempo".

O lote concedido a Duarte Coelho em março de 1534 tinha 60 léguas (ou cerca de 360km) de largura, estendendo-se desde o rio Igaraçu, na ponta sul da ilha de Itamaracá, até a foz do rio São Francisco, atual fronteira entre os estados de Alagoas e Sergipe. Como se a localização estratégica não fosse vantagem suficiente, no dia 2 de outubro de 1534 Coelho foi agraciado ainda com isenção de impostos sobre os utensílios de ferro e outros produtos industrializados que ele importou de fora do reino para trazer para o Brasil.

Em fins de outubro, tendo armado duas caravelas e arregimentado cerca de 200 colonos, o donatário partiu para Pernambuco, em companhia de D. Brites — talvez a primeira mulher portuguesa a se instalar no Brasil.

Embora a maioria de seus acompanhantes fossem lavradores pobres do norte de Portugal, das províncias de Entredouro e Minho, Coelho também trouxe consigo vários fidalgos. Entre eles, com certeza vieram dois homens que estavam destinados a desempenhar papéis decisivos na colonização de Pernambuco: o irmão de D. Brites, Jerônimo de Albuquerque — e que, mais tarde, seria chamado de o "Adão Pernambucano" — e Vasco Fernandes de Lucena, feitor encarregado da cobrança dos impostos reais (dos quais poderia reservar 2% para si).

No dia 9 de março de 1535, a frota de Duarte Coelho chegou ao seu destino. O donatário se dirigiu diretamente à ilha de Itamaracá, no extremo norte de sua possessão. Belíssima e luxuriante, *Itamaracá* (ilha da "Pedra do Sino" em tupi) não só estabelecia o limite entre as capitanias de Duarte Coelho e de Pero Lopes como delimitava os antigos territórios tribais dos Caetê e dos Tabajara. Com 65km² de área, a ilha pertencia aos Caetê — que eram inimigos dos portugueses e aliados dos franceses. A partir da ponta sul de Itamaracá se iniciavam os domínios dos Tabajara — eventuais aliados dos lusos.

Toda a região era bem conhecida pelos portugueses: já se passavam 20 anos desde que o capitão Cristóvão Jaques, após desativar a feitoria do Rio de Janeiro, a transferira, em 1516, para a margem direita do rio Igaraçu, que deságua na ponta sul da ilha de Itamaracá. No verão de 1531, após tomarem o estabelecimento fundado por Jaques, os franceses da nau *Peregrina* provavelmente o reergueram não às margens do Igaraçu, mas na própria ilha de Itamaracá (no local onde, mais tarde, seria construída a vila da Conceição — veja mapa na página seguinte).

Em agosto de 1532, Pero Lopes venceu os franceses e reconstruiu a antiga feitoria de Igaraçu, embora tenha mantido também o fortim dos franceses. Deixou alguns homens instalados ali, sob o comando de um certo Francisco de Braga. Quando Duarte Coelho chegou à região, em março de 1535, tanto a feitoria de Igaraçu quanto o fortim da ilha de Itamaracá eram habitados por cerca de dez ou quinze portugueses, vários mamelucos e muitos de seus escravos indígenas.

Como a ilha ficava dentro dos limites da capitania de Pero Lopes, a frota de Duarte Coelho a contornou pelo canal sul e seguiu em direção à foz do Igaraçu, subindo o rio por alguns quilômetros até ancorar em frente à velha feitoria. Ali, o donatário se estabeleceu, fundando, a 27 de setembro de 1535, a vila de Cosme e Damião, os chamados "santos Cosmos".

Mas a designação "Vila Cosmos" não se manteve por muito tempo, e o estabelecimento continuou sendo chamado de Igaraçu (ou "Canoa Grande", em tupi, uma referência dos nativos aos navios europeus que desde os primeiros anos do século 16 chegavam ali para se abastecer de pau-brasil). O nome Igaraçu se mantém até hoje.

Após estabelecer a vila Cosmos, Duarte Coelho tratou de fincar um *marco de mármore* para demarcar o limite entre sua capitania e a de Pero Lopes. O local onde foi colocado o padrão — a cerca de sete quilômetros a nordeste de Iguaraçu — ficaria conhecido como Sítio dos Marcos e ali Duarte Coelho fez um povoado. Mas a estreita proximidade entre vilarejos pertencentes a duas capitanias distintas — nas quais a aplicação das leis era atribuição exclusiva

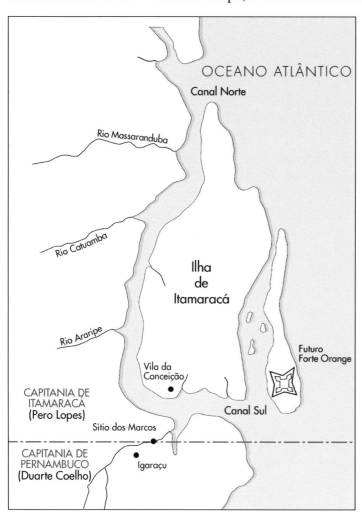

198

do donatário — só poderia resultar em conflito, como de fato aconteceu.

Nos três anos que antecederam a chegada de Duarte Coelho, o lugar-tenente Francisco de Braga tinha vivido na ilha de Itamaracá sem prestar contas a ninguém. Ele falava bem o tupi, vivia amancebado com várias nativas e possuía muitos escravos. Coelho era homem de moral rígida, acostumado a mandar. Como era previsível, ele e Braga logo se desentenderam. Depois de uma calorosa discussão, Coelho deu (ou mandou dar) uma cutilada em Francisco de Braga, marcando-o no rosto, conforme antigo costume feudal.

Impossibilitado de enfrentar um nobre fidalgo, amigo do rei, Braga preferiu abandonar a ilha de Itamaracá, partindo para o Caribe, "carregando tudo o que podia levar".[31] Ironicamente, o maior prejudicado por aquela atitude acabou sendo o próprio Duarte Coelho: durante os quatro anos seguintes, a ilha de Itamaracá ficou praticamente abandonada, tornando-se "um valhacouto" — ou refúgio — de delinqüentes e degredados que escapavam das duras punições impostas pelo donatário de Pernambuco.

A Fundação de Olinda

Alguns meses após a fundação da vila Cosmos, Duarte Coelho organizou uma expedição para o sul. A menos de 30km de Igaraçu, tendo passado pelas atuais praias de Maria Farinha e do Pau Amarelo, vislumbrou um promontório que se debruçava sobre o mar, quase ao lado da foz dos rios Capibaribe e Beberibe. Aquele era um local estratégico, já que protegido por uma barreira de recifes, cujas estreitas falhas — facilmente defensáveis — permitiam acesso até a costa.

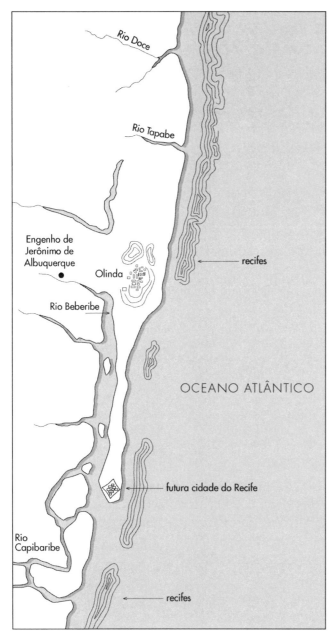

Ali ficava o antigo "porto de Pernambuco", cujo próprio nome ("Buraco do mar" em tupi) era uma referência aos "furos" intercalados em meio à muralha de corais. "Pernambuco" fora o primeiro topônimo indígena adotado pelos cartógrafos portugueses e, desde a segunda década do século 16, a designação era utilizada em diversos mapas.

A verdejante colina avistada por Duarte Coelho era ocupada por uma aldeia dos Caetê. Como tal aldeia se chamava Marim (ou "Rio dos franceses" em tupi), os historiadores supõem, com razão, que o local fosse constantemente visitado pelos traficantes normandos de pau-brasil. Por motivos desconhecidos, os Tupi chamavam os franceses de "mair" e os portugueses de "peró". O significado dessas palavras é bastante controverso.[32]

De todo modo, os Caetê logo perceberam que os homens de Duarte Coelho não eram seus aliados "mair", mas seus inimigos "peró". Coelho, porém, parece ter-se apaixonado de tal forma por

Publicado em 1508, Amadis de Gaula *é o principal romance de cavalaria europeu do século 16. Além de ter sido a fonte de inspiração para a redação de* A Crônica do Imperador Clarimundo, *de João de Barros, o livro parece ter exercido grande influência sobre os conquistadores espanhóis da América, segundo tese sugerida e brilhantemente analisada por Sérgio Buarque de Holanda em seu clássico* Visão do Paraíso. *Não é improvável que Duarte Coelho conhecesse o livro — e talvez de fato o tenha lido. Abaixo, capa da edição original de* Amadis de Gaula.

aquele morro à beira-mar que desferiu um violento ataque à aldeia de Marim, desalojando os indígenas dali e dando, depois de vários combates, início à fundação da vila que estava destinada a se tornar sede da capitania de Pernambuco.

No verão de 1536 — tendo deixado alguns colonos em Igaraçu, sob o comando do lugar-tenente Afonso Gonçalves —, Coelho se transferiu para a colina em frente ao porto de Pernambuco. Começou a erguer ali a vila batizada de Olinda. O significado do nome "Olinda" tem dividido os estudiosos. De acordo com uma velha lenda, imortalizada por frei Vicente do Salvador, em 1627, a expressão teria surgido depois que um dos homens de Duarte Coelho, um colono de origem galega, chegou ao topo da colina e exclamou: "Oh, linda!"

Escrevendo em 1854, o historiador Varnhagen considerou a tese "ridícula". Para ele, era "muito mais natural que o nome fosse de alguma quinta, ou casa, ou burgo de Portugal que o donatário quis perpetuar no Brasil". O próprio Varnhagen citava a existência, nos arredores de Lisboa, de vilarejos chamados "Linda-a-Pastora" e "Linda-a-Velha", embora não deixasse de lembrar, também, que "Olinda era o nome de uma das mais belas damas do romance de cavalaria *Amadis de Gaula,* cuja leitura estava então muito em voga".[33]

De todo modo, no dia 6 de janeiro de 1536, quando a frota de Aires da Cunha — encarregada de colonizar o Maranhão — chegou ao porto de Pernambuco, Duarte Coelho e seus colonos lá estavam, fincando os alicerces da vila de Olinda. Naquele mesmo verão, o donatário construiu seu "castelo" — uma torre fortificada, de pedra e cal — exatamente no centro e no topo da colina, onde hoje corre a Rua Nova (antes chamada Rua dos Nobres e, depois, Rua dos Ouvires), ao lado do sítio no qual, em 1599, seria construída a igreja da Misericór-

O ADÃO PERNAMBUCANO

*Jerônimo de Albuquerque era ir-
mão de D. Brites de Albuquerque,
filho de Lopo de Albuquerque e
primo de Afonso de Albuquerque.
A família descendia de D. Afonso Sanches, bastardo do rei D.
Dinis. Quando a rainha D.
Catarina (mulher de D. João
III) soube que Jerônimo vivia com
a filha do "cacique" Arco Verde,
determinou não só que ela fosse
batizada como exigiu que Jerônimo se casasse legalmente com uma
fidalga portuguesa, D. Felipa de
Mello. O casamento se realizou
em Olinda e D. Felipa e Jerônimo
de Albuquerque tiveram 11 filhos, além dos 11 que ele já tivera com sua concubina nativa.
Um dos filhos de Albuquerque
com sua mulher indígena foi o
mameluco Jerônimo de Al-
buquerque Maranhão, grande
explorador e conquistador do
Maranhão.*

dia, ainda existente. Até fins do século 17, as ruínas da "torre" de Duarte Coelho ainda podiam ser vistas, antes de serem derrubadas para dar lugar ao desenvolvimento urbano de Olinda e à construção de novos prédios.

Quando Coelho se instalou na colina, ela estava recoberta por densa mata, repleta de cajueiros, pitangueiras e macaibeiras. Os coqueiros e as mangueiras, hoje tão características da paisagem de Olinda, são originários da Ásia e foram plantados ali pelos jesuítas, a partir de 1551. Duarte Coelho, de toda forma, preocupou-se com a preservação das matas e, em requerimento enviado à Câmara dos Vereadores de Olinda, em 17 de março de 1537, proibiu o corte de certas árvores, determinando "sob pena posta em regimento" que "todas as madeiras e matos que estão ao redor dos ribeiros e das fontes" fossem "resguardadas". Também proibiu que os colonos jogassem lixo nos rios e nas aguadas.

Apesar de tais providências, o donatário já foi acusado de ter fundado Olinda em local impróprio. Em primeiro lugar, ele não percebeu que "durante certos meses do ano" as águas do Beberibe ficavam estagnadas no estreito lagamar aos fundos do promontório. Além disso, o único porto utilizável ficava a uns dez quilômetros dali, no local onde, anos mais tarde, os holandeses ergueriam a cidade do Recife.

De qualquer modo, nenhum outro donatário devotou tanto trabalho ao estabelecimento de sua capitania. O projeto de Duarte Coelho era tão ousado que ele batizou seu lote de "Nova Lusitânia", mantendo vivo, por mais de duas décadas, o sonho de transformar o Brasil em um novo Portugal. Para isso, não só deu início ao pleno estabelecimento da "vida conversável e civilizada" em Pernambuco como estimulou a miscigenação entre seus colonos e as mulheres indígenas.

Nesse sentido, nenhum caso foi mais emblemático do que o de seu cunhado: *Jerônimo de Albuquerque*, irmão de D. Brites, amancebou-se com a filha do "cacique" Uirá-uby (ou Arco Verde, em tupi). Batizada como Maria do Espírito Santo, esta "princesa" indígena, da nação Tabajara, deu à luz 11 mestiços.

O próprio Duarte Coelho não teve, ao que se saiba, nenhuma amante nativa: manteve-se devotado à D. Brites, com a qual casara em 1529, com mais de 40 anos de idade. D. Brites lhe deu três filhos: Duarte, Jorge e Inês, todos nascidos no Brasil. Duarte Coelho de Albuquerque veio ao mundo no segundo semestre de 1537 e Jerônimo nasceu em Olinda, a 23 de abril de 1539. Continua sendo um desafio estimulante imaginar de que forma uma mulher como D. Brites, de origem nobre, dama de companhia de rainhas e acostumada a conviver nos paços reais, se sentiu durante seu longo exílio nos trópicos.

O REINADO DO AÇÚCAR

No segundo semestre de 1540, tendo estabelecido duas vilas (Igaraçu e Olinda) e três pequenos vilarejos, Duarte Coelho empreendeu viagem a Portugal. Não se sabe exatamente quando partiu, mas com certeza foi após 24 de julho, já que, naquele dia, ainda estava em Olinda, assinando alguns alvarás. Tão pouco se sabe por quanto tempo permaneceu no reino, embora já estivesse de volta ao Brasil antes de setembro do ano seguinte. Os objetivos da viagem, no entanto, são bem conhecidos: Duarte Coelho foi a Lisboa em busca de financiamento para fazer engenhos de açúcar.

De fato, nos primeiros meses de 1542, já estava em construção o primeiro dos cinco engenhos que o donatário ergueu nas cercanias de Olinda ao longo daquele ano, ou no seguinte. O *estabelecimento* pioneiro ficava às margens do Beberi-

---

O ENGENHO PIONEIRO

O primeiro engenho construído em Pernambuco — "muito grande e perfeito", nas palavras de Duarte Coelho — pertencia ao seu cunhado, Jerônimo de Albuquerque, e ficava a cerca de 4km de Olinda, na várzea do rio Beberibe, no lugar chamado de Varadouro. O local foi abandonado por volta de 1700 e, como ali surgiu uma grande caieira, ficou conhecido com o nome de "Forno da Cal". O lugar foi explorado em 1875 pelo brilhante geólogo americano Frederick Hart, que veio ao Brasil a convite de D. Pedro II. Hart descobriu os alicerces do engenho pioneiro da região, mas, desde então, eles não foram mais vistos.

203

be, a cerca de 4km de Olinda, e pertencia a Jerônimo de Albuquerque. Surgiram, logo a seguir, os outros quatro engenhos: um deles pertencia ao próprio Duarte Coelho; outro era propriedade do feitor e almoxarife (ou funcionário da alfândega real) Vasco Lucena, e havia ainda um quarto, construído por Afonso Gonçalves, lugar-tenente de Igaraçu. Por fim, o quinto engenho — chamado de Santiago de Camaragibe — era de propriedade de um cristão-novo, Diogo Fernandes.

Estes cinco engenhos eram, todos, do tipo "trapiche", movidos a boi ou cavalo. Só alguns anos mais tarde surgiram, no Brasil, as moendas movidas por força hidráulica. Menos eficientes que os engenhos de água, os "trapiches" produziam cerca de mil arrobas anuais de açúcar: ou seja, 15 toneladas/ano. Com uma média de cerca de sete mil arrobas anuais, os engenhos hidráulicos eram bem mais produtivos. Mas os custos envolvidos na feitura da grande roda d'água e do sistema de calhas que conduzia a água até o local apropriado eram elevados demais para os recursos dos donatários.

Os investimentos incluíam a captura de escravos (nativos) e, sobretudo, a contratação de mão-de-obra especializada. E os calafates, tanoeiros e carpinteiros — cujas funções eram indispensáveis ao bom funcionamento do engenho — ganhavam bons salários. Ordenados ainda maiores precisavam ser pagos aos chamados "mestres de açúcar". Embora, na ilha da Madeira, o salário de um destes técnicos fosse, naquela época, de 30 mil reais anuais, sabe-se que Pero de Góis, o donatário de São Tomé, se dispusera a pagar por um deles 60 mil reais por ano. Em fins do século 16, um bom "mestre de açúcar" já recebia, no Brasil, um cruzado (ou 400

reais) por dia, faturando cerca de 130 mil reais (ou mais de 300 cruzados) por ano, além de casa e comida. De acordo com o depoimento posterior do padre Fernão Cardim, tal investimento era fundamental "porque nas mãos do mestre de açúcar está o rendimento e o ter o engenho fama, pelo que são tratados com muitos mimos".[34]

Era preciso ainda contratar feitores e capatazes, bem como especialistas em cozer o açúcar, secá-lo e armazená-lo em caixas de madeira. Essas caixas (com capacidade que variava entre 20, 35 e 50 arrobas cada), eram feitas de madeiras "moles" como camaçari e pau-d'alho. Calafetadas com barro e forradas com folhas secas de bananeira, eram marcadas por ferro em brasa com três selos: um indicava a quantidade de arrobas; outro, o engenho de onde o açúcar procedia; e o terceiro trazia o nome do mercador responsável por seu transporte para a Europa.

Calcula-se que cerca de 20 homens brancos eram necessários para o trabalho em um engenho de porte médio. Duarte Coelho custeou pessoalmente a vinda destes peritos. Vários historiadores afirmam que o donatário retornara de Portugal trazendo consigo judeus com larga experiência nos canaviais das ilhas da Madeira e das Canárias, para onde haviam se transferido "para escapar da fúria persecutória que grassava na Península Ibérica".[35] Não existem documentos que permitam comprovar essa tese.

Mas as mudas de cana trazidas pelo donatário com certeza vieram daquelas ilhas do Atlântico — e, portanto, já estavam bem adaptadas aos trópicos. Plantadas no fértil solo chamado massapê, elas se desenvolveram extraordinariamente. O massapê — uma espécie de argila, cuja cor varia entre o roxo e o vermelho — era resultante da decomposição de granitos do período Arqueano e de calcários do período Cretáceo. Graças a sua fertilidade — à qual se deve somar um regime de chuvas abundantes e regulares e temperaturas altas e uniformes —, Pernambuco estava destinado a se tornar o primeiro grande centro produtor de açúcar no Brasil e a única capitania bem-sucedida das 12 que o rei D. João III estabelecera na colônia.

Mas o donatário Duarte Coelho, como se verá, pouco iria usufruir a riqueza que sua perseverança ajudou a criar.

Cartas Amargas

No dia 27 de abril de 1542, Duarte Coelho enviou uma carta para D. João III. Embora o soberano raramente lhe respondesse, o donatário manteve intensa correspondência com o rei ao longo dos quase 20 anos em que viveu no Brasil. Apenas cinco das inúmeras missivas enviadas por Coelho foram preservadas. Elas permitem traçar um quadro razoavelmente preciso do que aconteceu em Pernambuco entre 1542 e 1553, revelando não só as dificuldades vividas pelo donatário como o profundo desprezo que o monarca alimentava pelo Brasil.

Na primeira das cartas que sobreviveram ao tempo, justamente a de 27 de abril de 1542 (escrita, portanto, quatro dias após o aniversário de três anos de seu filho Jerônimo), Coelho revela que estava "mui gastado e endividado", pois dera "ordens para se fazerem engenhos de açúcar que de lá (*de Portugal*) trouxe contratados, fazendo tudo quanto me requeriam e dando tudo o que me pediram, sem olhar a proveito nem interesse algum meu mas a obra ir avante como desejo (...) e, assim sendo, logo acabaremos um engenho mui grande e perfeito".

Embora soubesse que o açúcar era uma fonte de renda segura para o futuro da capitania, Coelho não desconhecia que o rei continuava mais interessado em metais preciosos do que em produtos agrícolas. Por isso, fez questão de acrescentar: "Quanto às coisas do ouro, Senhor, nunca deixo de inquirir e procurar sobre o negócio, e a cada dia se esquentam mais as novas do sertão".[36]

O prudente donatário não deixou, porém, de observar que aquela era "uma jornada de muito perigo e trabalho", pois seria necessário cruzar pelo território "de três gerações de mui perversas e bestial gente e todos contrários entre si". E Coelho não queria repetir as "barcosiadas (*trapalhadas*) como os do Rio da Prata, onde se perderam passante de mil homens castelhanos e como os do Maranhão, que perderam setecentos".

Antes de encerrar a carta, Duarte Coelho voltou a se referir aos seus "mui grandes gastos", afirmando que não podia pagar o soldos de seus contratados e solicitando, outra vez, "como já há três anos pedi", que o rei lhe permitisse "haver alguns escravos da Guiné, foros dos impostos que soem pagar"

A observação permite supor que o donatário não estava satisfeito com o desempenho de seus escravos indígenas na lavoura de cana. E não deve ser considerada mera coincidência o fato de que, logo após a construção dos engenhos, eclodiram as guerras entre portugueses e os nativos — conflitos que envolveram não só os Caeté, tradicionais inimigos dos lusos, mas também os Tabajara, que até então eram seus aliados.

Embora tenham afetado profundamente Olinda e Igaraçu — quase provocando sua destruição —, não restam dúvidas de que as lutas com os nativos tiveram início na vizinha e conflagrada capitania de Itamaracá. É hora, portanto, de relembrar os acontecimentos que se desenrolaram na possessão que fora concedida a Pero Lopes de Sousa.

A Capitania de Itamaracá

Com 30 léguas (ou cerca de 180km) de largura, a capitania de Itamaracá era uma das menores do Brasil. Ela se iniciava na baía da Traição, na Paraíba, prolongando-se até a ponta sul da ilha de Itamaracá, cerca de 30km ao norte de Olinda. O lote fora doado a Pero Lopes em 1º de setembro de 1534. Mas, disposto a fazer carreira no Oriente — onde morreu —, o irmão de Martim Afonso jamais teve tempo ou interesse para tomar qualquer atitude prática em prol das três possessões que recebeu no Brasil.

Foi apenas após sua morte, ocorrida em 1541, que a viúva, D. Isabel de Gamboa, decidiu enviar um lugar-tenente para ocupar a ilha (abandonada desde que Francisco de Braga fugira para o Caribe, após se desaver com Duarte Coelho em fins de 1535). Embora, pouco antes, D. Isabel tivesse despachado um emissário para ocupar a capitania de Santo Amaro, não restam dúvidas de que a morte de Pero Lopes teve um efeito devastador sobre ela: quase 20 anos depois dos incidentes que vitimaram seu marido, *a viúva*, inconsolável, ainda o pranteava. A morte de seu filho primogênito e o trágico destino das capitanias de Itamaracá e Santo Amaro em nada iriam contribuir para amenizar sua dor.

Foi nos primeiros meses de 1542 que D. Isabel nomeou um certo João Gonçalves para o posto de lugar-tenente da capitania de Itamaracá. Chefiando uma frota com quatro embarcações, Gonçalves partiu de Lisboa rumo ao Brasil. Mas o *patacho* no qual ele viajava perdeu o rumo, foi empurrado em direção à famigerada Costa Leste-Oeste e, por força das correntes, foi parar no mar do Caribe. Ao desembarcar em possessão castelhana, Gonçalves foi preso e permaneceu por três anos no cárcere.

Comandados por um Pedro Vogado, os outros três navios que compunham a frota chegaram a seu destino no primeiro semestre de 1542. Vogado então fundou a Vila da Conceição, no mesmo local onde, uma década antes, os franceses da nau *Peregrina* haviam estabelecido seu fortim.

A VIÚVA AMARGURADA

Embora fosse muito rica e vivesse numa mansão na rua do Outeiro, "junto às Portas de Santa Catarina", na zona nobre de Lisboa, D. Isabel de Gamboa nunca se recuperou do golpe provocado pela morte de Pero Lopes. Em 22 de setembro de 1557, ela enviou uma carta para D. Catarina, esposa de D. João III, na qual pedia que a rainha fizesse mercê a suas filhas e netas, sem deixar de acrescentar: "Para mim, que sou morta, não quero nada".

Patachos (gravura abaixo) *eram navios à vela, com dois mastros e cerca de 22m de comprimento.*

Ao saber que João Gonçalves se encontrava retido no Caribe, D. Isabel enviou um novo lugar-tenente para substituí-lo e assumir o lugar de Vogado. Foi um equívoco: embora não se saiba o nome deste homem, um historiador, quase contemporâneo de tais eventos, afirma que ele "não servia nem para comandar uma barca".[37] que dirá uma capitania. Sob seu governo, a anarquia instalou-se em Itamaracá.

A Ilha dos Traficantes

A estas alturas, vários colonos de Olinda estavam rompidos com Duarte Coelho, célebre por sua rigidez. Para escapar das punições — que já tinham levado muitos rebeldes à forca — os dissidentes buscavam refúgio em Itamaracá. Agravando ainda mais a situação, a ilha começou a ser freqüentada também por muitos traficantes portugueses de pau-brasil.

Como o "pau-de-tinta" era monopólio do rei e os donatários não estavam autorizados a explorá-lo, alguns colonos — pouco dispostos a enfrentar os azares da lavoura — se aproveitaram do fato de que vastas porções do litoral permaneciam desguarnecidas e, após conquistar o apoio dos indígenas, dedicavam-se à exploração ilegal da árvore.

De acordo com o relato indignado de Duarte Coelho, a ação daqueles homens se centralizava em Itamaracá — de onde, todos os anos, "partiam mais de seis ou sete navios carregados de brasil".[38] Oferecendo muitos presentes e até armas para os nativos, os traficantes acabaram desestabilizando por completo as normas que, até então, regulavam o escambo.

"Para fazerem seu brasil", denunciava Coelho em carta ao rei, "(*os traficantes*) importunam tanto aos índios, e prometem-lhes tanta cousa que metem a terra toda em desordem da ordem em que eu a tenho posto, e se lhes dão alguma coisa do muito que prometem, deitam a perder o concerto que eu tinha posto, Senhor, porque já não basta dar-lhes (*aos nativos*) as ferramentas, como era costume, mas, para fazerem os índios fazer brasil, (*os traficantes*) dão-lhes búzios da Bahia, carapuças de penas e roupas de cores que homem cá não pode alcançar para seu vestir e, o que é pior, espadas e espingardas. E como (*os nativos*) estão fartos de ferramentas, fazem-se mais rogados do que são, e alvoroçam-se, e ensoberbessem-se e levantam-se".[39]

Quando João Gonçalves foi libertado de seu cativeiro no Caribe e enfim aportou em Itamaracá, por volta de 1545, a situação já estava de tal forma conflagrada que ele pouco pôde fazer para reestabelecer a ordem na ilha.

A anarquia em Itamaracá teve sérias conseqüências para a capitania de Pernambuco. O primeiro lugar a sentir os efeitos da desordem foi a vila de Igaraçu — que ficava a menos de 20km da ilha. Embora o lugar-tenente de Igaraçu, Afonso Gonçalves, tivesse, ao longo de uma década, se esforçado para viver em paz com os Tabajara, seus inimigos, os Caeté — insuflados pelos traficantes de pau-brasil, e aliados aos franceses e a dissidentes Tabajara — atacaram a vila em fins de 1546.

O próprio Afonso Gonçalves morreu, "de uma flechada que lhe deram por um olho e lhe penetrou até os miolos".[40] Os colonos sobreviventes esconderam o fato dos nativos e enterraram o capitão "com tanto segredo que o não souberam os inimigos em dois anos que durou o cerco". Durante aquele longo período, os homens lutavam durante o dia, e as mulheres ficavam de vigia à noite, para que os combatentes descansassem.

Certa noite, reinava tanto silêncio no fortim no qual os lusos estavam situados "que parecia não haver ali gente". Os nativos decidiram então escalar a paliçada. Mas as mulheres, "que os tinham visto subir, os aguardavam com lanças nas mãos, e quando eles estavam com meio corpo dentro, lhas meteram pelos peitos e os perfuraram (...) que foi um feito mui he róico para elas terem tanto silêncio e tanto ânimo".[41]

Àquela altura, Duarte Coelho não podia socorrer Igaraçu porque estava sitiado pelos nativos e pelos franceses em Olinda. O donatário chegou a ser ferido numa perna e, como ficou manco para o resto da vida, os colonos passaram a se referir a ele como "o Cocho". Seu cunhado, Jerônimo de Albuquerque, perdeu um olho e foi apelidado de "o Torto".

Olinda acabou sendo salva graças a Vasco Fernandes de Lucena, o cobrador dos impostos reais. Embora tivesse mulher e filhos em Portugal, Lucena vivia com uma nativa em Pernambuco. Essa indígena — talvez filha de Itagibe, um líder Tabajara — convenceu várias de suas companheiras a abastecer a vila, levando secretamente água e mantimentos para os lusos.

De acordo com o relato de frei Vicente do Salvador, "a este Vasco Lucena o tinham (*os nativos*) por grande feiticeiro. E assim, quando o cerco era mais apertado, saiu ele só fora e começou a pregar aos índios na sua língua brasílica para que fossem amigos dos portugueses e não dos franceses, que os enganavam. E logo fez uma risca no chão, com um bastão que levava dizendo-lhes que nenhum passasse daquela risca porque os que o fizessem haviam de morrer. Ao que o gentio gargalhou, fazendo zombaria, e sete ou oito indignados se foram a ele para o matarem, mas, em passando a risca, caíram mortos, e os demais, que o viram, levantaram o cerco e se puseram em fugida".[42]

Fato ou ficção, a verdade é que em fins de 1546 tanto Olinda quanto Igaraçu conseguiram se safar do cerco imposto pelos indígenas. Ao escrever para o rei, em 20 de dezembro daquele ano, Duarte Coelho mencionou o episódio e insinuou que o conflito fora deflagrado por degredados que, após tomarem os navios nos quais vinham para o Brasil, passavam a percorrer a costa escravizando os nativos — exatamente como fizera o pi-

---

O TEMPLO DO SALVADOR

Após narrar o suposto episódio de magia de Vasco Fernandes Lucena, o próprio frei Vicente do Salvador acrescentou a seguinte observação em sua História do Brasil *(escrita em 1627): "Não crera eu isto, posto que o vi escrito por pessoa que o presenciara, se não soubera que neste próprio lugar onde se fez a risca, defronte da torre de Duarte Coelho, se edificou depois suntuoso templo do Salvador, que é matriz das mais igrejas de Olinda, onde se celebraram os divinos ofícios com muita solenidade, e assim não se há de atribuir aos feitiços senão à Divina Providência, que quis com este milagre sinalizar o sítio e a imunidade do seu templo".
Na gravura abaixo, a igreja matriz de Olinda.*

rata Henrique Luís de Espina (cuja ação, ocorrida mais ou menos na mesma época, havia provocado a insurreição dos Goitacá na capitania de São Tomé).

"Já por três vezes tenho escrito, e disso dado conta a V. Alteza, acerca dos degredados", disse Duarte Coelho. "E isto, Senhor, digo por mim e por minhas terras, e por quão pouco serviço de Deus e de V. Alteza é, bem como para o aumento desta Nova Lusitânia mandar cá tais degredados, como de três anos para cá me mandam porque certifico a V. Alteza, e lhe juro pela hora da morte, que nenhum fruto nem bem fazem na terra mas muito mal e dano, e por sua causa se fazem cada dia males, e termos perdido o crédito que até aqui tínhamos com os índios, porque o que Deus nem a natureza não remediou, como eu o posso remediar, Senhor, senão que a cada dia os mando enforcar, o que é grande descrédito e menoscabo com os índios; e outro sim, não são para nenhum trabalho e vem pobres e nus, e não podem deixar de usar de suas manhas, e nisto cuidam e rosnam sempre em fugir e em se irem".

"Creia V. Alteza que são piores cá na terra que peste, pelo que peço a V. Alteza que, pelo amor de Deus, tal peçonha me cá não mande, porque tem mais destruir o serviço de Deus e seu, e o bem meu, e de quantos estão comigo (...) porque até nos navios em que vem fazem mil males, e achamos que pelo menos dois navios que por trazerem muitos degredados estão desaparecidos; torno a pedir a V. Alteza que tal gente me cá não mande e que me faça mercê de mandar as suas justiças que os não metam nos navios que para minhas terras vierem, porque é, Senhor, deitarem-me a perder".

Na mesma carta, o donatário se referia aos tumultos que afligiam outras capitanias — atribuindo-os ao fato de "a negra cobiça do mundo ser tanta que turba o juízo dos homens para não concederem no que é razão e justiça".[43]

212

Hans Staden (abaixo) nasceu em Hessen, provavelmente em 1510. Após sua estada em Pernambuco — narrada na página ao lado —, ele retornou para a Europa, mas, um ano mais tarde, acabaria voltando para o Brasil. O navio que viajava naufragou em Santa Catarina e, depois de várias peripécias, Staden chegou a Bertioga, onde se tornou arcabuzeiro na fortaleza que Martim Afonso construíra ali, 15 anos antes. Em 1554, Staden caiu prisioneiro de Cunhambebe, o líder dos Tamoio. Ele se fez passar por francês e escapou de ser devorado. Voltou para a Europa em 1555, e o livro que escreveu, Descrição Verdadeira de um País de Selvagens Nus, Ferozes e Canibais, Situado no Novo Mundo América, *se tornou grande sucesso de público.*

Como nas vezes anteriores, as súplicas de Duarte Coelho não encontraram eco no reino. Tanto é que, passado pouco mais de um ano de sua dramática solicitação, chegava a Pernambuco, em 28 de janeiro de 1548, uma nova leva de "prisioneiros, condenados em Portugal, mas perdoados sob a condição de colonizar a nova terra", de acordo com o depoimento de um dos marinheiros que os trouxe, o alemão Hans Staden.

O Novo Cerco a Igaraçu

Staden era um aventureiro, natural de Hessen, que chegara a Lisboa em abril de 1547 com o objetivo de viajar para a Índia. Como as naus que faziam a "Carreira da Índia" partiam de Portugal entre novembro e março, Staden foi informado de que teria que aguardar no mínimo sete meses antes que algum outro navio zarpasse para o Oriente. Foi então que decidiu alistar-se, junto com outros dois mercenários alemães, em uma nau encarregada de conduzir uma nova leva de degredados para a capitania de Duarte Coelho.

No dia 28 de janeiro de 1548, quando o navio no qual Staden viajava chegou a Olinda, a situação estava muito conflituosa. "Embora não fosse de sua índole", disse Staden, "os selvagens de Pernambuco haviam-se tornado revoltosos por culpa dos portugueses. Então, o governador daquela terra pediu-nos pelo amor de Deus que corrêssemos para ajudar o povoado de Igaraçu, que fora assaltado pelos selvagens. Os moradores de Marim (*Olinda*) não podiam ir em auxílio a Igaracu já que eles mesmos temiam um ataque dos selvagens".[44]

Nas primeiras semanas de fevereiro, quando Hans Staden chegou a Igaraçu, os 50 portugueses que viviam no vilarejo estavam sitiados por oito mil indígenas, separados deles apenas por uma paliçada de toras pontiagudas. Como eram 40 os euro-

A gravura abaixo, feita pelo ilustrador Theodore de Bry com base no relato de Hans Staden, reproduz o cerco a Igaraçu e a tentativa dos indígenas de atingir o barco dos europeus com árvores. Theodore de Bry foi um dos maiores ilustradores do século 16 e as gravuras que ele produziu para uma edição do livro de Staden — baseado nos toscos desenhos originais do autor — tornaram a obra um sucesso ainda maior.

peus que desembarcaram para socorrê-los — trazendo os mantimentos e a água dos quais eles tanto necessitavam —, os nativos ainda mantiveram uma vantagem de quase dez combatentes contra um. De acordo com Staden, os Caetê tinham construído "duas fortificações de grossos troncos de árvores em frente a Igaraçu e também cavado buracos na terra em torno do povoado, do qual era impossível entrar ou sair".

A situação era dramática, pois "os selvagens chegavam bem perto do povoado, atirando para o alto muitas flechas, que deviam atingir-nos na queda. Com a ajuda de cera e algodão, eles faziam flechas incendiárias, dispostos a atear fogo em nossos tetos, e ameaçavam nos devorar, caso nos apanhassem".

Poucos dias após desembarcar em Igaraçu os recém-chegados ficaram sem mantimentos: tudo o que eles haviam trazido fora consumido pelos sitiados, que estavam famintos. Foi preciso, então, buscar comida na vila de Itamaracá, que ficava a poucos quilômetros dali. Não foi uma jornada fácil: "Para nos impedir de chegar a Itamaracá, os selvagens tinham derrubado grandes árvores sobre o estreito braço de mar pelo qual deveríamos passar e as duas margens estavam ocupadas por muitos deles. Justo

quando havíamos rompido a barreira, usando de violência, veio a hora da maré baixa e deixou-nos encalhados. Já que não podiam apanhar-nos nos barcos, os selvagens empilharam muita lenha seca das margens e queriam queimá-la e jogar nas chamas uma pimenta que lá crescia para nos expulsar dos barcos com a fumaça. Mas não conseguiram. Então a água voltou a subir, de modo que pudemos ir até Itamaracá e lá nos abastecer".

"Quando fomos retornar para Igaraçu, mais uma vez os selvagens tentaram impedir nossa travessia. Como antes, puseram árvores sobre a água e ocuparam ambas as margens. Tinham feito talhos profundos em duas árvores, na parte de baixo, amarrando-as com cipós em cima. As extremidades do cipó chegavam até a fortificação deles. Seu plano era puxar o cipó assim que tentássemos romper a barreira, de modo que as árvores viessem a desabar sobre nossas embarcações".

"Seguimos adiante, rompendo a barreira. A primeira árvore caiu na trincheira deles, a segunda bateu na água, logo atrás de nosso barco. Antes mesmo de começarmos a travessia da barreira, pedimos ajuda aos companheiros no povoado. Mas, quando começávamos a chamar, os selvagens também gritavam. Era impossível que eles nos vissem, já que os troncos e galhos lhes tapavam a visão. Já estávamos perto o bastante para sermos ouvidos, não fosse por aquela gritaria dos selvagens".

"Conseguimos levar os mantimentos para o povoado e, quando os selvagens perceberam que não podiam fazer nada, pediram trégua e retiraram-se. O cerco durara quase um mês. Os selvagens tinham alguns mortos para lamentar, mas nós, cristãos, não tínhamos nenhum".[45] O navio de Hans Staden então retornou para Olinda e dentro de poucos dias partiu para Portugal, levando uma nova carta de Duarte Coelho para o rei D. João III. Escrita no dia 22 de março de 1548, a carta narrava o fim do cerco a Igaraçu e, outra vez mais, tecia um rosário de lamentações: "Não tenha Vossa Alteza em tão pouco estas terras do Brasil, em especial esta Nova Lusitânia, como mostra ter em pouco, pois não provê nem me responde as cartas e avisos que há três anos lhe tenho escrito; nem mesmo me tenha em tão pouca estima, que haja por mal empregado em me dar crédito ao que lhe digo e escrevo para bem de seu serviço, e responder-me para que eu saiba sua intenção e procure das causas irem como tem andado, porque ainda que isso prove o gastado da fazenda, nenhuma inveja tenho dos mais ricos nem às suas riquezas (...) Peço a V. Alteza que veja e me responda por que meus gastos são grandes para esperar muito tempo".[46]

Sete anos se passaram sem que o monarca se dignasse a responder os apelos de Duarte Coelho. Em julho de 1553, disposto a "discorrer de viva voz com D. João III", o donatário de Pernambuco partiu para Portugal, levando consigo seus dois filhos homens, Duarte e Jerônimo, que foram estudar em Lisboa. O governo da capitania ficou entregue a D. Brites de Albuquerque — primeira mulher a desempenhar um cargo político na América.

Ao chegar no reino, Duarte Coelho foi recebido "com tão pouca graça e com tanta má sombra pelo soberano" que se recolheu para casa e "de nojo morreu dali a poucos dias". Aquela foi, de acordo com frei Vicente do Salvador, "a paga que recebeu por seus muitos anos de sacrifícios e serviços". Quando Afonso de Albuquerque, primo de D. Brites, dirigiu-se ao Paço de Évora para comunicar ao rei a morte do donatário de Pernambuco, D. João declarou: "Pesa-me ser morto Duarte Coelho, porque era mui bom cavaleiro".

O único dos 12 capitães do Brasil que fora capaz de desenvolver sua donataria morrera em completa amargura.

Assinatura de Duarte Coelho.

PARTE IV

A COSTA DO PAU-BRASIL
A Bahia e as Capitanias do Centro

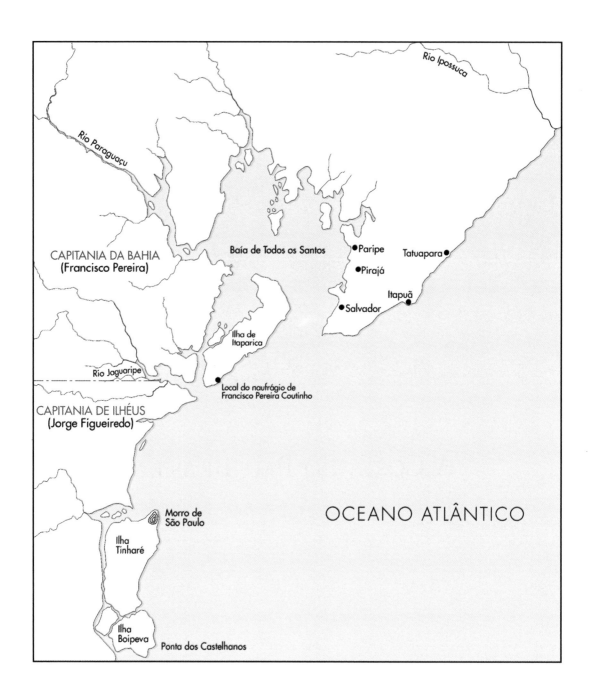

Rio Ipossuca

Rio Paraguaçu

CAPITANIA DA BAHIA
(Francisco Pereira)

Baía de Todos os Santos

● Paripe

Tatuapara ●

● Pirajá

Itapuã

● Salvador

Ilha de
Itaparica

Rio Jaguaripe

● Local do naufrágio de
Francisco Pereira Coutinho

CAPITANIA DE ILHÉUS
(Jorge Figueiredo)

OCEANO ATLÂNTICO

Morro de
São Paulo

Ilha
Tinharé

Ilha
Boipeva

Ponta dos Castelhanos

Ao lado de Pernambuco, as capitanias que ofereciam as melhores condições para a sua colonização eram Bahia, Ilhéus e Porto Seguro, localizadas na parte mais conhecida do litoral brasileiro: a "Costa do Pau-brasil". Em primeiro lugar, essas capitanias ficavam mais próximas de Portugal: das ilhas do Cabo Verde até a Bahia eram apenas três semanas de navegação relativamente fácil. Além disso, os portugueses achavam que toda aquela porção da costa fosse habitada apenas por Tupiniquim e Tupinambá — que, até então, se mantinham em paz com os europeus. O engano lhes custaria caro: várias enseadas da "Costa do Pau-brasil" eram ocupadas pelos Aimoré — um aguerrido *grupo Jê* que os próprios Tupi não haviam conseguido expulsar para os rigores do agreste.

Embora virtualmente ignorassem a existência dos Aimoré, os lusos já conheciam bem a "Costa do Brasil" — como chamavam o vasto trecho do litoral que vai desde o cabo São Roque, na Paraíba, até o cabo Frio, no Rio de Janeiro. Eles já haviam mesmo instalado algumas feitorias na Bahia — onde, 30 anos antes, Cabral descobrira oficialmente o Brasil.

Apesar de estes antigos entrepostos terem sido desativados por volta da segunda década do século 16, os três lotes que ficavam na Costa do Brasil eram considerados território seguro e potencialmente rentável. Além da profusão de pau-brasil ali existente, a terra era propícia ao desenvolvimento da lavoura de cana. Os donatários que receberam suas capitanias nessa zona amena e acessível julgaram ter feito um bom negócio. Estavam enganados.

O GRUPO JÊ

Jê é a designação genérica dada a diversos grupos indígenas que, à época do descobrimento, ocupavam extensa área do planalto Central brasileiro e alguns poucos nichos do litoral. Os Jê eram inimigos dos Tupi-Guarani — que os chamavam de "tapuais", ou "bárbaros". Além dos Aimoré e dos Tremembé, também pertenciam ao grupo Jê os Kaikang das serras do Sul e os Timbira de Mato Grosso. Anos mais tarde, os Jê também seriam chamados pelos brancos de "botocudos".

Localizada entre a capitania da Bahia, ao norte, e a capitania de Porto Seguro, ao sul, a donataria de Ilhéus ficava exatamente no meio da Costa do Brasil. O lote tinha 50 léguas (ou cerca de 300km) de largura: iniciava-se na foz do rio Jaguaripe, logo abaixo da ponta sul da ilha de Itaparica, e ia até a barra do rio Coxim (hoje Poxim), a cerca de 20km da ilha de Comandatuba.

A capitania fora doada para *Jorge de Figueiredo Correia*, escrivão da Fazenda Real que, junto com Fernão Álvares de Andrade, era um dos homens mais ricos de Portugal. Seu bisavô e seu avô já haviam exercido o cargo de escrivão da Fazenda. Desde o início do processo de partilha do Brasil, Jorge Figueiredo foi considerado, com razão, um dos donatários que "dispunha de maiores condições, elementos e finanças"[1] para colonizar sua capitania. Alguns historiadores acham mesmo que ele foi o primeiro a adotar "critérios capitalistas"[2] na exploração de seu lote.

Jorge de Figueiredo Correia recebeu o foral de sua capitania no dia 1º de abril de 1535. A carta de doação fora assinada pouco antes pelo rei D. João III. Mas, como notou o historiador Pedro Azevedo, "o senhor dos Ilhéus, homem opulento e influente, jamais pensou em trocar seu cargo de escrivão e as comodidades da corte pelos azares e trabalhos do governo de sua remota capitania". De fato, prossegue Azevedo, "por ser alto funcionário do erário, que privava de perto com o rei e convivia com a burguesia cosmopolita que monopolizava o comércio colonial e as finanças, Jorge Figueiredo era homem prático e tinha experimentada fé no poder do dinheiro".[3] E assim, embora disposto a investir na colonização de sua capitania, ele se manteve prudentemente distante do Brasil.

Em seu lugar, enviou, como lugar-tenente, um certo Francisco Romero — castelhano que vivia há anos em Lisboa. Quase não existem documentos que permitam delinear um perfil mais preciso de Romero, a não ser alguns comentários pouco favoráveis feitos posteriormente pelos colonos de Ilhéus (com os quais ele se indispôs) e o depoimento deixado pelo ouvidor-geral do Brasil (espécie de ministro da Justiça), Pero Borges, que em 1550 vistoriou aquela capitania em nome do rei, já durante o Governo-Geral.

De acordo com o Dr. Pero Borges, Francisco Romero era "bom homem, mas não para ter mando porque é ignorante e muito pobre, o que muitas vezes faz fazer aos homens o que não devem". Embora mal administrador, Romero era sujeito "acordado e experimentado para cousas de guerra".[4] E guerra ele logo teria.

Quando Francisco Romero partiu de Lisboa rumo ao sul da Bahia? A data é desconhecida, mas deve ter sido por volta de outubro de 1535. Com quantos navios e quantos colonos? Tampouco existem informações precisas, mas o historiador Francisco de Varnhagen supõe que o abastado Jorge de Figueiredo tenha conseguido arregimentar cerca de 250 homens e adquirido três naus, o que significa dizer que aplicou muito dinheiro — no mínimo 150 mil cruzados — em sua aventura tropical. Como, naquela época, o salário de um marinheiro era de dez cruzados anuais, o escrivão da Fazenda investiu o suficiente para pagar o trabalho de 15 mil marujos durante um ano.

Em dezembro de 1535 — ou, talvez, em janeiro do ano seguinte — a frota comandada por Romero aportou na baía de Todos os Santos. Depois de alguns dias de descanso, o lugar-tenente de Jorge de Figueiredo partiu para o sul para ocupar a capitania que iria governar.

A princípio, Romero decidiu se instalar na ilha de Tinharé, na localidade de morro de São Paulo, ao abrigo do qual ancorou suas naus. A ilha de Tinharé — que fica junto à ilha de Boipeva, separada dela apenas pelo estreito curso do rio do Inferno — se localiza a cerca de 20km ao sul da ilha de Itaparica (veja mapa na p. 218). O lugar inicialmente escolhido por Romero ficava, portanto, quase no limite norte da capitania de Ilhéus e a apenas 90km ao sul da futura cidade de Salvador.

Embora o local fosse bem protegido, Romero não permaneceu ali por muito tempo. Enquanto os colonos desbastavam uma clareira no sopé do morro de São Paulo, abrindo espaço para instalar-se entre o emaranhado verdejante da Mata Atlântica, Romero enviou um destacamento para explorar as porções meridionais da capitania. O grupo retornou após algumas semanas com a notícia de que encontrara um sítio mais favorável onde construir a sede da donataria.

O novo lugar de fato era estrategicamente perfeito. Ficava em uma península, abrigado por quatro ilhéus em meio aos quais o rio Cachoeira desaguava no oceano Atlântico, após serpentear em meio à floresta densa. Além de facilmente defensável — já que protegido pelo mar e pelo rio —, o lugar oferecia excelente ancoradouro, abrigado do vento sul por um promontório que, da margem direita do rio, avançava sobre o mar.

Às condições militares somavam-se conveniências comerciais: a terra era fértil, regada de águas límpidas e recoberta por vegetação luxuriante. O que, naquele momento, os portugueses ignoravam é que estavam se instalando em uma zona encravada no território tribal dos Aimoré. Numa referência às quatro ilhotas, e em homenagem ao rico patrão, Romero batizou a vila construída por seus colonos com o nome de São Jorge dos Ilhéus. Além de homônimo do donatário, São Jorge era o santo de devoção do proprietário da capitania. O fato de Ilhéus ser assolada por terríveis conflitos não deixa de ser uma ironia: São Jorge, afinal, é o santo guerreiro do catolicismo.

De início, porém, tudo correu bem na capitania de Jorge de Figueiredo Correia. Tanto é que, já em fins de 1536, Francisco Romero enviou para o reino uma nau repleta de pau-brasil. Embora, de acordo com a carta de doação, a exploração dessa madeira fosse monopólio do rei — o que significa dizer que Figueiredo quase não obteve lucro com aquele carregamento —, o navio trazia notícias alvissareiras: a vila estava instalada e fortificada e contava com uma pequena capela.

O entusiasmo com o sucesso do empreendimento foi tal que, nos primeiros meseś de 1537, o donatário distribuiu, em Lisboa, pelo menos três sesmarias em sua capitania. Uma foi doada ao desembargador Mem de Sá — futuro terceiro governador-geral do Brasil. Outra foi concedida ao tesoureiro-mor Fernão Álvares de Andrade (o donatário do Maranhão). A terceira coube ao rico banqueiro florentino Lucas Giraldes, um ativo investidor já há vários anos instalado em Lisboa.

Tais doações indicam que, embora possuísse grande fortuna, o escrivão Jorge de Figueiredo buscava parceiros para investir na produção de açúcar em sua capitania. E, como em vários outros lotes, foi justamente a partir da implantação da lavoura canavieira que se iniciaram as catastróficas guerras entre portugueses e indígenas.

A princípio, colonos e nativos mantiveram convivência pacífica em Ilhéus. A paz há de ter sido facilitada pelo envio constante dos "resgates" que o abastado Jorge de Figueiredo mandava para sua capitania duas vezes por ano. Dispondo de milhares de anzóis, espelhos e miçangas e centenas de facões e machados, Romero intermediava o escambo entre os colonos e os nativos, obtendo dos indígenas mantimentos e trabalho. Essas trocas eram feitas com os Tupiniquim que circulavam pela região. Ao que tudo indica, os Aimoré — nômades e mais primitivos — ainda se mantinham a distância, na mata.

Mas, exatamente como em outros lotes, o escambo acabaria se revelando um expediente limitado. Em primeiro lugar, o ponto de saturação foi logo atingido: os nativos cedo dispunham de mais objetos do que precisavam ou podiam utilizar e logo passaram a exigir cada vez mais peças em troca de cada vez menos mantimentos ou trabalho. Há indícios também de que a própria caça tenha começado a escassear nos arredores das vilas fundadas pelos lusos — o que forçava os nativos a embrenharem-se cada vez mais longe na mata em busca de animais e de produtos comestíveis.

A isso somou-se a crescente necessidade de mão-de-obra fixa e organizada para o plantio e a colheita nos canaviais. Foi então que os portugueses passaram a escravizar os indígenas, repetindo em Ilhéus o que acontecia nas demais capitanias. De início, eles estimularam as guerras intertribais, comprando os cativos — chamados "índios de corda" (porque estavam amarrados) — de seus aliados nativos. Em seguida, velhas alianças foram rompidas e os lusos começaram a escravizar indígenas com os quais conviviam pacificamente há vários anos. Desencadeou-se, assim, uma guerra generalizada.

No caso da capitania de Ilhéus (que, também nesse sentido, iria repetir o que já ocorria em outras donatarias), a crise foi agravada pelos conflitos entre os próprios colonos. Além de ser castelhano — o que, por si só, era motivo de controvérsia entre os moradores de Ilhéus —, Francisco Romero era rude no trato com os subordinados: de acordo com o depoimento posterior do ouvidor-geral Pero Borges, Romero ignorava preceitos jurídicos mais rudimentares e governava baseado no arbítrio. Os colonos resolveram vingar-se dele.

A primeira crise se precipitou por volta de 1540, seis anos após a chegada dos colonos à capitania. Certo dia, ao entrar na pequena igreja da vila de Ilhéus, Romero aproximou-se do altar e disse: "Odeio este crucifixo". O motivo da blasfêmia residia no fato de aquela cruz ter sido trazida de Portugal por um "homem com o qual o lugar-tenente estava metido em diferenças".[5]

Para alguns colonos, aquele foi o pretexto para prender Romero e enviá-lo acorrentado para o reino, onde esperavam que fosse acusado de heresia. Uma vez em Lisboa, o castelhano foi encarcerado no presídio do Limoeiro. Mas não permaneceu lá muito tempo: o donatário Jorge Figueiredo usou sua influência para libertá-lo e, numa atitude imprevidente e desafiadora, o enviou de volta para Ilhéus.

Ao retornar para o sul da Bahia, em fins de 1541, Romero puniu aqueles que participaram da conspiração que o levara à prisão. Embora, com isso, tenha contribuído para as desordens internas, por outro lado, ele foi capaz de implantar a indústria açucareira na região. Neste caso, sua tarefa há de ter sido facilitada "pelos grossos cabedais" que o banqueiro Lucas Giraldes decidira investir na capitania de Jorge de Figueiredo — tanto é que, em 1546, já eram oito os engenhos instalados em Ilhéus, sendo que dois deles pertenciam à casa bancária de Giraldes.

Os Aimoré

Para que tais estabelecimentos pudessem funcionar, era preciso arregimentar um pequeno exército de escravos. Foi então que os colonos começaram a penetrar no território dos Aimoré. A reação foi imediata e, já a partir do segundo semestre de 1546, os ataques dos selvagens se tornaram constantes. Em pouco tempo, os nativos devastaram não apenas Ilhéus como também a vizinha Porto Seguro — chegando mesmo a fazer audaciosas incursões à capitania da Bahia.

Escrevendo por volta de 1570, o senhor de engenho e historiador diletante Gabriel Soares de Sousa diria, em seu precioso *Notícia do Brasil*: "Os oito engenhos que existiram na capitania dos Ilhéus, estes não fazem mais açúcar, nem há morador que lá ouse plantar cana, porque em indo os escravos ou os homens ao campo, não escapam do gentio Aimoré, dos quais foge toda a gente dos Ilhéus para a Bahia, e tem a terra quase despovoada". De acordo com Sousa, Ilhéus fora "vila muito abastada e rica, que teve 400 até 500 vizinhos — e agora não conta com mais de cem".

De início, vários colonos buscaram refúgio nas ilhas de Tinharé e Boipeva. Mas também ali os Aimoré logo os sitiaram, interrompendo as comunicações entre Ilhéus e a Bahia — até então unidas por uma trilha bem demarcada e bastante utilizada. Os Tupiniquim, que ainda estavam aliados aos portugueses, fugiram da luta, refugiando-se no sertão.

Depoimentos deixados por contemporâneos justificam o temor dos Tupiniquim e as "agruras atrozes" vividas pelos colonos de Ilhéus. Como os Goitacá da capitania de São Tomé, os Aimoré eram inimigos formidáveis, virtualmente imbatíveis quando confrontados em seu próprio território.

De acordo com o próprio Gabriel Soares, tratava-se de "gente esquisita e agreste, inimiga de todo o gênero humano". Mas, como todos aqueles que tinham caído "em seu poder, nunca tornaram com vida para o contar", Soares fez apenas um relato breve sobre aquela nação indígena, "já que mais não foi possível saber sobre sua vida e seus costumes".

As informações que faltaram a Gabriel Soares de Sousa foram coletadas, alguns anos mais tarde, pelo jesuíta Fernão Cardim. Escrevendo por volta de 1585, Cardim anotou em seu *Tratados da Terra e Gente do Brasil*: "Os Aimoré ocupam 80 léguas (*cerca de 480km*) de costa, e para o sertão quanto querem, e são senhores de matos selvagens, muito encorpados, e pela continuação do costume de andarem pelos matos bravos, tem os couros muito rijos, e para este efeito açoitam os meninos em pequenos com uns cardos para se acostumarem a andar pelos matos bravos; não têm roça, vivem de rapina e pela ponta de flecha, comem mandioca crua sem lhes fazer mal, e correm muito e aos brancos não dão senão de salto, e usam de uns arcos muito grandes e trazem uns paus muito grossos, para que em chegando logo quebrem as cabeças. Quando vêm à peleja, estão escondidos debaixo de folhas. São muito covardes em campo, e não ousam sair nem cruzam água, nem usam de embarcações, nem são dados a pescar; toda sua vivenda é do mato".

O depoimento de Cardim foi corroborado por um certo Fernão Guerreiro, que, escrevendo em fins do século 16, definiu os Aimoré como "gente barbaríssima, alheia a toda a humanidade, e onde o uso da razão parece estar mui apagado, e é a mais fera e cruel que há em todo o Brasil (...) Nunca andam juntos, senão poucos, e, sem serem vistos, cercam a gente e a matam, e com tanta ligeireza se tornam a recolher e meter pelo mato como se foram cabras silvestres, correndo muitas vezes sobre os pés e as mãos, com o arco e flecha sobre as costas, e por isso se lhes não pode fazer guerra, nem com ela prevalecem contra eles, porque nunca pelejam em esquadrão feito, nem em campo descoberto, senão com ciladas e assaltos repentinos, por detrás das moitas e árvores, sem os homens os poderem ver, se não quando se sentem flechados, e por este modo de tal manei-

227

ra tem infestado toda a costa do mar que por sua causa se despejavam e desemparavam fazendas de 30, 40 e 50 mil cruzados, por se verem cada dia seus donos em perigo de morte e eles desbarataram a capitania de Ilhéus, que é de terras excelentes mas está quase toda perdida".[6]

De acordo com Gabriel Soares de Sousa, ao longo de 25 anos de conflitos, os Aimoré mataram 300 portugueses e três mil de seus escravos. Não existem relatos de como se desenrolaram estas guerras, porque nenhum dos colonos escreveu sobre elas, nem Francisco Romero enviou cartas para o donatário acerca da tragédia que se abateu sobre o lote que ele governava. De todo modo, não foi apenas "praga dos Aimoré" que assolou Ilhéus. A desordem interna que reinava na capitania e os confrontos entre Romero e seus colonos certamente foi uma das causas que dificultaram a defesa de Ilhéus — e precipitaram sua ruína.

Em fins de 1550 — quando a guerra entre portugueses e os Aimoré ainda estava em andamento —, o donatário Jorge de Figueiredo Correia morreu em Lisboa. Seu filho então vendeu os direitos sobre a capitania para o banqueiro *Lucas Giraldes* — que, ao longo de mais de uma década, já havia investido "vários milhares de cruzados"[7] em seus engenhos e canaviais. Francisco Romero sumiu dos anais, provavelmente porque foi substituído pelo feitor Tomaso Alegre, um italiano enviado para o Brasil por Giraldes.

De acordo com frei Vicente do Salvador, Alegre manteve ativa correspondência com o patrão. Mas enviava tão pouco açúcar para o reino que, por volta de 1559, Giraldes mandou-lhe uma carta na qual escreveu apenas: "Tomaso, queres que eu te diga: manda o açúcar e fica com as palavras".

O Rico Italiano

Lucas Giraldes era um dos vários banqueiros italianos que vivia em Lisboa e estava diretamente ligado com os negócios propiciados pela expansão ultramarina. Ele era dono de uma casa bancária e investia na Índia e na África. Abaixo, imagem de seu brasão.

Os terríveis ataques dos Aimoré não se circunscreveram à capitania de Ilhéus. Entusiasmados com o sucesso de sua guerrilha, os selvagens passaram a enfrentar os colonos instalados na vizinha Porto Seguro, a donataria na qual Pero do Campo Tourinho estava instalado em relativa paz desde fins de 1535. Também ali, os Aimoré foram capazes de interromper o processo colonial, queimando cidades e destruindo canaviais. Também ali, sua ação foi facilitada pelas inúmeras querelas que haviam tornado o donatário e seus colonos inimigos irreconciliáveis.

Pero do Campo Tourinho fora o terceiro donatário a receber uma capitania no Brasil. Ele a ganhou em 27 de maio de 1534, dois meses após Duarte Coelho ter sido agraciado com seu lote em Pernambuco e 45 dias depois de Francisco Pereira Coutinho tornar-se senhor da Bahia. Como o próprio Duarte Coelho — e repetindo o que aconteceria com Vasco Fernandes Coutinho (donatário do Espírito Santo) —, Tourinho não havia pedido para receber terra alguma no Brasil: fora o próprio rei D. João III quem decidira lhe conceder um lote de Porto Seguro. É o que fica claro na carta de doação, assinada pelo monarca. Eis a íntegra da carta — reproduzida porque revela também vários dos termos contidos em outras doações:

"A quantos esta minha Carta virem faço saber que no livro do Registro dos Ofícios, Padrões e Doações do ano de mil quinhentos e trinta e quatro, que está em minha Chancelaria, é escrita e registrada uma Doação que o teor tal é: Considerando eu quanto o serviço de Deus e meu proveito e bem dos meus Reinos e Senhorios e dos naturais e súditos deles, é ser a minha terra e Costa do Brasil mais povoada do que até agora foi, assim para se nela haver de celebrar o Culto e Ofícios Divinos e se

229

exaltar a nossa Santa Fé Católica, com o trazer e provocar a ela os naturais da dita terra, infiéis e idólatras, como pelo muito proveito que se seguirá a meus Reinos e Senhorios, e aos naturais e súditos deles se a dita terra se povoar e aproveitar, houve por bem de mandar repartir e ordenar para delas prover aquelas pessoas que me bem parecer, pelo que havendo eu respeito aos muitos serviços que tenho recebido e ao diante espero receber de Pero do Campo Tourinho, e por folgar de lhe fazer mercê de minha própria vontade, pelo meu poder Real e absoluto, *sem mo ele pedir, nem outrem por ele* (grifo do autor), hei por bem e me apraz de lhe fazer, como de feito por esta presente Carta faço, mercê e irrevogável doação entre vivos, valedora deste dia para todo o sempre, de juro e herdade, para ele e todos seus filhos, netos e herdeiros e sucessores que após ele vierem, de cinqüenta léguas de terra na dita Costa do Brasil".[8]

Não se sabe quais foram os "muitos serviços" que o rei recebera de *Pero do Campo Tourinho* e que o levaram a lhe conceder a capitania de Porto Seguro. Há indícios de que ele tenha lutado na Índia durante a primeira década do século 16 e talvez tenha tomado parte também na expedição comandada por João de Lisboa, que descobrira o Rio da Prata em 1514. De todo modo, ao receber seu lote, Tourinho estava instalado em sua cidade natal, Viana do Castelo — uma abastada vila do norte de Portugal, localizada junto à foz do rio Lima.

Aquela era, no século 16, uma região progressista, que devia muito de sua fortuna à pesca do bacalhau. Alguns navegantes locais tinham mesmo chegado, anos antes, até o Labrador, no Canadá. Era no gelado mar do Norte que eles obtinham grandes quantidades do peixe mais consumido e exportado por Portugal. É provável que Pero do Campo Tourinho fosse descendente de uma dessas bem-sucedidas famílias de pescadores

Brasão de Pero Tourinho

vianenses e que se dedicasse, ele próprio, à armação de barcos de pesca. Documentos antigos afirmam que ele era "muito experimentado nas coisas do mar".

Ao receber seu lote no Brasil, Tourinho vendeu as propriedades que possuía em Viana do Castelo, adquiriu duas naus e duas caravelas e anunciou publicamente que pretendia transferir-se para o Brasil, abrindo inscrições para os colonos que se interessassem em acompanhá-lo. Foi tal o interesse que o donatário se viu forçado a selecionar os candidatos, dando preferência aos parentes mais pobres e a pescadores experientes.

Por volta de dezembro de 1534 — acompanhado pela mulher, D. Inês Pinto, pelos filhos Fernão e André, pela filha Leonor e por 600 colonos —, Tourinho partiu para o Brasil. A escala de sua frota nas Canárias chamou a atenção dos castelhanos e, em fins de maio de 1535, a imperatriz D. Isabel, de Castela, sempre atenta aos movimentos marítimos dos portugueses, enviou uma carta para seu embaixador em Lisboa, D. Luiz Sarmiento, na qual dizia: "Pela ilha de Gomera, que fica nas Canárias, quase no final do ano passado, cruzou uma armada do Sereníssimo Príncipe Rei de Portugal, nosso irmão, na qual iam duas caravelas e duas naus grandes e nelas 600 homens, muitos deles com suas mulheres, e como capitão um certo Pedro del Campo, natural de Viana, e alguns dizem que vão povoar o Brasil".[9]

Em 11 de julho de 1535, após fazer suas averiguações, Sarmiento respondeu à imperatriz, confirmando que a frota realmente partira de Portugal em fins de 1534 e que seu objetivo de fato era "povoar a costa do Brasil" — supostamente em um trecho dentro dos limites pertencentes a Portugal.

Mas, como havia, em Castela, a suspeita de que "Pedro del Campo" tivesse participado, 20 anos antes, da expedição de

João de Lisboa ao Prata, D. Isabel temeu que ele estivesse se dirigindo para aquela região. Determinou, então, que um certo Gregório Pesquera partisse em direção à Cananéia com a missão de impedir — pelas armas, se preciso — a invasão dos domínios de Castela.

A imperatriz chegou a enviar uma carta para o Bacharel de Cananéia, alertando sobre a chegada de tal expedição, e solicitando que o degredado lhe desse todo o apoio. A missão, porém, ou não foi enviada ou perdeu-se no mar, já que Pesquera jamais aportou no Brasil.

De todo o modo, as suspeitas de D. Isabel eram infundadas. Pero do Campo Tourinho e seus 600 colonos não se dirigiam para o Prata, mas para a capitania que ele recebera em Porto Seguro. Esse lote, com 50 léguas de largura, iniciava-se na foz do rio Coxim, 20km ao sul da ilha de Comandatuba, e se prolongava por cerca de 300km para o sul, até a foz do rio Mucuri, na fronteira entre os atuais estados da Bahia e do Espírito Santo.

Por volta de julho de 1535, as duas naus e duas caravelas que constituíam a frota de Pero Tourinho ancoraram na foz do rio Bunharém — quase exatamente no mesmo local onde, 35 anos antes, a esquadra de Cabral descobrira oficialmente o Brasil. Com efeito, o belo e sinuoso Bunharém fica a cerca de 20km ao norte do rio Caí (onde Cabral aportou no dia do descobrimento) e a 5km ao sul da baía de Cabrália (para onde aquele capitão se transferiu no dia seguinte à chegada e no qual permaneceu até partir do Brasil, nove dias mais tarde).

Desta forma, Tourinho desembarcou em território bem conhecido pelos portugueses — e onde vários deles já haviam vivido por alguns anos. De fato, ao colocar os pés em terra, o donatário deparou com um antigo povoador instalado na terra.

Era um certo João Tiba, que vivia às margens do rio que ainda hoje mantém seu nome. Não se sabe quem ele era: sabe-se apenas que estava no Brasil pelo menos desde 1525.

Homem "prudente e atilado",[10] Tourinho decidiu instalar-se numa colina próxima à praia, junto à foz do Bunharém — no exato local onde hoje se ergue o centro histórico de Porto Seguro. Ele cercou a vila com uma paliçada de taipa, ergueu uma capela, uma forja e uma ferraria, fez um estaleiro e construiu, para si, uma casa com um amplo avarandado — do qual desfrutava ampla vista da baía.

Manteve-se bastante ativo e, em menos de três anos, fundou sete outras vilas, entre as quais Santa Cruz e Santo Amaro, erguendo uma capela e um pelourinho em cada uma e distribuindo entre elas os 600 colonos que o acompanhavam.

Durante os dez primeiros anos — de 1536 a 1546 —, tudo correu bem em Porto Seguro. A terra era fértil e os nativos Tupiniquim pareciam o mesmo povo afável e solícito descrito pela carta de Pero Vaz de Caminha, escrita quase meio século antes. Como acontecia nas outras capitanias, eram os indígenas que — em troca de ferramentas e bugigangas — forneciam os mantimentos que alimentavam os colonos.

Além de farinha de mandioca, caça e pescado, os Tupiniquim abasteciam as vilas de Tourinho com abundância de frutas nativas, como cajus, abacaxis, cupuaçus, araçás, guabirobas, goiabas, mangabas, mamões, sapotis, maracujás e pacovas. Traziam também plantas medicinais (copaíba, jurubeba, jaborandi) e leguminosas (amen-

A Vila de Tourinho

Porto Seguro foi a segunda vila fundada pelos portugueses no Brasil — a primeira foi São Vicente. A cidade se manteve povoada desde 1535. Abaixo, vista de Porto Seguro no século 17.

233

doim, feijões, gergelim), além de resinas e fibras vegetais (tucum, caraguatá e cipó-embé), usadas para firmar as ripas das casas de pau-a-pique.

A principal fonte de renda da capitania, porém, era a pesca da garoupa, abundante nos baixios de Abrolhos — um banco de recifes localizado a cerca de 180km ao sul de Porto Seguro. Como a maior parte dos colonos instalados na capitania provinha de famílias de pescadores de Viana, eles logo transformaram a "caça" da garoupa em uma indústria florescente, exportando o peixe, salgado e seco, não só para o reino como para várias capitanias vizinhas.

A região de Porto Seguro também possuía grandes matas de pau-brasil, localizadas ao norte, no limite com a capitania de Ilhéus. A extração da madeira usada na tinturaria foi feita em larga escala — e, mais uma vez, com o auxílio dos Tupiniquim. Embora restritos às ordenações do rei — que reservara para si o monopólio do "pau-de-tinta" —, os lucros de Tourinho com a operação devem ter sido consideráveis, dada a abundância da árvore dentro dos limites de seu lote.

Além disso, a foz do rio Caravelas — a cerca de 170km ao sul de Porto Seguro — era repleta de búzios. Essas conchas miúdas eram usadas como dinheiro em Angola e, pouco mais tarde, milhares de barricas repletas delas seriam enviadas para a África, onde os traficantes lusos as trocavam por escravos.

Porto Seguro, porém, tinha um problema: devido aos afiados recifes dos Abrolhos (aglutinação de "Abra os olhos"), as naus da chamada Carreira da Índia — que faziam tráfego entre Portugal e o Oriente — passavam ao largo da capitania de Tourinho, sem fazer escala nela. Como os navios que seguiam para a Costa do ouro e da prata também não paravam ali, Pero do Campo Tourinho tinha dificuldades em exportar seu peixe-seco, seus búzios e seu pau-brasil.

Talvez por isso, em 1º de janeiro de 1546, o donatário deixou de pagar os impostos que devia para o rei. Em carta escrita no dia 28 de julho daquele ano — para solicitar o envio imediato de "peças de artilharia, pólvora e munição de guerra" —, ele se lastimava para o monarca, dizendo: "Ainda agora, ao presente, somos cá tão pobres que não podemos fazer nada sem ter favor e ajuda de Vossa Alteza".[11]

Tourinho julgava que aquela era situação passageira e tinha esperanças de que assim "que os engenhos se acabarem (*de construir*), espero em Deus que V. Alteza tenha aqui um novo reino em breve tempo". De fato, naquele momento, o duque de Aveiro (herdeiro presuntivo do trono) já tinha começado a investir na lavoura canavieira e estava montando um engenho na vila de Santa Cruz, aos quais se somavam pelo menos outros dois, financiados pelo donatário.

Mas as esperanças de Pero Tourinho eram vãs. Como no caso das demais capitanias, o processo de implantação da in-

O LOTE DE TOURINHO

A gravura abaixo mostra a capitania de Porto Seguro em fins do século 16 e nela aparecem, além da sede, outros três povoados fundados pelo donatário.

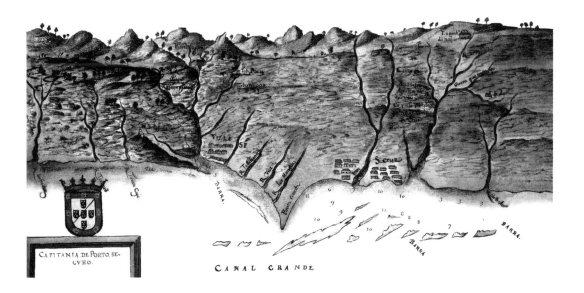

235

dústria açucareira em seu lote coincidiu com a eclosão das guerras com os indígenas — e de modo tão simultâneo que se impõe estabelecer entre ambos uma relação de causa e efeito.

TOURINHO E A INQUISIÇÃO

Da própria carta que o donatário escreveu para D. João III no dia 28 de julho — enviada, como se verá, para relatar ao rei um acontecimento bem mais grave, ocorrido na vizinha Bahia —, é possível supor que os conflitos com os nativos já haviam se iniciado nos primeiros meses de 1546, uma vez que, além de narrar a devastação ocorrida na Bahia, Tourinho solicitava o envio de "artilharia, pólvora e munição".

Mas o início do assédio dos Aimoré a Porto Seguro não era a única ameaça à capitania. Na mesma época, eclodiu um grave confronto entre o donatário e seus colonos. Os desentendimentos entre Pero do Campo Tourinho e os principais povoadores de sua capitania já haviam começado alguns anos antes.

Em junho de 1543, um certo João Barbosa Pais viajara a Lisboa com o propósito de denunciar o donatário perante a Inquisição. De acordo com a acusação, feita em 13 de setembro de 1543, Tourinho "se dizia papa e rei" e, o que era mais grave: forçava seus colonos "a labutar nos domingos e dias santos, implicando em grave ofensa à religião".[12]

Dono de um senso de humor ácido e de um temperamento instável, Pero do Campo de fato tinha o costume de debochar dos padres, dos santos, do papa e até da Virgem. De acordo com o historiador Capistrano de Abreu, o donatário costumava sentar-se em um tronco, junto ao pelourinho, no centro da vila e "ali, nos dias de bom humor, repetia no diminutivo o nome de coisas ou pessoas, com entonações cômicas, e não desdenhava dos trocadilhos. Outras vezes, porém, mostrava-se

236

abatido, tendo filhos que não merecia, vendo morrer as pessoas que melhores serviços prestavam e seus esforços perdidos".[13]

Ainda segundo Capistrano, nos dias azedos, "os vapores do mandonismo subiam-lhe ao cérebro" e o donatário "dilatava-se em ameaças de prender, deportar e enforcar e nem sempre as ameaças ficavam em palavreado". Esses acessos de fúria em geral resultavam em vociferações anticlericais. Como gostava dos diminutivos, o donatário gritava para que todos ouvissem: "Santinhos, bispinhos, cardialinhos, papinhos...".

De acordo com o depoimento de um certo João D'Outeiro, que desempenhava as funções de ferreiro da capitania, Tourinho costumava dizer que os santos dos dias feriados eram todos "uns santinhos de merda" e que "Santo Antônio fosse à puta que o pariu".[14] Depois que um temporal devastou as lavouras de Porto Seguro, um padre jurou tê-lo visto pisoteando um rosário e blasfemando contra Deus. Tourinho teria afirmado então que, a partir daquele dia, iria mostrar "quem era mais mau, se ele ou se o próprio Deus".[15]

Quando um dos cinco clérigos que viviam em Porto Seguro ameaçou denunciá-lo ao Santo Ofício, o donatário disse que os padres da terra "eram uma corja, ali como alhures". Mais tarde, segundo um dos colonos, teria sido visto apontando para a própria barriga e dizendo: "Papa, papa? Papa para mim".[16]

Documentos confirmam que a principal indignação de Tourinho era a profusão de dias santos, durante os quais não se trabalhava. Ele era contra o feriado no dia consagrado a São Martinho (que chamava de São Martelo). Dizia que tal santo era "um bêbado" e que Bernard de Aureajac — vigário-geral da capitania, e francês como o santo — só o venerava "porque era outro bêbado". Teria afirmado também que "Santa Luzia era uma mulher atôa" e que Santo Amaro "era um santo cujos milagres se faziam com cuspe".[17]

Não chega a ser uma surpresa, portanto, que Tourinho tenha se desentendido com o vigário Bernard de Aureajac e com os outros quatro padres que viviam em Porto Seguro — todos, aliás, com os salários pagos pelo próprio donatário. Assim sendo, no dia 13 de setembro de 1543, o colono Barbosa Pais compareceu ao Tribunal do Santo Ofício, em Lisboa, e denunciou Pero do Campo como herege.

O SANTO OFÍCIO EM PORTUGAL

Àquela altura, a Inquisição já estava instalada em Portugal havia sete anos, após longa e tortuosa discussão jurídica entre os prelados de Roma e os de Lisboa. Convém lembrar que a frota que partira de Portugal em junho de 1532 — a mesma que acabaria capturando a nau *Peregrina* em Málaca — estava se dirigindo a Roma, onde o bispo D. Martinho iria tratar dos detalhes para o pleno estabelecimento do Tribunal do Santo Ofício em Portugal. Mas, naquela ocasião, como se verá, não houve acordo entre o papa Clemente VII e o rei D. João III.

De raiz medieval, a Inquisição havia sido criada durante o pontificado de Gregório IX, muito provavelmente fruto do Concílio de Toulouse, realizado em 1229. O tribunal começou a funcionar em 1233, quando o papa exortou os bispos franceses a designarem inquisidores dominicanos em várias zonas supostamente "contaminadas pela heresia". A partir de 1252, o uso da tortura foi autorizado, "como um meio mais eficiente de apurar a verdade".

Em fins do século 15, a Inquisição arrefecia em quase toda a Europa, quando foi remodelada e se estabeleceu na Espanha, em 1478. A partir de então, o tribunal iria adquirir importância crescente e rigor extremo, especialmente após a expulsão dos judeus da Espanha, em 1492. Em Portugal, no entanto, o processo de instalação do Santo Ofício estava destinado a ser longo e moroso. O principal motivo da controvérsia era o desejo da Coroa portuguesa de possuir um tribunal similar ao espanhol — proposta constantemente negada por Roma.

Em 1525, o rei D. João III já pedira ao papa que a Inquisição fosse levada para Portugal. Seis anos mais tarde, depois do terrível terremoto de 1531, houve uma grande "agitação herética", enquanto uma onda de messianismo varria o reino. Os cristãos-novos (ou judeus recém-convertidos) foram acusados de esconder gêneros alimentícios com fins especulativos durante a grande fome provocada por um surto de peste ocorrido em 1530, pela seca de janeiro de 1531 e pelo terremoto de fevereiro do mesmo ano. A própria sucessão de tragédias foi considerada como "um castigo divino pelas ofensas dos judaizantes".

Facções da nobreza e do clero, preocupados com a ascensão dos cristãos-novos, eram favoráveis à imediata instalação da Inquisição e pressionavam o rei. A histeria coletiva que nobres e religiosos ajudaram a fermentar assumiu tais proporções que, em fins do primeiro semestre de 1531, cinco cristãos-novos, tidos como hereges, foram arbitrariamente queimados na praça de Olivença, após um julgamento sumário. Quem presidiu aquele "auto-de-fé" — o primeiro realizado em Portugal — foi frei Henrique de Coimbra, o mesmo que, 31 anos antes, acompanhara Pedro Álvares Cabral na viagem ao Brasil e rezara a primeira missa na Bahia.

No final de 1531, o papa Clemente VII enfim autorizou o estabelecimento da Inquisição em Portugal. Eis a justificativa apresentada pela bula assinada em 17 de dezembro daquele ano: "Tendo-se tornado comum em Portugal os fatais exemplos de volverem aos ritos judaicos muitos cristãos-novos que os haviam abandonado, e de os abraçarem outros que, nascidos de pais cristãos, nunca tinham seguido aquela crença, acrescentando o disseminar-se no reino a seita de Lutero e outras igualmente condenadas, e bem assim o uso de feitiçarias reputadas como heréticas, se reconhece a necessidade de atalhar o mal com pronto remédio, de modo que a gangrena não eive os espíritos".[18]

E assim, no dia 15 de junho de 1532, o bispo D. Martinho partiu em direção a Roma, para acertar os detalhes jurídicos e os poderes que seriam dados ao Tribunal do Santo Ofício. Depois de ajudar na captura da *Peregrina* — episódio no qual desempenhou um papel-chave —, D. Martinho se reuniu com o papa. Mas, ao retornar a Portugal, em outubro, o bispo não trazia boas notícias para o rei D. João III.

Ao tribunal luso não fora concedida a mesma liberdade de atuação que desfrutava a Inquisição espanhola. O principal foco da discussão consistia no fato de que, em Portugal, o confisco dos bens dos condenados só seria concedido após um prazo de dez anos. Além disso, após aquela moratória de uma década, as propriedades confiscadas aos hereges passariam a pertencer não à Coroa portuguesa, mas à Igreja de Roma.

O rei e seus assessores não aceitaram aquela decisão — uma vez que não havia dúvidas de que a monarquia espanhola havia obtido muito dinheiro com os bens tomados aos judeus e aos cristãos-novos. Ainda assim, enquanto persistia o conflito jurídico e diplomático, a Inquisição começou a funcionar em Portugal, embora tenha sido suspensa em 1534. No ano seguinte, ainda travando a queda-de-braço contra as exigências portuguesas, Roma simplesmente assinou uma bula decretando o "perdão geral aos judaizantes" e suspendendo o tribunal.

Finalmente, no dia 26 de março de 1536, o novo papa, Paulo III, cedeu às pressões e autorizou a instalação do Santo Ofício em Portugal, embora ainda sem os mesmos poderes de seu equivalente espanhol. O primeiro inquisidor-geral foi D. Diogo da Silva, bispo de Ceuta. D. Diogo renunciou em 1539, sendo substituído pelo cardeal D. Henrique, irmão de D. João III. Foi D. Henrique quem deu início aos "autos-de-fé", queimando muitos acusados em Évora, Porto, Coimbra e Lisboa.

Preocupado com a crescente virulência de D. Henrique e com o suposto "fanatismo" de D. João III, o papa ordenou a suspensão das execuções em 1544. Após nova batalha jurídica, a bula *Meditatio cordis*, assinada em 1547, enfim concedeu à Inquisição portuguesa poderes similares aos da espanhola (entre os quais confisco dos bens dos acusados, processos sigilosos e jurisprudência própria).[19]

A Conspiração contra Pero Tourinho

Poucos meses antes da assinatura daquela bula, como se antevendo o recrudescimento da Inquisição em Portugal, os colonos de Porto Seguro tramaram a derrubada de Pero do Campo Tourinho. Na noite de 23 de novembro de 1546, os homens mais importantes da capitania se reuniram na casa do juiz ordinário Pero Drumondo para selar o destino do donatário.

Do encontro participaram o juiz da vara cível Pero Vicente; os "fidalgos da casa d'El Rei" Pedro Correa e Duarte de Serqueira; os vereadores Belchior Álvares, Gomes Marques e Paulo Dinis; o procurador do Conselho, Diogo Luis; o alcaide de Porto Seguro, Lopo Vaz; o tabelião Gonçalo Fernandes; o escrivão do processo, João Camelo Pereira; e o castelhano Francisco de Espinosa, além, é claro, dos religiosos Bernard de Aurejac, padre francês que era vigário da igreja matriz de Porto

Seguro e o principal desafeto de Tourinho; o frei franciscano Jorge Capuchinho; o capelão e feitor do Duque de Aveiro, Manuel Colaço e o "beneficiado da igreja" Pero Ryquo.

Ao grupo se juntou o "clérigo de missa" João Bezerra, homem de reputação sinistra, que chegara a Porto Seguro poucas semanas antes, vindo de Ilhéus em companhia de piratas. Cerca de um ano antes, o mesmo Bezerra tramara a derrubada do donatário da Bahia, Francisco Pereira Coutinho, sendo o responsável pelo eventual abandono daquela capitania.

Após a reunião conspiratória, registrada em ata por Gonçalo Fernandes, ficou decidido que Pero do Campo Tourinho seria preso na manhã seguinte e conduzido em correntes para a casa do escrivão do processo, o próprio Fernandes. Lá, permaneceria detido enquanto durasse seu julgamento.

Três dias mais tarde, em 27 de novembro, o vigário Bernard de Aurejac improvisou um tribunal, presidido por ele próprio e composto de um inquiridor, um escrivão e um juiz ordinário. Foram listadas 14 acusações e convocadas 27 testemunhas de acusação. Contra Pero do Campo Tourinho depuseram seu filho, André do Campo; seu cunhado, Antônio Pinto, e o noivo de sua filha, Pero Vicente. Impedido de comparecer à corte, o donatário foi defendido por Clemente Annes, "um seu criado".

As audiências se deram nos dias 4, 7, 9, 10 e 28 de dezembro de 1546, na igreja matriz de Nossa Senhora da Penha, no centro de Porto Seguro, quase ao lado da casa do donatário. O concerto dos autos se encerrou em 7 de fevereiro de 1547 e, alguns dias mais tarde, Pero do Campo Tourinho foi enviado, ainda em correntes e em um de seus próprios navios, para julgamento no reino (ou, talvez, no bispado de Funchal, na ilha da Madeira, sede da diocese a que pertencia o Brasil).

De qualquer forma, Tourinho chegou solto a Lisboa — ou, como observa Capistrano de Abreu, "o soltaram sem demora", já que documentos provam que "em vez de ficar na cadeia, o acusado residia na rua do Poço, no bairro de Boa Viagem". A Inquisição se mostrou branda, pois, em novembro de 1547, os juízes decidiram que, caso pagasse fiança de mil cruzados (sendo aceitas como hipoteca as rendas da capitania de Porto Seguro), Tourinho poderia responder o processo em liberdade, embora não pudesse se ausentar da capital antes do julgamento.

O processo se arrastou por três anos. Somente em 8 de outubro de 1550 Pero do Campo foi submetido a interrogatório no Tribunal do Santo Ofício. Arquivado na Torre do Tombo, sob o número 8.821, o processo foi encontrado em 1917 por Capistrano de Abreu. Da leitura dos autos, transparece que o motivo do confronto foi o fato de os colonos se recusarem a trabalhar seis dias por semana. Mas a luta pelo poder da capitania (e a disputa pela utilização da mão-de-obra indígena), travada entre Tourinho e os religiosos, certamente catalisou a crise.

Eis os trechos mais elucidativos do interrogatório:

"Perguntado se dizia na dita sua capitania que nem dia de Nossa Senhora nem dos Apóstolos nem dos santos se haviam de guardar e, por isso, mandasse trabalhar a seus servidores em tais dias, (*Pero do Campo Tourinho*) respondeu que não, que antes os mandava guardar e festejar; somente que repreendia às vezes o vigário francês por dar de guarda S. Guilherme, S. Martinho, S. Jorge e a outros santos que não mandava guardar a Santa Madre Igreja, porque a terra era nova e era necessário trabalhar e se fazerem algumas cousas necessárias ao serviço de Deus".

"Perguntado por que razão expulsara um frei franciscano que ali pregava na igreja, respondeu que não o expulsara mas que ele se fora por vontade própria e que lhe pagara tudo o que lhe devia, e que a causa que se fora era por dizer que queria ir porque ali pagavam seu trabalho em açúcar e em outra parte o pagariam em dinheiro, e que este frei dissera um dia no púlpito que se Deus se levantasse contra eles, que tomassem as bênços com Belzebu, e que o povo se escandalizara disso e ele tornara a dizer no púlpito que não se escandalizassem porque às vezes queria um homem dizer uma coisa e lhe escapavam outras, e que (*esse frei*) era castelhano e estava agora em Pernambuco".

"Perguntado se dissera alguma hora que os bispos eram uns bugiarões e tiranos que casavam e descasavam e faziam o que queriam por dinheiro, disse que tal não dissera e que quando lhe diziam que os prelados tinham renda e folgavam muito, ele dizia que estes tinham muito trabalho e que trabalhavam da manhã à noite, cuidando de suas ovelhas".

"Perguntado se dissera em alguma hora que não existiam tantos santos de guarda e que se havia tantos era porque os bispos os faziam para agradarem suas mancebas, respondeu que não; que somente por rir dizia alguma hora, quando via que mandavam guardar algum santo que não estava no calendário e então dizia que o prelado o mandara guardar por ser do nome de sua manceba, e que quem era preguiçoso e queria jogar e folgar buscava muitos santos, e que isto tudo dizia para animar os homens para que trabalhassem para que a terra se povoasse e se fizesse o que era necessário e se aumentasse a fé católica".

"Perguntado se tinha algumas pessoas que lhe quisessem mal, respondeu que sim, como era um Duarte Sequeira, um Belchior Álvares, um Pero Mousinho, e João D'Outeiro, e Lopo Vaz, alcaide; e Francisco Espinosa, castelhano; e Pero Gonçalves, vereador; e Gaspar Fernandes, tabelião, e que todos estes e outros estavam mal com ele por bradar com eles porque não queriam trabalhar e lhes repreendia seus vícios e os castigava e prendia quando era necessário, pelos males que faziam aos índios, dormindo-lhes com suas mulheres e filhas e faziam outras coisas que não deviam".[20]

Não se conhece o veredicto do tribunal, embora todos os estudiosos concordem que, caso não tenha sido "amplamente absolvido", Tourinho foi submetido a uma pena branda "talvez apenas alguma penitência". De acordo com Capistrano de Abreu, "a Inquisição era nova, seus raios fulminavam de preferência cristãos-novos ou hereges professos", ao passo que o donatário "seria, quando muito, herege diletante".[21]

De todo modo, é certo que Pero do Campo Tourinho se amargurou de tal forma que jamais retornou ao Brasil para reassumir sua capitania — que, durante seis anos, ficou sob o comando de André do Campo, o filho que havia tomado parte na intriga que o destituíra. Tourinho morreu praticamente na miséria no dia 10 de outubro de 1553.

Como herdeira legal do marido, D. Inês Pinto tornou-se a donatária de Porto Seguro. Indignada com o papel desempenhado pelo filho André, ela renunciou a favor de seu outro filho, Fernão, em 18 de novembro de 1554. Fernão logo partiu de volta para o Brasil mas, "sob seu domínio, a capitania se abateu". O novo donatário morreu em dezembro de 1555 e, como não tinha herdeiros diretos, Porto Seguro passou a pertencer à sua irmã, D. Leonor do Campo.

Em 1559, D. Leonor vendeu a capitania por quatro mil cruzados (cerca de um quinto do valor de uma nau) para o Duque de Aveiro, que já possuía engenhos em Porto Seguro. "Sem saber o que comprara, nem compreender o que perdia", diz o historiador J. M. de Macedo, "o duque deixou desfalecer em decadência a capitania que tão facilmente florescera".[22]

Embora a vila de Porto Seguro tenha se mantido habitada, os outros povoados fundados por Tourinho — entre eles

Assinatura de Pero do Campo Tourinho

Santa Cruz, Santo Amaro e Comagi — logo se despovoaram, atacados e destruídos pelos Aimoré. A maior parte de seus moradores se transferiu para a capitania de Pernambuco.

Cerca de 40 anos mais tarde, um neto de Pero do Campo Tourinho, em denúncia feita ao tribunal do Santo Ofício, disse que o donatário havia sido vítima de uma intriga e que todo o processo "fora inventado" pelo próprio filho de Tourinho, André do Campo, que pretendia ficar "no lugar do pai, como de fato ficou".[23]

Embora talvez tenha sido traído pelo filho, os problemas de Pero do Campo Tourinho foram relativamente pequenos se comparados com o que o destino reservara para seu vizinho Francisco Pereira Coutinho, o donatário da Bahia.

Com efeito, a carta que Tourinho enviou para o rei D. João III no dia 28 de julho de 1546 (portanto, quatro meses antes de sua prisão) fora escrita para registrar a chegada a Porto Seguro do lendário Caramuru. Aquele náufrago, que vivia no Brasil há mais de 30 anos, dirigira-se à capitania de Tourinho para alertar o donatário da Bahia, Francisco Pereira Coutinho — que, naquele momento, estava refugiado em Porto Seguro — sobre uma iminente invasão francesa à baía de Todos os Santos.

Tendo sido expulso de seu lote pelos Tupinambá, Pereira se encontrava em Porto Seguro desde agosto de 1545. Apesar do aviso de Caramuru, ele não se dispôs — pelo menos não de imediato — a retornar para a Bahia. Indignado com a omissão do donatário que ele próprio acolhera, Pero do Campo Tourinho decidiu escrever para o rei. Sua carta, como se verá, revelou ao monarca a terrível tragédia que se abatera sobre a mais importante capitania da Costa do Brasil.

Francisco Pereira Coutinho, donatário da Bahia, era filho de Afonso Pereira, alcaide-mor da cidade de Santarém, e de uma filha do conde de Marialva, "da primeira nobreza lusitana".[24] Como todo o fidalgo de sua estirpe, "filho de casal tão ilustre",[25] ele partira jovem para a Índia, alistando-se, em 1509, na frota que zarpou de Lisboa sob o comando do marechal Fernando Coutinho (de quem não era parente). Daquela mesma esquadra também fazia parte o futuro donatário de Pernambuco, Duarte Coelho.

Logo que chegou à Índia, Pereira participou da desastrada tomada de Calicute, durante a qual o marechal Coutinho foi morto. Ao longo dos quase quatro anos durante os quais permaneceu no Oriente, Pereira serviu sob as ordens de Afonso de Albuquerque e tomou parte na conquista de Goa (a cidade que, a partir de 1515, se tornaria a principal base lusitana na costa do Malabar e sede do vice-reino da Índia)

Em Goa, Pereira revelou "certa rudeza no trato dos negócios"[26] — circunstância que lhe valeria o apelido de "Rusticão", que ele carregou pelo resto da vida. Após ocupar o cargo de capitão de Cochin, durante o vice-reinado de D. Francisco de Almeida, e de ter servido na armada lusa estacionada em Ormuz para patrulhar o Golfo Pérsico, Pereira retornou para Lisboa por volta de 1511.

Em abril de 1514, partiu novamente para a Índia, na frota de cinco naus comandada por Cristóvão de Brito, com quem teve sérios desentendimentos e pelo qual foi acusado pelo naufrágio de um dos navios. Conforme uma carta que o indignado comandante escreveu para o rei D. Manoel em 9 de novembro de 1514, Pereira julgou ter visto terra onde havia apenas um cardume de lobos marinhos — e, segundo Brito, "nunca me quis falar nem dizer por que fizera aquilo". [27]

Deve ter sido por conta deste grave equívoco que Pereira permaneceu tão pouco tempo no Oriente já que, um mês após a sua chegada, foi mandado de volta para Lisboa, comandando a nau N. Sra. da Ajuda. Esta viagem se tornaria célebre porque, nela, foram levados para Portugal um elefante e um rinoceronte — dados de presente para o rei D. Manoel por Muzafar, rei de Cambaia (região do norte da Índia, onde ficava a fortaleza de Diu).

Na época, a presença de elefantes em Lisboa já não constituía novidade estrondosa. Pelo menos outros cinco haviam chegado à cidade anteriormente e o rei D. Manoel fazia-se preceder de um deles sempre que percorria as ruas da capital. Um daqueles "alifões" (como os paquidermes eram então chamados) fora trazido para Portugal em 1509, a bordo da nau S. Simão. Durante uma tormenta, os marinheiros viram o animal "bramir e chorar lágrimas em quantidade".[28]

Como nos tempos áureos do Império Romano, a presença e a exibição pública de animais exóticos exercia poderoso efeito sobre a população e possuía "um forte impacto de propaganda, a nível nacional e internacional",[29] usado para ressaltar o poderio e a abrangência do império ultramarino lusitano. Já em 1495, o alemão Jerônimo Münzer vira, no pátio do Paço de Évora, "um camelo que o rei mandara trazer da África", bem como "um corpulento crocodilo (*empalhado*) suspenso pelo couro", além de "dois bravos leões, os mais famosos que jamais víramos"[30] e que viviam no palácio de Alcáçova.

Do zoológico particular mantido por D. Manoel, e ampliado por D. João III, faziam parte ainda búfalos, gazelas, corças, hipopótamos, pelicanos (então chamados *crós*), avestruzes, flamingos, pingüins (então chamados *sotilicaios*) e tartarugas,

Brasão de Francisco Pereira.

248

além de várias espécies da fauna brasileira, como onças, antas, os adorados macacos e os valiosos papagaios e araras ("as aves parladoras" de então).

AS "DEAMBULAÇÕES DA GANDA"

O rinoceronte trazido por Francisco Pereira Coutinho, porém, foi o primeiro a chegar a Portugal e, como não é difícil supor, causou furor na corte e no resto da Europa desde o dia de seu desembarque, em 20 de maio de 1515.

O escrivão e tabelião alemão Valentim Fernandes, que vivia há anos em Portugal e mantinha seus conterrâneos bem informados das novidades ocorridas em Lisboa, chegou a enviar uma carta para Colônia, na Alemanha, relatando a chegada do animal. Junto com a carta, Fernandes mandou um desenho do rinoceronte (que então os portugueses chamavam de "ganda"). Esse desenho foi visto e reproduzido pelo pintor Albrecht Dürer, e ocupa lugar com algum destaque em suas obras.

A GANDA DE DÜRER

Albrecht Dürer não chegou a ver o rinoceronte trazido para a Europa por Francisco Pereira Coutinho. O desenho que ele fez (reproduzido abaixo) se baseou na gravura que Valentim Fernandes mandou fazer em Lisboa e incluiu no panfleto que enviou para a Alemanha.

Um pequeno panfleto foi escrito para relatar as andanças do rinoceronte pela Europa. Graças a este livreto — cujo título é *Deambulações da ganda de Muzafar, rei de Cambaia* —,[31] sabe-se que D. Manoel não se limitou a exibir publicamente o espantoso animal. Em 3 de junho de 1515, domingo da Santíssima Trindade, disposto a comprovar a ferocidade do rinoceronte e sua conhecida animosidade para com

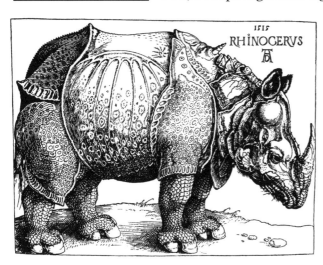

os elefantes, o rei promoveu um combate entre a "ganda" e um de seus "alifões".

A luta foi travada no amplo pátio existente entre o Paço da Ribeira e a Casa da Índia, o ponto mais central de Lisboa, e terminou com a fuga do elefante. Semanas mais tarde, D. Manoel enviou a "ganda" de presente ao papa Leão X. Na viagem marítima entre Lisboa e Roma, a nau que conduzia o estranho animal fez escala em Marselha e a presença do rinoceronte na França foi detalhadamente descrita e o relato enviado para o rei Francisco I. Mas, ao zarpar de Marselha, a nau lusa naufragou, e o rinoceronte jamais chegou ao seu destino.

O Rusticão

Do dia 20 de maio de 1515 (quando desembarcou com a "ganda" em Lisboa) até fins de 1533, o nome de Francisco Pereira Coutinho simplesmente desaparece das crônicas. Não se sabe o que ele fez durante essas duas décadas. De todo modo, em 5 de abril de 1534, Pereira se tornou o segundo donatário agraciado com um lote no Brasil.

A capitania que recebeu, além de fértil e relativamente próxima a Portugal, era bem conhecida pelos lusos e já se encontrava habitada por um grupo de náufragos e mamelucos, liderados pelo lendário Caramuru. Por conta disso, era tida como a mais aprazível e facilmente colonizável das 12 donatarias.

Com 50 léguas (ou cerca de 300km) de comprimento, o lote concedido ao "Rusticão" começava imediatamente ao sul da capitania de Pernambuco, na foz do rio São Francisco (atual fronteira entre os estados de Alagoas e Sergipe), prolongando-se até a foz do rio Jaguaripe, logo abaixo da ponta sul da ilha de Itaparica.

Um trecho da carta de doação merece ser citado, pois, nele, além de louvar o donatário, o rei critica alguns dos maiores líderes lusos no Oriente: "Nas partes da Índia, onde serviu muito tempo com o D. Fernando Coutinho, com o vice-rei D. Francisco de Almeida e com Afonso d'Albuquerque — que Deus perdoe em todos os ditos capitães o que nas ditas partes fizeram —, Francisco Pereira deu sempre de si mui boa conta".[32]

Por julgar que os serviços que o "Rusticão" prestara no Oriente eram dignos de recompensa, exatos três meses após a assinatura da carta de doação, o rei ainda mandou dar ao donatário "mil cruzados para comprar artilharia e armar os navios em que ora vai para a sua capitania do Brasil".[33] Logo a seguir, Pereira vendeu tudo o que possuía em Santarém e empregou o dinheiro para armar uma frota de sete navios e arregimentar cerca de 200 colonos.

Enquanto ele se preparava para partir para o Brasil, novos acontecimentos agitavam a Bahia.

Outra Vez o Caramuru

Em agosto de 1535, a nau-capitânia *Madre de Dios*, da armada espanhola comandada por Simão de Alcázoba, naufragou na ilha de Boipeva, nos arredores da baía de Todos os Santos. Alcázoba partira de San Lucar de Barrameda em 20 de setembro de 1534 com destino ao estreito de Magalhães, encarregado de colonizar as "200 léguas de terra"[34] que o imperador Carlos V lhe doara na costa do Pacífico.

Com 110 homens a bordo, a *Madre de Dios* chocou-se contra os recifes na ponta sul da ilha de Boipeva, no local ainda

251

hoje chamado de ponta dos Castelhanos (veja mapa na p. 218). A maioria dos homens se salvou dos perigos do mar apenas para ser massacrada pelos Tupinambá. Mais de 90 homens foram mortos pelos nativos; apenas 17 se salvaram, fugindo em uma chalupa (espécie de bergantim) para a vizinha ilha de Tinharé. Capturados pelos indígenas, os sobreviventes também estavam a ponto de serem mortos e devorados quando foram salvos pela providencial chegada de Caramuru e de "seis ou sete portugueses que o acompanhavam".

Em seu diário, o piloto da *Madre de Dios*, Juan de Mori, escreveu que Caramuru era um "português que morava ali havia 25 anos" e disse que um dos homens que estava com ele "era de origem fidalga".[35] Mori com certeza se referia a Paulo Dias Adorno, o genovês que fugira de São Vicente e, desde 1532, vivia na Bahia, casado com uma das filhas de Caramuru.

Baseado no relato de Juan de Mori, redigido na ilha de Santo Domingo, no Caribe, no dia 20 de outubro de 1535, o cronista castelhano Gonzalo Fernandez de Oviedo (que, além de extraordinário historiador, era governador daquela ilha) escreveu: "A este Diogo Álvares, que o gentio chamava de Caramuru, deram os castelhanos a sua chalupa, em troca de mantimentos, e lhe deram também duas pipas de vinho e falou-se-lhe em algumas cousas da fé e, ao que mostrou, estava bem nela e deu a entender que vivia naquela costa e solidão para salvar e socorrer cristãos e disse que já havia salvo franceses, portugueses e castelhanos que por aquela costa se haviam perdido e que se não estivesse ali os índios houveram morto a todos, especialmente aos da armada de Simão de Alcázoba".[36]

Antes que os espanhóis zarpassem para o Caribe, tendo desistido de sua missão de colonizar a costa oeste da América do Sul, quatro tripulantes da nau *São Pedro*, que fazia parte da armada de Alcázoba, desertaram e decidiram ficar com Caramuru na Bahia. Apesar desta deserção, Carlos V enviou uma carta agradecendo a Caramuru o auxílio que ele prestara à expedição de Simão de Alcázoba.

O relato de Juan de Mori — bem como o depoimento anterior de D. Rodrigo de Acuña (feito em 1º de julho de 1526 e o primeiro a se referir à presença de Caramuru na Bahia) — confirma que Caramuru estava no Brasil desde fins de 1509, quando o navio no qual ele viajava naufragou nos baixios do rio Vermelho.

O historiador baiano Teodoro Sampaio supõe que tal navio fosse francês. Seu argumento é bastante lógico: até pelo menos 1560, o rio Vermelho — que fica a cerca de 5km da Ponta do Padrão, hoje o Farol da Barra (veja mapa na p. 257) — era chamado pelos Tupinambá de Mairagiquiig, que quer dizer "naufrágio dos franceses". Ao lado da foz do rio ficava o lugar conhecido por Mairyqui, ou "aldeia dos franceses".

De acordo com Sampaio, foi o fato de ter chegado ao Brasil na companhia de franceses que sempre levou Caramuru "a se manter tão reservado ou reticente quando narrava sua história para os portugueses".[37]

Caramuru viajou para a França em 1528, mas logo retornou para a Bahia "por conveniência própria, para continuar envolvido com o tráfico e o contrabando"[38] e consciente dos lucros que podia obter cada vez que auxiliava as expedições que aportavam ou naufragavam na baía de Todos os Santos.

Pelo menos um outro indício revela que Caramuru de fato era, basicamente, um "agente comercial dos contrabandistas franceses do pau-de-tinta":[39] a Ponta do Padrão (assim chamada pelos portugueses em função da coluna de pedra ali colocada em 1502 pela expedição de Américo Vespúcio) era conhecida pelos franceses pelo nome de "Pointe du Caramourou". Tal designação aparece com freqüência nos documentos relativos às viagens financiadas pelo armador Jean Ango, o principal incentivador do tráfico de pau-brasil realizado pelos navegadores da Normandia.

A Vida de Caramuru

Quando o ríspido Francisco Pereira Coutinho ancorou com seus sete navios na Ponta do Padrão, Caramuru deve ter percebido que seus dias como senhor da terra estavam contados, uma vez que Pereira era o proprietário legal de toda aquela porção da costa.

O donatário deve ter chegado à Bahia por volta de novembro de 1536, pois em 25 de agosto do mesmo ano ainda não havia zarpado de Lisboa, já que, naquele dia, o rei D. João III mandou que lhe fosse entregue o documento através do qual um certo Diogo de Góis era nomeado "feitor e almoxarife" — ou seja, o recolhedor dos impostos reais — da capitania da Bahia. Por outro lado, em 20 de dezembro de 1536, o donatário certamente já se encontrava em suas possessões, uma vez que, neste dia, como se verá, ele doou uma sesmaria para o próprio Caramuru.

Quando o donatário chegou, Caramuru estava instalado nas encostas do Outeiro Grande (onde se erguem os atuais bairros da Graça e da Vitória). Era um local estratégico, bem protegido e defensável, com acesso fácil a um ancoradouro natural onde entravam as canoas, e no topo de "uma magnífica atalaia, donde se desfrutava amplo horizonte sobre o mar".

Com ele viviam pelo menos oito europeus. O genovês Paulo Dias Adorno e o marinheiro luso Afonso Rodrigues, desertores da expedição de Martim Afonso de Sousa, estavam casados com Felipa e Madalena, filhas de Caramuru e de Paraguaçu. Dois outros portugueses tinham sido deixados ali pelo pró-

254

prio Martim Afonso no verão de 1532, com a missão "de fazer experimentos com sementes e averiguar o que daria a terra". Os demais eram desertores da expedição de Simão de Alcázoba.

A aldeia de Caramuru era constituída por vários tijupares — ou grandes choças — nas quais vivia cerca de uma centena de Tupinambá, seus aliados, que faziam parte da tribo de Paraguaçu. Embora o arraial tivesse o aspecto de uma aldeia indígena, o historiador baiano Thales de Azevedo afirma que os europeus tinham construído para si "casas de barro, cobertas de palha de palmeiras pindoba (*Ataella humilis*) não somente pela exigência dos seus hábitos como principalmente pelos seus costumes de segregação de cada casal ou família em uma habitação, ao passo que os índios viviam em comum no interior de suas casas grandes".[40]

Embora em seus mais de 20 anos no Brasil Caramuru tivesse se adaptado aos costumes nativos, o mesmo historiador observa que, ao contrário de João Ramalho, o náufrago baiano não havia se "barbarizado". Afinal, "nenhum dos vários cronistas que o viu, antes e depois do estabelecimento da capitania, fez reparo especial sobre seu modo de viver, sinal de que não lhes causava estranheza".[41]

Azevedo supõe que Caramuru ainda se vestia "à européia, com trajes usuais da época, ou arremedos disso, ocupando com seus companheiros casas mais elaboradas e completas que a dos índios".[42] Também é importante ressaltar que, ao contrário de João Ramalho, Caramuru não se dedicava ao tráfico de escravos nem tinha total ascendência sobre os Tupinambá.

OS NOVOS MORADORES DA BAHIA

Em fins de 1536, o número de europeus instalados na baía de Todos os Santos subiu de nove para mais de 200. Sa-

255

bem-se os nomes de alguns dos homens que, por volta de novembro daquele ano, desembarcaram na Bahia em companhia do donatário Francisco Pereira Coutinho.

Vários deles eram de origem nobre: Diogo Luís, "moço da Câmara Real", era escrivão; Afonso de Torres era fidalgo espanhol, e Lourenço de Figueiredo, também "fidalgo nos livros d'El Rei", fora degredado para a Bahia "por haver matado um cônego, seu parente". Este homem veio para o Brasil junto com o filho de 12 anos, Jorge Figueiredo Mascarenhas, que os nativos apelidaram de Buatacá e que, mais tarde, se casou com uma das filhas de Caramuru, Apolônia.

Outros dois nobres que faziam parte do grupo original de Francisco Pereira também se tornaram genros de Caramuru: o fidalgo alentejano Vicente Dias, "protegido do infante D. Luiz" (irmão do rei D. João III e figura importantíssima na corte), se casou com Genebra, e Antão Gil, natural de Évora e "oficial da Câmara de Lisboa" desposou Isabel, a mais moça das seis filhas de Caramuru e de Paraguaçu.

Por fim, outro dos companheiros de Pereira era o "fidalgo de grande estirpe"[43] Duarte de Lemos, da casa de Trofa. Lemos, no entanto, ficou pouco tempo na Bahia, pois, alguns meses mais tarde, como já foi dito, aceitou o convite feito pelo donatário Vasco Fernandes Coutinho e se mudou "com seus criados" para a capitania do Espírito Santo.

Menos de um mês após sua chegada, Pereira doou uma sesmaria a Diogo Álvares, o Caramuru. O fato de as dimensões daquele lote — que tinha "400 varas de largo por 500 de comprido" (cada vara equivale a 1,10m) — serem quase o dobro das sesmarias que o donatário concedeu pouco mais tarde para seus próprios companheiros indica que, embora tivesse fama de ser "homem rude e tosco",[44] Pereira logo percebeu que

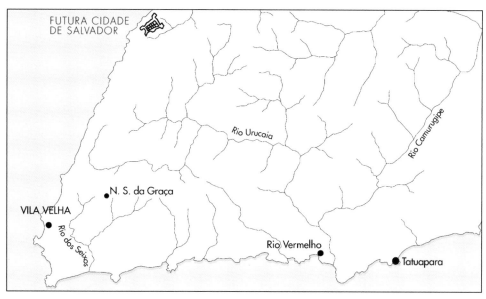

FUTURA CIDADE DE SALVADOR

Rio Urucaia

Rio Camurugipe

●N. S. da Graça

VILA VELHA
●

Rio dos Seixos

Rio Vermelho

●Tatuapara

Fortaleza do Pereira

Outeiro Grande

Ancoradouro das canoas

Villa Velha

Porto das naus

Caminho do Conselho

Rio dos Seixos

Aldeia Tupinambá

SESMARIA
DE
CARAMURU

Sesmaria de
Paulo Dias
Adorno

Atual Farol da Barra

Ponta do Padrão

257

a presença e os favores de Caramuru seriam vitais para o sucesso de sua capitania.

As terras cedidas para Caramuru abrangiam a área ocupada pela aldeia onde ele vivia (veja mapa na página ao lado). Na carta de doação, Pereira mandou escrever: "Pelo poder que Sua Alteza me deu e outorgou, saibam todos quantos esta carta de doação virem que mandei dar a Diogo Álvares, deste dia para todo sempre, 400 varas de terra de largo e 500 de comprido, com todas as entradas e saídas, serventias e fontes e rios, matos e arvoredos de toda a sorte e maneira, e que, através desse documento, o dito Diogo Álvares possua a dita terra, tudo inteiramente como cousa própria, para si e todos seus ascendentes e descendentes que dele sucederem, e que a hajam e gozem livremente, e aproveitem, sem pagar outro nenhum foro nem direito, somente o dízimo a Deus dos frutos e novidades que a dita terra der; a qual carta mando selar com os selos de minhas armas".[45]

Embora pudesse ajudar os recém-chegados, suprindo-os de mantimentos e intermediando sua relação com os nativos, Caramuru não era aliado de todos os Tupinambá que viviam em torno do Recôncavo Baiano. Nem poderia sê-lo, já que os próprios nativos — apesar de pertencerem ao mesmo grupo étnico —, somavam cerca de dez mil e eram inimigos entre si.

Os portugueses sabiam dos freqüentes conflitos entre os indígenas do Recôncavo Baiano. Afinal, em março de 1531, poucos dias após seu desembarque na baía de Todos os Santos, Martim Afonso e Pero Lopes de Sousa assistiram a uma fragorosa batalha naval entre aldeias inimigas. "Estando nós nesta baía", escreveu Pero Lopes, "no meio do rio pelejaram 50 almadias (*grandes canoas indígenas*) de uma banda e 50 de outra; que cada almadia levava 60 homens, todas decoradas e pintadas, como os nossos barcos. E pelejaram desde o meio-dia até o sol posto: as 50 almadias da banda onde estávamos saíram vencedoras; e trouxeram muitos dos outros cativos, e os mataram com grandes cerimônias, presos por cordas, e depois de mortos os assaram e comeram".[46]

A Vila do Pereira

Ao mesmo tempo em que doava a sesmaria para Caramuru, Francisco Pereira tratava de se instalar na nova terra. Durante o primeiro mês na Bahia, o donatário e seus acompanhantes tinham pernoitado a bordo dos navios — como, aliás, faziam todos os demais capitães do Brasil. Mas, em fins de dezembro de 1536, os colonos começaram a se transferir para o pequeno vilarejo cuja construção, feita com o auxílio dos Tupinambá aliados de Caramuru, se iniciara poucos dias após sua chegada.

Com cerca de 40 casas de barro e pau-a-pique, a primeira sede da capitania foi erguida a menos de um quilômetro ao sul da Ponta do Padrão, já dentro da baía de Todos os Santos, em frente a uma pequena enseada (veja mapa na p. 257). O povoado ficou conhecido como Vila Velha ou Vila do Pereira.

Em uma passagem de seu clássico *Décadas da Ásia*, o cronista João de Barros (donatário do Maranhão) descreveu o lugarejo e suas defesas: "Em torno da vila", anotou Barros, "o donatário fez uma cava (*ou trincheira*) e com a terra que tirou dela, entulhou os paus de madeira à maneira de taipais, em altura que fosse amparo aos que andavam por dentro". Ainda conforme Barros, o próprio Pereira já fora, 25 anos antes, encarregado por Afonso de Albuquerque de construir uma "tranqueira" similar para a defesa de Goa.

Embora achasse "a terra muito pacífica", o donatário, além de cercar a vila, construiu para si

A Torre de Pereira

A gravura abaixo, feita em 1949 pelo historiador baiano Teodoro Sampaio, representa a torre que Francisco Pereira construiu ao lado de sua vila, na entrada da baía de Todos os Santos. De acordo com Sampaio, ela tinha dois andares e "não primava pela elegância". Suas quatro sólidas paredes eram guarnecidas com seteiras e guaritas para os vigias. A torre foi construída "no ângulo mais saliente e mais alto do terreno a ser defendido e ligava-se com as estacadas e fossos que lhe serviam de cortina".

uma torre de dois andares, de pedra e cal, e a guarneceu com os quatro canhões que havia comprado com o dinheiro que o rei D. João III lhe dera para isso. Essa fortaleza ficava a 100 metros da vila, no local onde hoje se ergue o forte de São Diogo.

A princípio os canhões permaneceram mudos, pois tudo correu bem na Bahia. O donatário estava tão fascinado com suas possessões que, ainda em dezembro de 1536, escreveu uma carta entusiástica para o rei.

"Esta é a melhor e mais limpa terra que há no mundo", disse Pereira. "Ela é banhada por um rio de água doce tamanho (*tão grande*) como o de Lisboa, no qual podem entrar quantos navios há no mundo, e nunca se viu porto melhor nem mais seguro. A terra é muito pacífica e, obra de uma légua daqui, há uma aldeia com 120 ou 130 pessoas muito mansas que vêm às nossas casas oferecer ração e o príncipe deles, com sua mulher, filhos e gente, querem já ser cristãos e dizem que não vão mais comer carne humana e nos trazem mantimentos".

"Uma anta vale um vintém, um veado o mesmo vintém, um porco montês o mesmo vintém, um coelho dois vinténs, e muitas outras caças de outras maneiras. O peixe é tanto que vai de graça e são peixes de oito palmos, muitos linguados, salmonetes, pescadas e sardinhas. A costa tem muito coral, mas não tenho ainda quem o tire. A terra dará tudo o que lhe deitarem, os algodões sãos os mais excelentes do mundo e o açúcar se dará quanto quiserem".[47]

Em sua carta, Francisco Pereira evidentemente se referia à aldeia do Outeiro Grande, na qual viviam os nativos aliados a Caramuru. Os alimentos que os Tupinambá vendiam aos colonos eram produzidos em uma espécie de "indústria de família", mantida, como notou o historiador Edison Carneiro, pelo próprio Caramuru. Os campos de caça, roças e as gamboas de pesca — cuja produtividade ele supervisionava — ficavam em Tatuapara, uns 15km a nordeste da Ponta do Padrão, nas cercanias do rio Vermelho, onde, 25 anos antes, Caramuru naufragara (veja mapa na p. 257).

(veja mapa na p. 257).

Insurreição na Bahia

A Bahia não permaneceu próspera e em paz por muito tempo. "Afeito às brutalidades da Índia," diz Edison Carneiro, "o Rusticão não conseguiu se adaptar às novas exigências de comedimento, boa vontade e espírito cordial no trato aos nativos". Além do mais, "como era natural, logo se verificaram os choques entre os interesses gerais da capitania e os interesses particulares de Diogo Álvares".[48] De acordo com Carneiro, o donatário teria se indignado com a ascendência de Caramuru sobre os nativos que abasteciam a vila.

Como se não bastassem seus modos rudes e a crescente má vontade de Caramuru, Pereira "não sabia usar da gente como bom capitão", sendo considerado pelo donatário de Pernambuco, Duarte Coelho, como "mole para resistir às doidices e desmandos dos doidos e mal ensinados".[49]

Entre os equívocos do "Rusticão", um dos maiores foi permitir que seus colonos se instalassem em vários pontos da capitania, ao invés de concentrá-los em um único lugar da costa. Cerca de 100 homens se estabeleceram na Vila Velha, mas os demais se espalharam pelo Recôncavo Baiano, no interior da baía de Todos os Santos — onde, segundo um historiador, "se embrenhavam nas matas para fugir do trabalho".[50]

"Ao mesmo passo em que enfraquecia a capacidade de resistência e a disciplina da colônia", escreveu, em 1860, o historiador alemão Henrich Handelmann, "Pereira permitiu que, subtraídos à contínua inspeção do chefe, os colonos dessem largas a seu pendor para a rapina e a violência contra os silvíco-las".[51] Por conta destes deslizes, alguns estudiosos consideram o donatário da Bahia como "o típico conquistador militar que fracassou no Brasil porque o Brasil não era a Índia".[52]

De todo modo, os Tupinambá não precisaram de muito tempo para perceber que os portugueses eram diferentes dos franceses. Ao contrário dos *mair*, que vinham à Bahia apenas para recolher pau-brasil — "trocando suas mercadorias como amigos, e como amigos se retirando sem despertar suspeitas" —,[53] os *peró* haviam chegado para ficar e, além de se apossarem da terra, estavam dispostos a escravizar os nativos.

Como sempre, o choque entre os dois povos se iniciou assim que Pereira deu início à implantação da lavoura canavie-ira na Bahia. Em 28 de julho de 1541, o donatário doou duas sesmarias no Recôncavo. Uma delas — que ficava no lugar chamado esteiro do Pirajá — foi entregue ao fidalgo João de Velosa; a outra foi concedida ao nobre castelhano Afonso de Torres e se localizava no saco do Paripe (veja mapa na p. 218). Foi lá que, em associação com o donatário, os dois colonos endinheirados instalaram seus engenhos.

Afonso de Torres, "poderoso armador em Lisboa", fora, anos antes, arrendatário do tráfico de escravos "que vã (*sic*) da ilha de São Tomé para as Antilhas",[54] conforme relatou ao rei D. João III o próprio Antônio de Ataíde, que, por volta de 1531, lhe concedera o monopólio daquele comércio. Sendo Torres homem habituado ao tráfico de escravos, não é difícil supor que, ao necessitar de mão-de-obra para seu engenho, ele tenha incentivado incursões escravagistas às aldeias Tupinambá espalhadas pelo Recôncavo.

Mas a eclosão dos conflitos não foi provocada só pela captura de escravos. Conforme o padre Simão de Vasconcelos, "a paz com os indígenas da Bahia só durou enquanto durou também a paciência deles, porque não houve comércio vil, barbaridade, violência, extorsão e imoralidade que os portugueses não praticassem contra aqueles a quem chamavam selvagens, mas aos quais neste ponto excediam em selvageria".[55]

Vasconcelos, que escreveu em 1658, não foi contemporâneo dos fatos que narrou. Mas o padre Manoel da Nóbrega, também jesuíta, chegou à Bahia em 1549 e relatou: "De maravilha se achará cá na terra lugar onde os cristãos não tenham causado a guerra e a dissenção (...). Todos os primeiros escândalos da Bahia foram provocados por eles".[56]

O resultado de tais "escândalos" foi desastroso. Os Tupinambá se uniram e, com cerca de seis mil guerreiros, queimaram os engenhos, mataram vários portugueses e sitiaram os sobreviventes dentro da paliçada que cercava a Vila do Pereira.

Os conflitos parecem ter-se iniciado em 1541, já que, de acordo com o senhor de engenho e historiador Gabriel Soares de Sousa, a guerra durou "cinco ou seis anos, passados em grandes apertos", com os portugueses "sofrendo grandes fomes, doenças e mil infortúnios e o gentio Tupinambá matando gente a cada dia". Entre os mortos estavam "um filho bastardo do donatário, alguns de seus parentes e outros homens de nome", conforme o que o próprio Sousa escreveu em sua *Notícia do Brasil*, redigida em 1580.

Há indícios de que alguns degredados e outros colonos, já rompidos com o "Rusticão", tenham se aliado aos nativos e "açulado os bárbaros a agredir o donatário e os homens que se mantinham fiéis a ele".[57] De qualquer forma, a fidelidade da maioria dos sitiados — mantidos dentro da paliçada por meses a fio sem água e sem mantimentos — logo se esvanesceu. A prova é que pelo menos quatro dos sete navios que o donatário enviou para obter alimentos e água na vizinha capitania de Ilhéus simplesmente não retornaram à Bahia.

No auge da guerra contra os Tupinambá os inimigos de Pereira tramaram um engenhoso ardil para destituí-lo. O golpe foi liderado por um "padre de missa" chamado João Bezerra. Este homem, "de má vida", já havia sido anteriormente expulso da Vila Velha pelo próprio "Rusticão".

Alguns cronistas, entre eles Manoel da Nóbrega, afirmam que Bezerra também fora um dos causadores da guerra contra os indígenas na Bahia, "pois, como um principal (*um chefe*) daqueles negros (*como os portugueses chamavam os nativos*) não lhe deu o que ele pedia, lhe lançou a morte (*rogou-lhe uma praga*) no que tanto imaginou que acabou morrendo, exigindo que os filhos o vingassem".[58]

De todo modo, João Bezerra fora expulso da Bahia, mas por volta de junho de 1545, coincidindo com "um ataque geral dos indígenas às tranqueiras dos colonos",[59] ele ancorou na Vila Velha, a bordo de uma caravela cujos tripulantes garantiram estar chegando de Portugal.

Mediante um alvará régio, no qual havia falsificado a assinatura de D. João III, Bezerra destituiu Francisco Pereira de suas imunidades e do cargo de donatário, condenando-o à prisão. Com a ajuda de seus últimos aliados, Pereira conseguiu escapar do cárcere e fugiu para a capitania de Ilhéus — a bordo da chalupa que, dez anos antes, Caramuru havia ganho de Simão de Alcázoba. É provável que tenha sido o próprio Caramuru quem pilotou o barco até Ilhéus.

Nada indica que as dificuldades do velho Pereira tivessem, até então, desagradado Caramuru. Afinal, durante os cinco anos em que durara a guerra, ele não havia tomado posição contra os nativos que sitiaram a vila nem saíra em defesa da capitania. Mas o fato de ter levado o donatário para Ilhéus (ou pelo menos ter emprestado o barco que o conduziu até lá) é um sinal de que ele percebeu que, nas mãos de Bezerra e de seus cúmplices, a Bahia não teria destino melhor do que sob o frouxo comando de Pereira.

Com efeito, logo após a fuga do donatário, os Tupinambá conseguiram devastar Vila Velha e destruir a "torre" de Pereira, arrancando os canhões de suas muralhas e deixando-os jogados na praia. João Bezerra e os conspiradores que haviam urdido o golpe que destituíra o donatário simplesmente abandonaram a Bahia. Em fins de 1545, eles se mudaram para a vizinha Ilhéus — de onde Pereira havia partido alguns meses antes, buscando refúgio em Porto Seguro.

Em Ilhéus, Bezerra permaneceu por cerca de um ano, já que, em outubro de 1546, "andava embrenhado"[60] com os piratas que chegaram àquela capitania para vender as roupas e os pertences de um grupo de portugueses que eles haviam capturado e depois tinham "lançado aos Potiguar". Os corsários foram presos pelo lugar-tenente Francisco Romero, mas Bezerra escapou de qualquer punição, pois, em 24 de novembro do mesmo ano, se encontrava em Porto Seguro, envolvido, como já foi dito, na conspiração que destituiu o donatário Pero do Campo Tourinho e o levou a ser julgado pela Inquisição.

Em 20 de dezembro de 1546, o prudente Duarte Coelho, donatário de Pernambuco — ainda sem saber da destituição de Pero do Campo Tourinho —, escrevia para o rei D. João III, relatando a devastação que assolara a Bahia e o exortando a punir os culpados, especialmente João Bezerra. A carta de Coelho é contundente:

"Torno a lembrar a Vossa Alteza que deve prover sobre as cousas da Bahia, porque Francisco Pereira é velho e doente e não está para isso, e posto que V. Alteza já tenha tudo bem sabido, todavia direi o que eu cá entendo, Senhor, acerca do que inquiri e soube das cousas da Bahia que, posto que Francisco Pereira tenha culpa de não saber usar com a gente como bom capitão (...) cumpre e é necessário, Senhor, que aos que em tal erro caíram, por suas doidices e desordens e maus ensinos e desobediências, sejam mui bem castigados, porque afirmo a V. Alteza que foi uma coisa mui desonesta e feia e digna de muito castigo, porque aquelas revoltas e levantamentos contra Francisco Pereira foi a causa de a Bahia se perder, e o clérigo de missa (*João Bezerra*), que foi o princípio daquele dano e mal, deve Vossa Alteza de o mandar ir preso para Portugal e que nunca torne ao Brasil porque tenho sabido que é um grão ribaldo (*um grande patife*)".[61]

Os historiadores concordam que, embora não tenha citado seu nome, o padre Manoel da Nóbrega certamente se referia a João Bezerra quando, em abril de 1549, escreveu para o rei: "Cá na terra há clérigos, mas é a escória que de lá (*de Portugal*) vem. Não se devia consentir embarcar sacerdote sem ser sua vida muito aprovada, porque estes destroem o quanto se edifica".[62] De fato, Bezerra fora capaz de tumultuar as três capitanias localizadas na "Costa do Brasil".

O TERRÍVEL FIM DO RUSTICÃO

Quando o "grão ribaldo" João Bezerra abandonou a Bahia e se refugiou em Ilhéus, em fins de 1545, Francisco Pereira já não estava mais lá. O donatário destituído permanecera apenas algumas semanas ali, transferindo-se por volta de agosto de 1545 para Porto Seguro. "Achacado e baldo de recursos",[63] o "Rusticão" foi acolhido por Pero do Campo Tourinho, instalando-se na casa avarandada daquele donatário. Por um ano, ficou ali "sem nunca pôr diligência acerca de tornar a povoar a Bahia", como declarou o próprio Tourinho, em carta indignada que enviou para o rei no dia 28 de julho de 1546.

Tourinho decidira escrever para o monarca poucos dias após Caramuru ter desembarcado em Porto Seguro com notícias alarmantes. "Ora sou informado por um Diogo Álvares, língua da terra, morador da Bahia, que aqui chegou em um caravelão", relatava Tourinho, "que, haverá dois ou três dias, partiu da dita Bahia uma nau da França, cujos tripulantes fizeram amizade com os brasis (*os nativos*) e levou toda a artilharia e fazenda que lá ficara e combinaram com os brasis de retornar daqui a quatro meses, com quatro ou cinco naus armadas e muita gente para povoar a terra (...) e por tal não ser serviço de Deus nem proveito de Vossa Alteza, antes a destruição de todo o Brasil, eu mandei a Francisco Pereira embarcar para esse Reino (*Portugal*) e fazê-lo saber a V. Alteza, e por ele não ir, o faço saber a V. Alteza e lhe informo disso para, com brevidade, prover como for Seu serviço".[64]

Pela carta de Tourinho fica claro que, alguns meses depois de Francisco Pereira e de João Bezerra terem abandonado a Vila Velha, os franceses aportaram na baía de Todos os Santos. Como costumavam recolher pau-brasil regularmente em porções ainda desguarnecidas do litoral brasileiro — especialmente na foz do rio São Francisco e na foz do rio Real (atual fronteira entre Sergipe e Bahia) —, os franceses logo devem ter sido informados pelos nativos do abandono da Bahia. Por isso, se dirigiram prontamente para lá.

Após recolher os canhões da fortaleza destruída pelos Tupinambá e se apoderarem de tudo o que puderam resgatar dentre os escombros da Vila do Pereira, partiram de volta para a Europa, dispostos a obter recursos e pessoal para povoar a Bahia. Percebendo que, mais tarde, poderia ser acusado pelos portugueses de ter atraído aqueles traficantes e os incentivado a instalar-se na capitania despovoada, Caramuru resolveu viajar em sua chalupa para Porto Seguro, disposto a alertar o "Rusticão" dos planos dos franceses.

Poucas semanas após Caramuru retornar para a Bahia e de Pero do Campo Tourinho ter escrito para o rei, indignado com a apatia e a omissão de Francisco Pereira, o velho donatário decidiu voltar para seus domínios e enfrentar a grave situação. Mas estava destinado a jamais chegar lá.

Quando se aproximava do vilarejo arruinado, o navio que trazia Francisco Pereira Coutinho chocou-se contra o recife das Pinaúnas, na ponta sul da ilha de Itaparica. O donatário e a maior parte de seus acompanhantes se salvaram, mas foram presos pelos Tupinambá. Ao perceberam que, entre os prisioneiros, estava o próprio Pereira, os Tupinambá decidiram matá-lo.

Quem brandiu o tacape que vitimou o donatário foi um Tupinambá de cinco anos de idade, irmão de um nativo que o próprio Pereira mandara matar. Segundo uma crônica jesuítica — descoberta em 1904 pelo historiador Rodolfo Garcia — o menino foi ajudado por um guerreiro adulto a desferir o golpe que acabou com a vida de Francisco Pereira Coutinho. A seguir, a tribo devorou o corpo do donatário em um ruidoso banquete antropofágico.

O Sombrio Epílogo das Capitanias

Poucos meses após Francisco Pereira ser devorado pelos Tupinambá, Pero do Campo Tourinho foi preso pelos moradores de Porto Seguro e remetido a Lisboa para ser julgado pela Inquisição. Àquelas alturas, Ilhéus já se encontrava praticamente despovoada, em poder dos Aimoré. Assim sendo, quase nada restava das capitanias estabelecidas na outrora pacífica "Costa do Pau-brasil".

Não era menos precária, nem menos dramática, a situação dos lotes que ficavam ao norte e ao sul daquela região. Desde o fracasso da expedição de Aires da Cunha e da conquista do Amazonas pelos espanhóis, os portugueses tinham virtualmente desistido de ocupar a "Costa Leste-Oeste". Cunha morrera em naufrágio no Maranhão e João de Barros estava atolado em dívidas.

Por outro lado, na remota "Costa do Ouro e da Prata", apenas São Vicente se mantinha relativamente ativa. A capitania do Rio de Janeiro fora deixada no mais completo abandono por Martim Afonso de Sousa, o mesmo acontecendo com a capitania de Santana (que ficava entre a ilha do Mel, no Paraná, e Laguna, em Santa Catarina), jamais ocupada por Pero Lopes nem por sua esposa, D. Isabel de Gamboa — que também havia desistido de colonizar Santo Amaro após a devastação provocada pelos Tamoio em 1539. Os Goitacá tinham expulsado Pero de Góis de São Tomé, e Vasco Fernandes Coutinho, viciado em tabaco e em "bebidas espirituosas", perdera o controle sobre o Espírito Santo.

Dos 12 capitães do Brasil, apenas Duarte Coelho desfrutava de algum sucesso em Pernambuco, embora vivesse em aflições constantes, lutando contra os Caeté e contra os traficantes lusos de pau-brasil que se haviam instalado na abandonada capitania de Itamaracá. Além disso, o rei D. João III teimava em não responder suas cartas.

No início de 1548, a situação do Brasil era tão alarmante que Luís de Góis — irmão do donatário Pero de Góis — ousou escrever para o rei. Góis estava instalado em São Vicente, para onde retornara após São Tomé, a capitania que pertencia a seu irmão, ter sido devastada pelos Goitacá. A carta de Luís de Góis é de tal forma devastadora que vale a pena transcrevê-la:

"Senhor: (...) peço a Vossa Alteza que, com sua acostumada clemência, queira perdoar meu atrevimento e receba minha vontade como Seu serviço, pois vos digo, mui alto e mui poderoso Senhor, que se, com tempo e brevidade, Vossa Alteza não socorrer estas capitanias e costa do Brasil, que ainda que nós percamos as vidas e as fazendas, Vossa Alteza perderá a terra — e, ainda que nisso perca pouco —, aventura-se a perder muito porque não está em mais serem os franceses senhores dela, porque, assim que se acabarem de se perder estas capitanias que sobram, terão eles (*os franceses*) um pé no Brasil e tenho medo de onde quererão e poderão botar o outro".

"Eu quisera antes dizê-lo em pessoa a V. Alteza do que escrevê-lo, porque tão perigosa está esta costa que não sei que fim haverá esta carta, pois, de dois anos para cá, vêm a esta parte, sete ou oito naus (*francesas*) a cada ano, direto ao Cabo Frio e ao Rio de Janeiro, e já não há navio (*português*) que ouse por aqui aparecer, pois muitos têm sido cometidos e tomados pelos franceses. Enquanto não passavam do cabo de Santo Agostinho (*em Pernambuco*), chegando no máximo até a Bahia, não eram eles tão suspeitosos nem tão perigosos, pois não se atreviam a dobrar o Cabo Frio. Queira Deus que não se atrevam agora a dobrar o cabo da Boa Esperança (...)".

"Não há capitania que não seja roubada e alevantada por eles e, por causa deles, as que se perderam estão perdidas e esta onde estou (*São Vicente*) está para se perder, e antes que ela se perca, a socorra V. Alteza com braço forte. E se não o mover a terra em si, nem os inconvenientes acima ditos, haja V. Alteza piedade de muitas almas cristãs, que só nesta capitania, entre homens e mulheres e meninos, há mais de 600 almas, e de escravaria mais três mil, e seis engenhos e muita fazenda que nela se pode perder, afora o muito que foi gasta, tanto por nós que a povoamos quanto por muitos que a ajudaram povoar".

"Quanto a mim, Senhor, desde o dia em que V. Alteza me mandou que a ela viesse com Martim Afonso de Sousa, além de gastar o melhor de minha vida até agora, não fiz senão gastar até não mais poder, e o que me fica para gastar é minha vida e a de minha mulher e de meus filhos, das quais a Deus e a V. Alteza farei sacrifício e, enquanto ela nos durar, sempre rogaremos a Deus pela vida e estado de V. Alteza, o qual ele mesmo Deus acrescente muitos anos",

"Desta vila de Santos, na capitania de São Vicente, hoje, 12 dias de maio de 1548 anos. Beijo as reais mãos de Vossa Alteza".[65]

A Criação do Governo-Geral

O rei enfim escutou um apelo enviado do Brasil. O evidente fracasso das donatarias e a crescente ameaça dos franceses — tão claramente retratados na carta de Luís de Góis — levaram D. João III e seus principais assessores a modificar o regime das capitanias hereditárias e a optar pelo estabelecimento de um Governo-Geral.

O novo sistema seria muito diferente do anterior. Enquanto, no período das capitanias, todos os investimentos feitos no Brasil eram de responsabilidade exclusiva dos donatários, a criação do Governo-Geral iria transferir para o Tesouro Real o pesado ônus das despesas relativas à defesa e ocupação do território colonial.

Todo o sistema judiciário, fiscal e administrativo seria centralizado nas mãos do governador-geral, deixando de ser atribuição dos donatários. A posse das capitanias não reverteria para a Coroa: os lotes continuariam pertencendo aos respectivos

Assinatura de Luís de Góis

capitães. No entanto, eles perderiam a liberdade de ação, sendo obrigados a prestar contas de seus atos ao governador-geral.

A decisão de estabelecer o Governo-Geral não deve ter sido fácil. Em 1544, uma profunda crise econômica se abatera sobre a Europa — e iria perdurar até 1552. Em função de sua substancial dívida externa e do aumento das taxas de juros, Portugal passava por sérias dificuldades financeiras em 1547. Naquele ano, o reino se encontrava de tal modo arruinado que, só de juros atrasados, devia mais de 800 mil cruzados — o equivalente a 40 navios.

O montante total da dívida externa (sem falar da dívida pública) era superior a três milhões de cruzados, numa época em que a Coroa arrecadava aproximadamente a mesma quantia por ano. Como a população do país mal ultrapassava um milhão de pessoas, isso significa dizer que cada habitante devia quase três cruzados (quantia equivalente a três meses de salário de um marinheiro, de um ferreiro ou de um pedreiro, que, em geral, recebiam cerca de dez cruzados por ano).

A conjuntura política na Europa também não era favorável a Portugal. Em 1544, Francisco I, da França, e o rei Carlos V tinham assinado o tratado de Crépy-en-Lannois, pondo fim à longa guerra entre os dois reinos. Desta forma, Francisco I passou a dispor de mais recursos para financiar expedições francesas ao Brasil.

Francisco I morreu em 1547. Mas a subida ao trono de seu filho, Henrique II, em nada ajudou Portugal, já que o novo soberano estava ainda mais determinado do que o pai a ocupar o Brasil — tanto é que, em 1555, autorizou a partida da expedição comandada pelo fidalgo Nicolas Durand de Villegaignon, que seria responsável pela fundação da França Antártica, no Rio de Janeiro.

Na Espanha, além de ter saído vencedor da guerra contra Francisco I — o que lhe permitiria dedicar mais atenção à expansão de seu império ultramarino na América —, Carlos V recebera, em 1545, a extraordinária notícia da descoberta da lendária "serra da Prata". O minério obtido em Potosí o estimulou a investir na fundação de novas cidades na América, entre as quais Lima e Santiago do Chile, que se somaram a Buenos Aires e Assunção.

Por outro lado, na Índia, como se não bastasse o perigo permanente e os constantes conflitos com os muçulmanos, Portugal obtinha cada vez menos dinheiro com as especiarias. Além de ter inundado o mercado europeu com grandes quantidades de pimenta, noz-moscada, canela e gengibre — o que forçara a diminuição do preço daqueles produtos —, os portugueses encontravam cada vez mais dificuldades para sua obtenção: os freqüentes combates contra os muçulmanos impunham uma série de obstáculos ao comércio e ao tráfego das especiarias.

Por fim, na costa mediterrânea e no litoral ocidental de Marrocos, as fortalezas lusas viviam sob crescente assédio dos xarifes da dinastia Sus — circunstância que não só aumentava os gastos com a manutenção daquelas praças como forçava o envio permanente de tropas e navios para garantir sua defesa.

Paradoxalmente, foi esta complexa situação que fez reacender o interesse da Coroa pelo Brasil. Devido às dificuldades crescentes que Portugal enfrentava na África e na Índia, o tesoureiro-mor, Fernão Álvares de Andrade, e o vedor da Fazenda, D. Antônio de Ataíde, convenceram o rei D. João III de que valia mais a pena investir dinheiro na colônia sul-americana do que no Marrocos e, a longo prazo, no próprio Oriente.

As esperanças de encontrar ouro e prata no Brasil já haviam praticamente se esvanecido. A lavoura canavieira, no entanto, se apresentava como uma opção cada vez mais rentável — e o os engenhos estabelecidos por Duarte Coelho em Pernambuco eram a prova concreta disso. Além dos quatro engenhos instalados nos arredores de Olinda, outros seis estavam em funcionamento em São Vicente. Os demais — erguidos em Ilhéus, Porto Seguro, Bahia e São Tomé — tinham sido destruídos pelos indígenas, mas os portugueses planejavam reerguê-los após o estabelecimento do Governo-Geral.

Apesar dos lucros potenciais representados pelo açúcar, a terra, em si, ainda valia muito pouco no Brasil. Tanto é que, quando decidiram comprar dos herdeiros de Francisco Pereira a capitania da Bahia — para ali instalarem a sede do Governo-Geral — os responsáveis pelo Tesouro régio pagaram apenas 16 mil cruzados por ela, em prestações anuais de mil cruzados (ou 400 mil reais). A Bahia inteira valia, portanto, menos que uma nau.

O número total de portugueses instalados no Brasil em 1548 também não era elevado a ponto de justificar a criação do Governo-Geral. A população da colônia não chegava a 1500 almas — número 30 vezes inferior ao dos lusos que viviam na Índia. Cerca de 600 colonos moravam em São Vicente, outros 600 estavam estabelecidos em Pernambuco, e os restantes se encontravam dispersos entre Porto Seguro (cerca de 100), Ilhéus (80) e Espírito Santo. As demais capitanias estavam total ou virtualmente desabitadas.

A esperança de lucros representada pela lavoura canavieira era um estímulo para os portugueses, assim como a necessidade de assegurar a costa brasileira como escala importante para a carreira da Índia. Mas o principal motivo que levou D. Antônio de Ataíde e Fernão d'Álvares a convencerem o rei a investir dinheiro do Tesouro régio no Brasil mais uma vez foi a ameaçadora presença dos franceses e o fato de eles já se encontrarem próximos a São Vicente (de onde, como alertava Luís de Góis, poderiam partir em direção ao Cabo da Boa Esperança e dali chegarem à Índia).

No dia 17 de dezembro de 1548, com a corte instalada em Almerim, o rei D. João III decretou a criação do Governo-Geral. Para o cargo de primeiro governador do Brasil foi escolhido o fidalgo Tomé de Sousa. O fato de ele ser primo-irmão de Ataíde é um indicativo de que foi o próprio conde de Castanheira quem o alçou àquele posto.

A atuação de Ataíde não se limitou a isso: também foi ele quem redigiu o minucioso Regimento, com 17 itens, que determinava de que forma Tomé de Sousa deveria governar assim que chegasse ao Brasil.

No dia 1º de fevereiro, comandando uma frota com seis navios, nos quais viajavam 400 degredados e 200 colonos, Tomé de Sousa zarpou de Lisboa. Meio século se havia passado desde a chegada de Pedro Álvares Cabral e quase nada do que os portugueses tinham tentado fazer no Brasil dera certo até então.

Tomé de Sousa iria tentar outra vez.

NOTAS

1 — "criaturas do rei" — citação de *Do Escambo à Escravidão*, de Alexander Marchand (Rio, 1971).

2 — "que envenena a terra" — citação da carta de Duarte Coelho ao rei D. João III, transcrita na íntegra em *História da Colonização Portuguesa do Brasil*, vol. III.

3 — "bebidas espirituosas" — citação de *História do Brasil,* de Francisco de Varnhagen. Para uma discussão mais aprofundada dos "vícios" de Vasco Fernandes Coutinho, veja o capítulo e as notas referentes a ele, na Parte II de *Os Capitães do Brasil*.

PARTE I — A Costa do Ouro e da Prata

1 — "na frente e ao peito" — citação de *Nova Gazeta da Terra do Brasil*, relato da expedição de João de Lisboa redigido por um feitor que vivia na ilha da Madeira e para o qual o próprio Lisboa narrara a descoberta do Rio da Prata e as notícias que lhe tinham sido dadas pelos nativos, da tribo Charrua. Este feitor trabalhava para a família Fugger, a mais rica da Europa, e para ela enviou o relatório, chamado de *Nova Gazeta da Terra do Brasil*. Para maiores detalhes sobre esse episódio, veja *Náufragos, Traficantes e Degredados*, vol. II da coleção Terra Brasilis (Objetiva, 1998).

2 — "viveram ali" — para maiores detalhes sobre a saga dos náufragos e a fundação e localização do Porto dos Patos, veja *Náufragos, Traficantes e Degredados*.

3 — O Peabiru era uma trilha com cerca de 1,40m de largura, bem demarcada, que partia dos arredores da ilha de Santa Catarina, de Cananéia e de São Vicente (SP) e seguia até o Peru. O significado de seu nome, em Tupi, é controverso. As interpretações mais comuns são: "caminho antigo de ida e volta", "caminho batido, ou pisado", "pegada do caminho" ou "caminho cujo percurso se iniciou". Para maiores detalhes veja *Náufragos, Traficantes e Degredados*.

4 — "de sua devoção" — para maiores detalhes sobre as viagens de Caboto e Garcia pela bacia do Prata, veja *Náufragos, Traficantes e Degredados*.

5 — "gasto perdido" — carta de Simão Afonso, descoberta por Jaime Cortesão e citada por ele em *Fundação de São Paulo, Capital Geográfica do Brasil* (SP, 1954).

6 — "chamam de Prata" — carta da imperatriz D. Isabel, idem nota 5.

7 — "murmurações pelo palácio" — citação de *Lendas da Índia*, de Gaspar da Gama (Lisboa, 1941).

8 — "rei de Portugal" — idem nota 6.

9 — "sem receber soldo" — idem nota 6.

10 — "parte da expedição de Martim Afonso" — suposição feita por Pandiá Calógeras em *Formação do Brasil* (Rio, 1938).

11 — "muito contentamento" — carta do embaixador Lope Hurtado de Mendoza para a imperatriz D. Isabel, citada por Jaime Cortesão, idem nota 6.

12 — "conquista do Peru" — segundo Jaime Cortesão, a expedição enviada, anos mais tarde, pelos donatários Fernão Álvares, Aires da Cunha e João de Barros, para colonizar o Maranhão foi inspirada pelos conhecimentos adquiridos por Diogo Leite.

13 — "frotas da Europa" — citação da carta Novo Mundo, de Américo Vespúcio.

14 — "por volta de 1516" — citação de *História da Fundação da Bahia*, de Pedro Calmon (Salvador, 1949).

15 — "Rua Nova de Lisboa" — citação do *Diário da Navegação de Pero Lopes* (Rio, 1927).

16 — "daria a terra" — idem nota 15.

17 — "daqueles campos" — idem nota 15.

18— "alvo preconcebido" — idem nota 5.

19 — "grande senhor daqueles campos" — idem nota 15.

20 — "se tornarem selvagens" — carta de D. Rodrigo de Acuña, citada por Mário Neme em *Notas de Revisão da História de São Paulo* (SP, 1954).

21 — "carregados de prata e ouro" — idem nota 15.

22 — "conquistados em além-mar" — O padrão deixado por Martim Afonso em Cananéia foi encontrado pelo coronel Afonso Botelho de Sampaio e Sousa, em janeiro de 1767 e levado para o Instituto Histórico e Geográfico de SP, onde se encontra.

23 — "agarrado a uma tábua" — idem nota 15

24 — "muito bem construído" — idem nota 15.

25 — "meio mortos" — idem nota 15.

26 — "destruir os Tupiniquim" — citação de *Negros da Terra*, de John Monteiro (SP, 1995).

27 — "do que diziam" — idem nota 15.

28 — "hóstia consagrada" — Protesto do barão de Saint Blanchard, citado em *História da Colonização Portuguesa do Brasil* (HCP), vol. III (Lisboa, 1926).

29 — "parede ao lado" — contestação de Pero Lopes ao protesto de S. Blanchard, idem nota 28.

30 — "maus-tratos" — idem nota 28.

31 — "meu rosto" — carta do bispo D. Marinho, citada em HCP, vol III.

PARTE II — A PARTILHA DO BRASIL

1 — "frutificamento da terra" — carta de João de Melo da Câmara, transcrita na íntegra em HCP, vol III.

2 — "virem vazias" — carta de D. Diogo de Gouveia, idem nota 1.

3 — "aflições de dinheiro", citação de *História de Portugal*, de Alexandre Herculano (Lisboa, 1937).

4 — "a miséria e a peste" — idem nota 3.

5 — "vos escrevesse" — carta de D. João III a Martim Afonso, transcrito na íntrega em *História do Brasil*, de Francisco de Varnhagen (SP, 1978).

6 — "compre a meu serviço" — alvará citado na íntegra em HCP, vol. III.

7 — "criaturas do rei" — citação de *Do Escambo à Escravidão*, de Alexander Marchand (Rio, 1971).

8 — "interpelados" — alvará dos degredados, transcrito na íntegra por F. A. Pereira da Costa em *Anais Pernambucanos* (Recife, 1951).

9 — "saneou suas enxovias" — citado por F. A. Pereira da Costa, idem nota 8.

10 — "estigma de sua infâmia" — idem nota 9.

11 — "vinha por D. Antônio" — citação de *Lendas da Índia*, de Gaspar Correia (Lisboa, 1948).

12 — "puro ouro" — citação de *Fundação de São Paulo — Capital Geográfica do Brasil*, de Jaime Cortesão (SP, 1954).

13 — "nenhum príncipe" — carta de Pizarro citada por Cortesão, idem nota 12.

14 — "marcos de prata" — Jaime Cortesão calculou o valor do tesouro saqueado por Pizarro no Peru em cerca de três milhões de cruzados, o equivalente a toda a arrecadação.

15 — "arte indígena" — idem nota 12.

16 — "do Novo Mundo" — citação de *Visão do Paraíso*, de Sérgio Buarque de Holanda (SP, 1969).

17 — "filhos e criados" — citação de *La Argentina*, Ruy de Gusman (Buenos Aires, 1963).

18— "perdimento de seus bens" — idem nota 17.

19 — "com os índios" — idem nota 17.

20 — "qualquer acontecimento" — idem nota 17.

21 — "transformados em selvagens" — carta de Leonardo Nunes, transcrita na íntegra em *Cartas Avulsas* (Rio, 1931).

22 — "sucessões da governança" — idem nota 11.

23 — "assumir o poder" — idem nota 11.

24 — "naturais da terra" — citado por Jaime Cortesão, idem nota 12.

25 — "dominação portuguesa" — citação de *A Dominação Ocidental na Ásia,* de K.M. Pannikar (Rio, 1969).

26 — "feios atos de rapina" — idem nota 12.

27 — "como de dinheiro" — idem nota 12.

28 — "não tencionava pagar" — idem nota 12.

29 — "gentes do Oriente" — Diogo do Couto citado por Georg Friederici em *O Caráter da Descoberta e Conquista da América pelos Europeus* (Rio, 1967).

30 — "honra do mundo" — trecho da carta de Martim Afonso para D. Antônio de Ataíde, parcialmente transcrita em HCP, vol III.

31 —"soberano do mundo" — citação de *Historia General e Natural de las Indias*, de Gonzalo Fernandez de Oviedo (México, 1978).

32 — "problemas internos" — Em fins de novembro de 1534, os 13 navios restantes da frota de Pedro de Mendoza chegaram à desguarnecida baía de Guanabara. Bem recebidos pelos nativos, os espanhóis permaneceram lá durante duas semanas. Precipitou-se então o primeiro grave incidente dos tantos que abalariam a missão: Mendoza — "sempre melancólico, doente e fraco", segundo o depoimento de Ulricoh Schmidel — sofreu um colapso nervoso e ficou paralítico. O comando da expedição foi passado ao fidalgo Juan de Osorio. Poucos dias mais tarde, Osorio foi falsamente acusado de planejar um motim — e Mendoza apunhalou-o, "sem provas ou julgamento". Depois disso, todos os tripulantes passaram a temer por seu destino.

33 — "mullheres e filhos" — citação de *Relación del Viaje al Río de la Plata*, de Ulrich Schmidel (Madrid, 1985).

34 — "mortíferas" — citação de *História do Brasil,* de frei Vicente do Salvador.

35 — "de seus ódios" — citação de *Viagem à Terra do Brasil*, de Jean de Léry.

36 — "próprios olhos" — citação *Singularidades da França Antártica*, de André Thevet.

37 — "nas trombas" — citação de *Biografia de uma Ilha*, de Luiz Serafim Derenzi (Vitória, 1995).

38 — "prédio de casas" — citação de HCP, vol. III.

39 — "do Oriente" — idem nota 37.

40 — "fiel e dedicado" — citação de *História do Brasil*, de Varnhagen.

41 — "principado independente" — citação de "Primeiros donatários do Brasil", de Pedro de Azevedo, em HCP, vol. III.

42 — "tiverem cometido" — idem nota 41.

43 — "de elevada nobreza" — idem nota 41.

44 — "monstro de perversidade" — idem nota 41.

45 — "que bebiam" — citação de *Relação da Viagem às Molucas*, de Andrés Urdaneta, parcialmente transcrita por Rodolfo Garcia em nota à *História do Brasil*, de Varnhagen.

46 — "cruel" — idem nota 45.

47 — "cavalos e criados" — idem nota 41.

48 — "no coração" — idem nota 40.

49 — "seus criados" — idem nota 37.

50 — "muito honrado" — carta de D. Ataíde a Martim Afonso, parcialmente citada em HCP, vol. III.

51 — "maldade de Nero" — citação de *Lendas da Índia*, de Gaspar Correia.

52 — "corações direitos" — idem nota 51.

53 — "lenta e terrível" — frei Fernão Queiróz citado por Georg Friederich em *Caráter do Descobrimento e Conquista da América pelos Europeus*.

54 — "não pela matança" — Cabeza de Vaca, citado por Henry Miller em *Naufrágios e Comentários* (Porto Alegre, 1999).

55 — "famintos e nus" — citação de *Naufrágios e Comentários*, de Cabeza de Vaca.

56 — "formosas e grandes" — HCP, vol. III.

57 — "Limoeiro" — diálogo entre D. Ana Pimentel e a rainha D. Catarina citado em HCP, vol. III.

58 — "como era costume" — idem nota 51.

59 — "cargos públicos" — citação de *Portugal de Além-Mar*, de A. Duarte de Almeida (Lisboa, 1936).

60 — "cultivadas" — idem nota 40.

61 — "mais amplo" — citação de *Segredos Internos*, de Stuart Schwarz (SP, 1996).

62 — "família Schetz" — idem nota 61.

63 — "poderia fazer" — citação de *Terra Goitacá*, de Alberto Lamego (Rio, 1934).

64 — "judeu convertido" — idem nota 41.

65 — "alevantada e devastada" — citação da carta de Pero de Góis, transcrita na íntegra em HCP, vol. III.

66 — "onde fico havia" — idem nota 65.

67 — "adiante mais" — idem nota 65.

68 — "furtado" — idem nota 65.

69 — "estroído" — idem nota 65.

70 — "tinham comido" — citação da carta de Pero Borges, publicada na íntegra por HCP, vol. III.

71 — "nos feito" — Pedro Hernandéz em *Naufrágios e Comentários*.

72 — "mui fatigadas" — idem nota 12.

73 — "não o merecia" — citação de relatório de D. Antônio de Ataíde, publicado parcialmente em HCP, vol. III.

PARTE III — A COSTA LESTE-OESTE

1 — "almirante oculto" — citação de *História da Fundação da Bahia*, de Pedro Calmon.

2 — "residências da capital" — citação de *Lisboa Antiga*, de Júlio de Castilho (Lisboa, 1936).

3 — "Ocidente ao Oriente" — idem nota 1.

4 — "jogo de pião —" citação de *Vida de João de Barros*, de Manuel Severim de Faria (Lisboa, 1624).

5 — "exercícios virtuosos" — idem nota 4.

6 — "de que o confiasse" — citação do prólogo de *Década* I, de João de Barros.

7 — "companheira do império" — citação de Ana Isabel Buesco, no artigo "João de Barros e o cosmopolitismo do Renascimento", revista *Oceanos* (Lisboa, junho de 1996).

8 — "historiador sedentário" — citação de *Historiadores Quinhentistas*, de M. Rodrigues Lapa (Lisboa, 1972).

9 — "para isso houvemos" — idem nota 6.

10 — "relatividade das civilizações" — idem nota 7.

11 — "tão mau nome" — idem nota 6.

12 — "matéria épica" — idem nota 7.

13 — "ele não o fizera" — declaração de D. Ataíde citada por Pedro de Azevedo em "Os primeiros donatários", capítulo de *História da Colonização Portuguesa do Brasil*.

14 — "Cortez e Pizarro reunidas" — citação de *Obras*, de João Francisco de Lisboa (Maranhão, 1865).

15 — "Vossa Majestade Imperial" — carta publicada por Capistrano de Abreu em nota de *História do Brasil*, de Varnhagen. O original foi descoberto pelo barão do Rio Branco, no arquivo de Simancas, na Espanha.

16 — "muitos franceses" — citação de *História do Rio Grande do Norte*, de Luís da Câmara Cascudo (Rio, 1954).

17 — "tentar melhor sorte" — idem nota 16.

18 — "asselvajar-se" — citação de *História do Brasil*, de Francisco de Varnhagen.

19 — "ia se acumulando" — citação do artigo "Desventuras de João de Barros, primeiro colonizador do Maranhão", de Rafael Moreira e William M. Thomas, revista *Oceanos* (Lisboa, junho 1996).

20 — "orientação aos mareantes" — idem nota 19.

21 — "mais dissimulada possível" — citação da carta de Sarmiento, idem nota 15.

22 — "Nazaré" — idem nota anterior. Ronaldo Vainfas, consultor dessa coleção, considera equivocada essa tese (apresentada por R. Moreira e W. Thomas — veja nota 19). Para Vainfas, é muito mais provável que os lusos estivessem se referindo à Nazaré bíblica. De fato, os nomes dados pelos portugueses aos acidentes geográficos e lugares aos quais chegavam eram, em geral, de origem religiosa.

23 — "verdade limpa" — idem nota 16.

24 — "sonhos de grandeza" — idem nota 16.

25 — "os pagasse" — idem nota 16.

26 — "validade moral do débito" — idem nota 16.

27 — "muita palavra e muito ouro" — idem nota 16.

28 — "desastrosa e fugidia" — idem nota 16.

29 — "porco-espinho" — citação de *Descubrimiento del río de las Amazonas*, de frei Gaspar de Carvajal (edição de Jose Toríbio Medina, Nova York, 1914).

30 — "aventura comercial" — citação de *Novo Mundo nos Trópicos*, de Gilberto Freire (Rio, 1971).

31 — "tudo o que podia levar" — *História do Brasil*, de frei Vicente do Salvador.

32 — "bastante controverso" — A origem dos termos "mair" e "peró" de fato continua obscura. Em tupi "mbae-ira" talvez signifique "homem que vive longe, apartado, solitário". "Peró" pode ser originário do termo espanhol "perro" (cão) ou do fato de os indígenas acharem que a maior parte dos portugueses se chamavam Pero (ou Pedro). Para mais detalhes, ver *Náufragos, Traficantes e Degredados*, vol. 2 da coleção Terra Brasilis (Rio, 1998).

33 — "em voga" — idem nota 18.

34 — "muitos mimos" — citação de *Tratados da Terra e Gente do Brasil*, de Fernão Cardim (Lisboa, 1996).

35 — "Península Ibérica" — citação de Pedro de Azevedo em "Os Primeiros Donatários", capítulo de *História da Colonização Portuguesa do Brasil*, vol. III.

36 — "novas do sertão" — citação da carta de Duarte Coelho, publicada em *História da Colonização Portuguesa do Brasil*, vol. III.

37 — "comandar uma barca" — idem nota 32.

38 — "carregados de brasil" — idem nota 37.

39 — "levantam-se" — idem nota 37.

40 — "penetrou até os miolos" — idem nota 32.

41 — "tanto ânimo" — idem nota 32.

42 — "se puseram em fugida" — idem nota 32.

43 — "razão e justiça" — idem nota 37.

44 — "ataque dos selvagens" — citação de *Duas Viagens ao Brasil, de Hans Staden* (Belo Horizonte, 1971).

45 — "não tínhamos nenhum" — idem nota anterior.

46 — "muito tempo" — idem nota 37.

PARTE IV — A COSTA DO PAU-BRASIL

1 — "elementos e finanças" — citação de "O regime feudal das donatarias", de Carlos Malheiro Dias, em HCP, vol. III.

2 — "critérios capitalistas" — citação de *Os Primeiros Donatários do Brasil*, de Pedro de Azevedo, HCP, vol. III.

3 — "poder do dinheiro" — idem nota 1.

4 — "cousas de guerra" — citação da carta de Pero Borges, escrita em Porto Seguro em 7 de fevereiro de 1550 e transcrita em HCP, vol. III.

5 — "metido em diferenças" — citação de *A Bahia e as Capitanias do Centro do Brasil*, J. F. de Almeida Prado (São Paulo, 1945).

6 — "quase toda perdida" — o depoimento de Fernão Guerreiro foi citado por J. F. de Almeida Prado, idem nota 5.

7 — "vários milhares de cruzados" — idem nota 5.

8 — "na dita Costa do Brasil" — carta de doação citada por Vera Telles em *Porto Seguro: História/Estórias* (Rio, 1987).

9 — "vão povoar o Brasil" — carta da imperatirz D. Isabel, citada por Vera Telles, idem nota 8.

10 — "prudente e atilado" — idem nota 5.

11 — "ajuda de Vossa Alteza" — carta de Pero do Campo Tourinho ao rei D. João III, transcrita em HCP, vol. III.

12 — "grave ofensa à religião" — idem nota 5.

13 — "esforços perdidos" — citação de "Atribulações de um donatário", de Capistrano de Abreu, in *Capítulos de História Colonial* (Rio, 1978).

14 — "que o pariu" — citado por J. F. de Almeida Prado, idem nota 5.

15 — "próprio Deus" — citado por Capistrano de Abreu, idem nota 13.

16 — "papa para mim" — idem nota 15.

17 — "com cuspe" — idem nota 15.

18 — "eive os espíritos" — alvará citado por F. A. Pereira da Costa em *Anais Pernambucanos* (Recife, 1951).

19 — Para uma breve história do estabelecimento da Inquisição em Portugal, ver *Nova História de Portugal*, dirigida por Joel Serrão e Oliveira Marques.

20 — "coisas que não deviam" — Os autos do processo contra Pero do Campo Tourinho estão arquivados na Torre do Tombo, onde foram descobertos por Capistrano de Abreu. A íntegra do processo aparece transcrita em HCP, vol III.

21 — "herege diletante" — idem nota 13.

22 — "facilmente florescera" — J. M. Macedo citado por Vera Telles, idem nota 8.

23 — "de fato ficou" — O depoimento incriminando André do Campo foi prestado

perante o tribunal do Santo Ofício por Gaspar Dias Barbosa, neto do donatário, no dia 16 de agosto de 1591, em Olinda, durante a primeira visitação da Inquisição ao Brasil.

24 — "nobreza lusitana" — idem nota 1.

25 — "tão ilustre" — idem nota 1.

26 — "no trato dos negócios" — citação de *A Cidade do Salvador*, de Edison Carneiro (Rio, 1954).

27 — "fizera aquilo" — carta de Cristóvão de Brito publicada em *Cartas de Afonso de Albuquerque* (Lisboa, 1923).

28 — "lágrimas em quantidade" — citado por J. F. de Almeida Prado, idem nota 5.

29 — "a nível nacional e internacional" — citação de *Nova História de Portugal*, dirigida por Joel Serrão e Oliveira Marques.

30 — "jamais víramos" — frase de Jerônimo Münzer citada no mesmo livro referido na nota anterior.

31 — *Deambulações da ganda* — citado por J. F. de Almeida Prado, idem nota 5.

32 — "mui boa conta" — citado por J. F. de Almeida Prado, idem nota 5.

33 —"capitania do Brasil" — alvará publicado em *Registros da Casa da Índia*, coletados por Luciano Pereira (Lisboa, 1916).

34 — "200 léguas de terra" — diário de Juan de Mori, citado em *História da Fundação da Bahia*, de Pedro Calmon (Bahia, 1949).

35 — "de origem fidalga" — idem nota 34.

36 — "armada de Simão de Alcázoba" — citação de *Historia General e Natural de las Indias*, de Gonzalo Fernandez de Oviedo (México, 1978).

37 — "para os portugueses" — citação de *História da Fundação da Cidade do Salvador*, de Teodoro Sampaio (Bahia, 1949).

38 — "contrabando" — idem nota 37.

39 — "pau-de-tinta" — idem nota 37.

40 — "casas grandes" — citação de *Povoamento da Cidade do Salvador*, de Thales de Azevedo (Bahia, 1949).

41 — "estranheza" — idem nota 40.

42 — "dos índios" — idem nota 40.

43 — "de grande estirpe" — citação de Pedro Calmon, idem nota 34.

44 — "rude e tosco" — citação de *História do Brasil*, de Francisco de Varnhagen (SP, 1978).

45 — A íntegra da carta de doação da sesmaria de Caramuru é transcrita por Thales de Azevedo, idem nota 40.

46 — "assaram e comeram" — crônica jesuítica *De algumas coisas mais notáveis do Brasil,* arquivo da Biblioteca de Coimbra, citada por Rodolfo Garcia em nota a Varnhagen, idem nota 44.

47 — "quanto quiserem" — Alguns historiadores acham que a carta citada não foi escrita pelo donatário Francisco Pereira Coutinho, mas por um de seus colonos, Francisco Martins Coutinho, já que este é o nome que aparece no final da carta. O documento original encontra-se na Biblioteca Nacional (RJ), onde foi encontrado

por Capistrano de Abreu. A maior parte dos estudiosos, porém, acha que o nome "Martins" foi um erro do copista e que o autor do relato foi o próprio donatário.

48 — "de Diogo Álvares" — idem nota 26.

49 — "mal ensinados" — carta de Duarte Coelho, transcrita em HCP, vol. III.

50 — "fugir do trabalho" — idem nota 40.

51 — "contra os silvícolas" — citação de *História do Brasil*, de Henrich Handelmann (Rio, 1931).

52 — "não era a Índia" — idem nota 40.

53 — "suspeitas" — idem nota 37.

54 — "Antilhas" — Alvará de D. Ataíde, citado por Pedro Calmon, idem nota 43.

55 — "em selvageria" — citação de *Crônica da Cia. de Jesus*, de Simão de Vasconcelos (Rio, 1909).

56 — "por eles" — carta de Manuel da Nóbrega em *Cartas do Brasil* (Rio, 1931).

57 — "fiéis a ele" — idem nota 40.

58 — "o vingassem" — idem nota 56.

59 — "tranqueiras dos colonos" — idem nota 26.

60 — "andava embrenhado" — carta de Pero Borges, idem nota 4.

61 — "grão ribaldo" — idem nota 49.

62 — "se edifica" — idem nota 56.

63 — "baldo de recursos" — idem nota 40.

64 — "Seu serviço" — carta de Pero do Campo Tourinho, em HCP, vol. III.

65 — Carta de Luís de Góis aparece na íntegra em HCP, vol. III.

A principal fonte para o estudo das capitanias hereditárias permanece sendo o volume III da monumental *História da Colonização Portuguesa do Brasil*, coleção em três volumes editada por Carlos Malheiro Dias e publicada em Portugal pela Litografia Nacional (Porto, 1926). Além de trazer uma completa biografia dos donatários — resumida por Pedro de Azevedo (irmão do escritor Aluísio de Azevedo, autor de *O Cortiço* e *O Mulato*, entre outros) no artigo "Os primeiros donatários do Brasil" —, HCP, vol. III, também reproduz os forais, as cartas de doação e, o que é mais importante, publica, na íntegra, as cartas enviadas ao rei D. João III pelos próprios donatários. Tais cartas constituem das únicas fontes primárias sobre o assunto. HCP, vol. III, traz também os dados biográficos de D. Antônio de Ataíde e é um dos poucos livros a desvendar o papel-chave que o conde de Castanheira desempenhou na história do Brasil. Ataíde tem sido inexplicavelmente menosprezado pela historiografia contemporânea e já é hora de reabilitá-lo.

O segundo livro mais importante sobre as capitanias é a *História do Brasil*, de Francisco Adolfo de Varnhagen, publicado em 1854 e, anos depois, enriquecido pelas excelentes notas feitas por Capistrano de Abreu e Rodolfo Garcia. Na década de 1940, J. F. de Almeida Prado empreendeu uma tentativa de sistematizar o período das capitanias, em geral pouco estudado pela historiografia oficial. Embora repletos de dados, os três volumes de Almeida Prado — *São Vicente e as Capitanias do Sul do Brasil*, *Bahia e as Capitanias do Centro do Brasil* e *Pernambuco e as Capitanias do Norte do Brasil* (todos publicados pela coleção Brasiliana, Cia. Editora Nacional, SP, 1940-1945) — são um tanto confusos e de leitura enfadonha. Constituem, ainda assim, fonte indispensável.

Almeida Prado foi elogiado pelo norte-americano Alexander Marchand, autor do admirável *Do Escambo à Escravidão* (da mesma Brasiliana, SP, 1944), um estudo sobre as relações econômicas entre brancos e indígenas no Brasil colonial que faz excelente síntese do período das capitanias. Apesar de repleto de incorreções, a *História do Brasil*, de frei Vicente do Salvador (publicada originalmente em 1627 e, desde então, constantemente reeditada) também relata a história das capitanias e é livro interessante e de leitura saborosa — especialmente porque enriquecido pelas notas do sempre minucioso Capistrano de Abreu. Por fim, outra boa fonte é *Notícia do Brasil*, de Gabriel Soares de Sousa, escrito em 1587 (última edição, SP, 1957).

A expedição de Martim Afonso de Sousa foi detalhadamente estudada pelo capitão da Marinha Eugênio de Castro em sua espetacular edição do *Diário da Navegação de Pero Lopes de Sousa* (Rio, 1927), que bem merecia reedição. Duas fontes indispensáveis para o estudo da capitania de São Vicente, a Costa do ouro e da prata e a busca pelo "Rei Branco" são *Fundação de São Paulo - Capital Geográfica do Brasil*, de Jaime Cortesão (SP, 1954), e *Notas de Revisão da História de São Paulo*, de Mário de Neme (SP, 1954). Cortesão é o autor que mais se aprofundou neste tema, e a Parte I de *Capitães do Brasil* deve muito às suas idéias. Neme foi discípulo de Cortesão, e seu livro é bastante detalhado.

Washington Luís, que depois seria presidente do Brasil, escreveu um recomendável *Na Capitania de São Vicente* (SP, s.d.). Por fim, frei Gaspar da Madre de Deus publicou, em fins do século 18, suas *Memórias para a História da Capitania de São Vicente*, com muitos erros mas algumas informações peculiares (última edição, SP, 1975). Especificamente sobre o caminho do Peabiru existe um estudo recente, *A Saga de Aleixo Garcia*, de Rosana Bond (Florianópolis, 1998). Também sobre o Peabiru e o mito da Lagoa Dourada, fonte fundamental é o clássico *Visão do Paraíso*, de Sérgio Buarque de Holanda (SP, 1969), um dos mais fascinantes livros já escritos sobre o Brasil colonial.

As duas melhores fontes para o estudo da capitania de São Tomé (uma das mais desprezadas pela historiografia) são *Terra Goitacá*, de Alberto Lamego (Rio, 1945) e *A Capitania de São Tomé*, de Augusto Carvalho (Rio, 1897). Para a redação do capítulo sobre a capitania do Espírito Santo foram consultados *Biografia de uma Ilha*, de Luiz Serafim Derenzi (Vitória, 1975) e *História do Espírito Santo*, de Maria Stella de Novaes (Vitória, s.d.). Sobre a fundação de Buenos Aires e de Assunção, existe uma fonte primária importantíssima e detalhada: *Relacion del Viaje al Rio de La Plata*, de Ulrich Schmidel (Madrid, 1975). As memórias de Cabeza de Vaca foram publicadas em *Naufrágios e Comentários* (Porto Alegre, L&PM, 1998, notas de Eduardo Bueno). Sobre a conquista do Peru, nada supera o clássico *The Conquest of Peru*, de William Prescott (Nova York, 1936), inédito em português.

As fontes primordiais para a redação de "A Costa Leste-Oeste" foram os artigos "João de Barros e o cosmopolitismo do renascimento", de Ana Isabel Buescu (de onde foi extraída a análise sobre a obra literária de João de Barros), e "Desventuras de João de Barros, primeiro colonizador do Maranhão", de Rafael Moreira e William M. Thomas, dois excelentes artigos publicados pela revista *Oceanos* (Lisboa, junho de 1996). Também foi consultada a ótima *História do Rio Grande do Norte*, de Luís da Câmara Cascudo (Rio, 1957) e as *Obras*, de João Francisco Lisboa (Rio, 1975). Sobre a descoberta do Amazonas, a fonte primordial continua sendo o diário de frei Gaspar de Carvajal, *Descobierta del río de las Amazonas* (Madri, 1961). Para um bom estudo sobre as amazonas em si, ver o artigo de Luiz Mott, "As Amazonas: um mito e algumas hipóteses", publicado em *América em tempo de conquista* (coord. de Ronaldo Vainfas, Rio, 1992).

É muito ampla a bibliografia sobre os primórdios de Pernambuco. Fonte completíssima são os *Anais Pernambucanos*, de F. A. Pereira da Costa (Recife, 1951). *Olinda*, *Novo Mundo nos Trópicos* e o clássico *Casa-Grande & Senzala*, os três de Gilberto Freire, são livros maravilhosos e foram bastante utilizados. O melhor estudo sobre o açúcar no Brasil colonial é *Segredos Internos*, de Stuart Schwartz (SP, 1993). Muito pouco se escreveu sobre a capitania de Itamaracá: a melhor fonte continua sendo frei Vicente do Salvador (op. cit.), além dos já citados HCP, vol. III e Varnhagen. O livro de Hans Staden foi recentemente reeditado, em nova tradução de Pedro Süssekind (Rio, 1998).

A bibliografia sobre a capitania de Ilhéus é praticamente inexistente. A melhor fonte é J. F. de Almeida Prado, em *Bahia e as Capitanias do Centro* — e, mais uma vez, HCP, vol. III, e Varnhagen. Sobre a capitania de Porto Seguro, existe um bom livro: *Porto Seguro: História/Estórias*, de Vera Telles (Rio, 1987). Sobre o processo contra Pero do Campo Tourinho, é indispensável consultar "Atribulações de um donatário", de Capistrano de Abreu, publicado em *Capítulos de História Colonial* (Rio, 1975, edição anotada por José Honório Rodrigues).

Sobre a capitania da Bahia, a bibliografia é vasta e muito boa. Quatro livros são indispensáveis: *História da Fundação da Bahia*, de Pedro Calmon, *História da Fundação da Cidade do Salvador*, de Teodoro Sampaio, e *Povoamento da Cidade do Salvador*, de Thales de Azevedo (os três editados na Bahia, 1949), e *A Cidade do Salvador*, de Edison Carneiro (Rio, 1954). Também merece ser consultado o saboroso *Breviário da Bahia*, de Afrânio Peixoto (SP, 1946).

Algumas histórias gerais do Brasil: a sempre confiável *História Geral da Civilização Brasileira*, dirigida por Sérgio Buarque de Holanda, vol. I, *A Época Colonial* (SP, 1960), *História do Brasil*, de Robert Southey (um dos poucos a traçar um paralelo entre o Brasil e a América Espanhola), *História do Brasil* (em 7 volumes), de Pedro Calmon (Rio, 1947), e *História do Brasil* (em dez volumes), de Rocha Pombo (SP, 1951), são boas fontes genéricas. *A Construção do Brasil*, de Jorge Couto (Lisboa, 1998), traça um belo panorama dos primeiros anos da colonização no Brasil e foi um sopro de renovação na historiografia colonial. Sobre as guerras entre brancos e nativos, a melhor e mais documentada fonte é *Red Gold*, de John Hemming (Nova York, 1975), vergonhosamente inédito em português. *Negros da Terra*, de John Monteiro (SP, 1995), também deve ser consultado.

Duas excelentes histórias de Portugal no século 16 foram editadas recentemente. São elas: *Portugal: do Renascimento à Crise Dinástica*, coordenação de João José Alves Dias (Lisboa, 1998), vol. V, da *Nova História de Portugal*, dirigida por Joel Serrão e A. H. de Oliveira Marques, e *Portugal no Alvorecer da Modernidade*, coordenação de Joaquim Romero Magalhães, vol. 3, de *História de Portugal*, direção de José Mattoso (Lisboa, 1998). Especificamente sobre a expansão lusitana, além das fontes clássicas (nomeadamente *Lendas da Índia*, de Gaspar Correia), devem ser consultados também *O Império Colonial Português*, de Charles Boxer (Lisboa, 1969), e o ótimo *Dicionário de História dos Descobrimentos Portugueses*, direção de Luís de Albuquerque (Lisboa, 1994).

Por fim, foram consultados também os dois primeiros volumes da coleção Terra Brasilis, *A Viagem do Descobrimento* e *Náufragos, Traficantes e Degredados*, ambos de Eduardo Bueno (Objetiva, Rio, 1998).

IMPRESSÃO E ACABAMENTO

DONNELLEY - COCHRANE GRÁFICA
EDITORA DO BRASIL LTDA.
UNIDADE HAMBURG
Rua Epiacaba, 90 - Vila Arapuá
04257-170 - São Paulo - SP - Brasil
Fone: (55 11) 6948 8000
Fax : (55 11) 6948 1555 Comercial
FOTOLITOS FORNECIDOS PELO CLIENTE